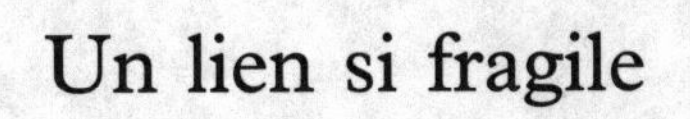
Un lien si fragile

Lynne Hugo
et
Anna Tuttle Villegas

Un lien si fragile

ÉDITIONS FRANCE LOISIRS

Titre original : *Baby's Breath*
publié par Synergistic Press, San Francisco.

Traduit de l'anglais (États-Unis) par Lucie Ranger.

Ce livre est une œuvre de fiction. Les noms, les personnages, les lieux et les événements sont le fruit de l'imagination des auteurs ou utilisés fictivement. Toute ressemblance avec des personnes réelles, vivantes ou mortes, des événements ou des lieux serait pure coïncidence.

Édition du Club France Loisirs,
avec l'autorisation de Flammarion Québec

Éditions France Loisirs,
123, boulevard de Grenelle, Paris
www.franceloisirs.com

ISBN : 2-7441-5890-9

La confiance est l'essence de l'amour.

Nous dédions ce livre aux femmes qui nous ont accordé la leur :

ANNA FUNDULAKIS TUTTLE
(1914-1953)
et
EVELYN MEYER HUGO,
nos mères,

et à nos enfants,
DAVID, BROOKE ET ADRIA,
auxquels nous accordons la nôtre.

Elle s'en fut errer au désert... et alla s'asseoir loin [de l'enfant], comme à une portée d'arc. Elle se disait en effet : « Je ne veux pas voir mourir l'enfant ! » Et elle s'assit en face de lui. Et il se mit à crier et à pleurer.

GENÈSE **21**,*16*

Il est un espoir pour ta descendance : ils vont revenir, tes fils, sur leur terre.

JÉRÉMIE **31**,*17*

LIVRE I

Chapitre 1

L'œil, vitreux et serein, la fixait. *Abandonné, mais résigné,* songea Leah. *Un exemple à suivre.*

Elle prit l'ourson dans la boîte qu'elle avait sortie de l'armoire, dans la chambre de sa fille. La peluche qu'elle avait gardée le plus longtemps, sa préférée – si la mère d'une fille introvertie pouvait tirer cette conclusion du fait que c'était celle avec laquelle elle dormait le plus souvent. Lazzie avait été le dernier de la ménagerie à se retrouver dans les cartons lors du départ d'Allie pour l'université. Elle tenait à emporter tous ses animaux, quelque feutrés, usés et sales qu'ils fussent, même si Leah lui avait dit que sa compagne de chambre la trouverait peut-être encombrante. Seule la longue agonie de sa grand-mère l'avait fait changer d'idée. À cause de la décision de sa mère de ne pas l'accompagner en voiture à l'autre bout du pays, elle avait dû prendre l'avion. Ensuite, à son retour pour les vacances de Noël, Allie n'avait plus parlé de son désir d'emporter toute sa ménagerie à Berkeley. Voilà maintenant qu'elle avait décidé de ne pas rentrer à la maison pour les vacances d'été. *Exit* l'enfance, les amis de jeunesse et l'envie de retrouver sa mère. Par moments, l'absence d'Allie frappait Leah comme un coup de poing au creux de l'estomac. Elle avait appris à vivre avec cette souffrance et à trouver des moyens de remplir le vide qu'elle ressentait.

Son nez picotait. Elle retint assez longtemps l'éternuement qu'elle sentait venir pour supporter de la main le bas de son dos. Cinquante ans et cinq mois. Pourtant, à part son dos, Leah Pacey n'éprouvait aucun signe de son âge. Les gens lui donnaient toujours moins, peut-être à cause de ses longs cheveux noirs, toujours en boucles folles. Il lui restait encore plusieurs bonnes années. En 1997, elle avait mené Esther Rhee, sa mère, à sa tombe, à côté de celle de son père, et elle avait vu partir sa fille pour l'université. Leah avait eu plus que sa part de chagrins. Elle pouvait enfin prendre tout le temps qu'elle voulait pour elle. Beaucoup de temps. Pas des miettes, des instants volés ici ou là. Du temps libre, sans culpabilité.

« Allie a loué un appartement à Berkeley et s'est trouvé un travail d'été, comme serveuse... alors, je transforme sa chambre en atelier ! » annonça joyeusement Leah à Dave Allen, son voisin immédiat, un barman au regard de braise qui faisait du charme à toutes les femmes.

La maison, avec ses deux chambres, s'était avérée un choix idéal pour une mère seule avec son enfant. Sous la voûte formée par les chênes, la petite rue en pavés, à sens unique, était égayée de jardinières colorées aux fenêtres et le long des barrières en fer forgé. Il y régnait une atmosphère presque européenne. C'était du moins l'impression de Leah, qui ne connaissait de l'Europe que les diapositives projetées pendant ses cours d'histoire de l'art.

En allant mettre aux ordures une pile de cahiers scolaires d'Allie, elle s'était arrêtée pour profiter de l'agréable fraîcheur de cette journée ensoleillée de mai. Le genre de temps à rendre les gens bêtement heureux.

« Besoin d'aide ? » lui demanda Dave.

Il contemplait la peinture bien cirée de sa voiture de sport avant de rentrer chez lui.

Même s'il devait avoir vingt-cinq ans de moins que Leah, il lui faisait du charme. L'année précédente, Leah avait espéré qu'il invite Allie à sortir. Elle aurait évidemment refusé sa permission, mais l'attention d'un homme comme Dave, beau et sociable, aurait contribué à augmenter la confiance en elle-même de sa fille. Toutefois, Dave semblait attiré par des femmes plus vieilles et il était peut-être rebuté par l'allure d'Allie. Leah avait entrevu la grande femme à l'allure de mannequin, pleine d'entrain et de vie, avec laquelle il sortait actuellement. Rien à voir avec Allie, qualifiée de renfrognée par certains de ses professeurs. Pourtant, elle n'était qu'une fille ayant besoin de s'extérioriser et d'être rassurée sur sa beauté par les attentions d'un petit ami. Leah devait lui avoir dit un million de fois combien elle était jolie. Mais Allie se contentait alors de lever les yeux au ciel.

« Vous savez, j'aurai peut-être besoin d'un peu d'aide, dit-elle à Dave. Mais pas tout de suite. Je veux démonter ma table à dessin qui est au sous-sol pour l'installer dans l'atelier. Elle est trop grande et trop lourde. Je ne pourrai jamais la transporter toute seule.

– Aucun problème. Faites-moi signe », lui répondit-il en s'éloignant.

Elle se promit de le faire. Le lendemain, elle devrait avoir fini de vider l'armoire. Puisque Allie se créait une vie ailleurs, loin de Leah, elle n'aurait certainement plus besoin de sa chambre. Autrement, Leah ne la lui aurait jamais enlevée. Elle n'y aurait jamais pensé quand Allie, adolescente, fuyait toute compagnie, y compris la sienne. Elle refusait même de se joindre à Leah si, fatiguée de peindre, celle-ci l'invitait à regarder un film en partageant un bol de pop-corn. Quand sa première attaque avait privé Esther de la parole et l'avait réduite à manger de la nourriture pour bébé, Leah avait dû choisir entre sa propre maison et une maison de retraite pour sa mère. Même là, elle n'avait pas hésité. Elle avait installé Esther dans sa propre chambre plutôt que de déplacer Allie. La maison, idéale pour deux personnes, était désespérément trop petite pour trois. Surtout avec l'une d'elles qui avait besoin de soins et d'équipements médicaux. Leah avait décidé que c'était à elle de se sacrifier, pas à sa fille.

Mais, à présent, elle ne la privait pas de sa chambre. Allie était partie de son propre chef. Les œuvres de Leah étaient maintenant exposées dans trois galeries. L'argent de l'assurance vie de sa mère, la rente de son père et le produit de la vente de la maison de ses parents, en mars, avaient enfin mis un terme à ses problèmes financiers. L'argent ne manquait plus, même pour payer les frais de scolarité d'Allie, quoi qu'il arrive, grâce au fonds d'études que son ex-mari, Dennis Staton, avait créé pour acheter sa liberté. Donc, fini les privations. Leah avait traversé assez d'épreuves. Maintenant, elle allait s'approprier la plus belle chambre de la maison, celle de devant, bien aérée et pleine de la lumière naturelle si nécessaire aux peintres. Le temps était venu de l'utiliser pour ses besoins à elle. Sa lettre de démission, déjà signée et cachetée pour éviter un regret de dernière minute, était rangée dans une pochette extérieure de son sac. Que ressentait-elle ? Elle vit en esprit une série de lettres colorées danser dans sa tête. Elles épelaient le mot JOIE.

« Évidemment, je ne partirai pas tant que tu n'auras pas trouvé quelqu'un pour me remplacer, dit Leah à Corinne, sa patronne depuis plus de dix ans à l'agence immobilière Atherton.

– Que vais-je devenir sans toi ?

Le découragement de Corinne n'était pas feint, Leah le savait.

– Tout ira bien, Cory. Tu accordes trop d'importance à mon travail. N'importe qui avec un peu de goût pourrait faire la même chose. »

Leah était responsable de toute la publicité de l'agence, de la prise des photos jusqu'au montage, mais ce n'était pas là l'essentiel. L'essentiel, et tous les agents chez Atherton reconnaissaient volontiers que c'était ce qui faisait d'eux les meilleurs vendeurs en ville, c'était que Leah avait du génie pour retaper une maison. Elle avait le don de choisir précisément la nouvelle teinte de peinture, la nouvelle disposition des meubles, les tableaux, les plantes en pots et la décoration du manteau de la cheminée qui rendaient, à très peu de frais, une maison irrésistible pour les acheteurs. Elle savait lui créer une atmosphère chaleureuse, lui donner de la personnalité et dissimuler ses défauts.

« Mais tu ne connais pas seulement le design... Tu es une artiste. Tu es irremplaçable. Comment inculquer à quelqu'un ta façon de voir ? Je n'en suis même pas capable moi-même. »

Cory avait raison. Par esprit pratique, Leah avait étudié le design, plutôt que l'art, quand elle était revenue chez sa mère avec Allie, après son divorce, et qu'elle était retournée à l'université de Pennsylvanie à trente-deux ans. Au fil des ans, l'agence avait trouvé de nouvelles façons d'exploiter son talent, alors qu'elle n'aurait pu compter vivre de sa peinture. Mais Cory avait raison. C'était son œil de peintre qui donnait aux maisons leur charme. Et c'était un don.

Leah regarda ses mains, au pourtour des ongles tachés de peinture d'une couleur indescriptible qu'elle ne réussissait plus à faire disparaître. Elle cacha ses doigts. Elle était vêtue simplement, pour une journée à sa table à dessin, d'un pantalon rayé noir et beige et d'un haut noir à manches longues. Elle avait prévu que ce serait difficile de parler à Cory. Elles étaient des amies et des confidentes, surtout en ce qui concernait leurs filles adolescentes.

« Pourquoi maintenant? J'aurais compris si tu avais voulu partir quand ta mère allait si mal ou quand Allie était encore à la maison, mais...

– J'admets que ça peut sembler ridicule.

– Tu veux peindre à temps plein, c'est ça? demanda Cory d'un ton accusateur.

– Oui. »

Leah la regarda dans les yeux et, dans un geste de défense ou de défi, releva le menton.

Cory soupira. À cinquante-sept ans, c'était une femme simple, intelligente et généreuse. Elle était propriétaire de l'agence et, si elle réussissait mieux que d'autres, c'était simplement parce qu'elle était plus compétente que ses compétiteurs. Entre autres grâce à Leah. Elle secoua la tête, faisant danser ses cheveux gris coupés au carré, et sourit à Leah.

« Si jamais tu veux revenir... même pas longtemps. Quand Allie sera à la maison et qu'elle te rendra folle, peut-être...

Leah se détendit.

– Oh ! Cory, c'est justement ça, tu vois ? Elle ne rentre pas à la maison cet été. Quand elle me l'a annoncé, j'ai été déçue, plutôt blessée en vérité. Elle est si distante...

– Et si loin.

Leah sourit.

– Oui, aussi. Et il ne faut surtout pas l'appeler Allie. Pas quand elle est à portée de voix. Il faut dire Alyssa. Depuis qu'elle est partie...

Elle s'arrêta et son sourire se réduisit à un soupir.

– Sais-tu ce qu'elle a dit ? "Je ne reviendrai jamais ici." À son ton, on aurait cru que Philadelphie était un dépôt de déchets nucléaires.

– Avec, évidemment, toi comme directrice des opérations.

– Évidemment.

– Tu sais, elle va revenir.

– Je comprends ce qu'elle voulait dire, mais... ça m'a donné un tel coup. L'année dernière, j'ai passé un été si difficile avec ma mère que, tu vois, j'espérais passer un peu de temps avec Allie cet été. Quand je le lui ai dit, elle a eu ce silence glacial qui me coupe tous mes moyens. Je te jure que je le sens, même au téléphone.

Leah haussa les épaules.

– Puis, quelques jours plus tard – je suppose qu'on a une quantité limitée de larmes par année –, j'ai pensé à installer mon atelier dans sa chambre pour profiter de toute cette lumière. Trois fenêtres ! J'en ai tellement ras le bol du sous-sol. C'est laid et humide. Je n'ai pu faire mieux que d'y installer un éclairage fluorescent. Et voilà ! J'ai commencé à vider sa chambre.

Leah fit une autre pause en levant les yeux au ciel comme pour montrer à quel point elle était folle.

– Au début, j'ai continué à pleurer, sur ses peluches et sur des trucs dont elle se fiche éperdument, comme ses badges de scoute. Puis... j'ai commencé à me sentir libérée. Tu comprends ?

– Pas encore, mais j'ai hâte de voir arriver ce jour béni. »

Cory éclata de rire. Son plus jeune était dans le secondaire. En blaguant, elle parlait toujours de la préposée de la maison de retraite qui pousserait son fauteuil le jour de la remise des diplômes de son fils. Quel dommage ! Elle serait alors trop sénile pour reconnaître son propre enfant parmi les autres. Elle avait aussi une fille du même âge qu'Allie et deux autres dans la vingtaine. Leah s'était toujours confiée à elle, surtout les lendemains de nuits blanches.

« Mais je me sens coupable, dit Leah.

– Pourquoi ? »

D'où elle était assise, Leah voyait son propre bureau où la photo d'Allie à la remise des diplômes du collège la regardait d'un air boudeur. Selon Cory, ce n'était pas un air boudeur mais seulement très, très, sérieux. Allie avait attaché les boucles de ses cheveux de jais – sa seule véritable ressemblance physique avec Leah – pour les cacher. À quoi pensait-elle pour avoir ce regard figé vers l'appareil photo ?

« Je pense que je ressens... un petit peu de plaisir qu'elle ne vienne pas, malgré tout le chagrin que cela me cause. Franchement, Cory, je pense parfois qu'elle est incapable de me supporter.

– Ma chérie, ils sont tous ainsi, les filles surtout. C'est ta punition.

– Pourquoi ?

Cory pencha son fauteuil vers l'arrière en souriant.

– Pas une seule mère ayant une fille ne connaît la réponse. C'est la preuve que Dieu finalement n'est peut-être pas une femme. Ne t'en fais pas. Ta fille tient la corde. Elle te tirera vers elle quand elle aura besoin de toi et te repoussera dès que ce sera fini. Profite de la liberté qu'elle te laisse. Comment a-t-elle réagi quand tu lui as parlé de sa chambre ?

Leah leva les yeux vers le plafond.

– Espèce de lâche, dit Cory en éclatant de rire. Elles pensent toutes que leur chambre doit rester un sanctuaire. Prépare-toi à une bonne bagarre. Avec un peu de chance, elle ne refusera de te parler que pendant six mois.

– Même si elle ne m'aime pas, c'est une bonne fille, Cory.

Leah termina son affirmation sur un ton interrogatif.

– Pas vrai ?

– Bien sûr. Elles nous haïssent toutes à un moment ou à un autre. Et elles ont besoin de se prouver qu'elles peuvent se débrouiller toutes seules. Écoute, tu as fait du bon travail, du vrai bon travail. Pourquoi n'as-tu pas plus confiance en toi ?

– C'est seulement que... je ne sais pas... j'ai parfois l'impression qu'elle n'est même pas ma fille, tu comprends ? Que je ne la connais pas... malgré tous mes efforts.

Cory se leva, contourna son bureau et se pencha pour serrer Leah dans ses bras.

– Je suis désespérée de te perdre, mais, pour l'amour de Dieu, cesse de t'inquiéter pour Allie. Fais le saut. C'est ton tour.

– Merci, Cory, dit Leah les larmes aux yeux. Tu vas me manquer.

Cory s'écarta pour regarder son visage.

– Seulement pour te prouver que je ne t'en veux pas, tu pourras m'appeler quand tu auras envie de l'étriper, à condition que je puisse faire de même. Ou appelle-moi simplement pour aller déjeuner. Et je veux une invitation gravée sur papier parchemin pour ta première exposition solo.

– Marché conclu. »

Leah soupira. Elle devrait repeindre la pièce. Malgré les demandes répétées de sa mère, Allie s'était obstinée à utiliser du ruban adhésif pour poser sur les murs les affiches des groupes de rock qu'elle écoutait sans relâche, assise ou couchée dans le noir. Leah supposait du moins que c'était ce que faisait sa fille, de l'autre côté de la porte verrouillée.

Leah essaya de ne pas déchirer l'affiche des Deftones. Allie avait voulu, elle aussi, se faire des tresses de rasta. Comme Leah refusait de lui payer une coiffeuse, Allie avait fini par y renoncer, après plusieurs mois. L'affiche pour *The Bends* était plus troublante : l'image, créée par ordinateur, représentait un homme dont le rictus semblait exprimer les affres de l'agonie, comme un tableau d'Edvard Munch. Une autre (l'affiche de l'album *Pablo Honey* de Radiohead, avait appris Allie à sa mère, avec un peu de mépris pour son ignorance) représentait une gigantesque marguerite jaune, les pétales et le pistil en forme de phallus et, au centre, la photo d'un enfant à l'air angoissé.

Un temps, Allie s'était mise à chanter sans cesse le refrain d'une chanson mélancolique (Leah croyait qu'elle se trouvait sur l'album à la marguerite) qu'elle faisait tourner constamment et qui s'était gravée dans la mémoire de Leah.

> Je voudrais être spécial
> Si foutrement spécial
> Mais je suis une merde.
> J'ai rien à faire ici
> Je veux avoir le contrôle
> Je veux un corps parfait
> Je veux une âme parfaite
> Je veux que tu le remarques
> Quand je ne suis pas là.

Un après-midi, Leah avait laissé là les pamplemousses qu'elle rangeait dans le réfrigérateur pour monter voir Allie qui faisait le ménage de la salle de bains. Elle s'était approchée d'elle par-derrière et lui avait caressé les cheveux.

« Tu n'es pas grosse, lui avait-elle dit doucement. Tu es très bien comme tu es. Et je le remarque quand tu n'es pas là.

Allie s'était dégagée.

– Merde. Tu n'as pas quelque truc à peindre au sous-sol ? »

L'affiche avec la tête de bébé se déchira sur quelques centimètres, mais Leah n'en eut pas de regret. Elle songea à la jeter, puis, en soupirant, en fit un rouleau qu'elle attacha distraitement aux deux extrémités avec des trombones, les yeux rivés sur ce qu'elle venait de découvrir derrière.

Fixée au mur par huit vieilles punaises jaunes, une bande de photos instantanées prises dans une cabine au centre commercial. Allie avec sa meilleure amie, du moins celle d'alors, Sharon, dans quatre poses comiques. D'après la coiffure de Sharon – elle s'était laissé pousser les cheveux après leur deuxième année au collège –, Leah supposa que les photos dataient de quelques années. Le visage de Sharon, rebondi comme celui d'un chérubin, rayonnait sur chaque cliché. Même sur celui où elle avançait les lèvres comme pour embrasser la lentille de l'appareil photo, il y avait une étincelle d'humour dans ses yeux. À côté d'elle, Allie avait le regard cynique ou hargneux. Dans un cas, elle s'était entièrement caché le visage avec ses cheveux. On voyait quand même qu'elles s'étaient amusées. Naturellement, l'amitié de Sharon s'était refroidie quand elle avait enfin mis le grappin sur un garçon dont elle rêvait depuis longtemps, durant leur dernière année de lycée. Pourtant, Allie lui en avait voulu. Leah l'avait perçu sous l'air indifférent de sa fille, qu'elle portait comme un masque.

Leah avait gardé pour la fin le tri des livres de sa fille parce qu'ils représentaient ses meilleurs souvenirs d'Allie : lovée sur les genoux de sa mère ou sous son bras protecteur, mordillant l'extrémité d'une de ses tresses. Des coffrets de livres de Lewis, de Tolkien et de Piers Anthony, merveilleusement et richement reliés. Dennis avait donné beaucoup de livres à Allie. À part le fonds d'études, c'était à peu près tout ce qu'il avait donné après son sperme. Toute une série de biographies de femmes plus ou moins célèbres. Au bas de la pile, seuls trois livres datant de la petite enfance de sa fille avaient survécu aux tris successifs. Leah s'assit par terre pour lire l'histoire de *Bébé ours* espérant trouver du réconfort dans l'histoire de la mère avertie et de son ourson vagabond. Finalement, elle ne se débarrassa que de deux ou trois vieux livres de poche en piteux état et d'histoires de mystère et de crimes réels, qu'elle trouvait répugnantes.

Leah dut apprendre à vivre avec le plaisir que lui apportait l'installation de son atelier. Elle n'avait connu que de petits bonheurs, circonscrits dans le temps, qui prenaient fin quand elle devait s'arrêter, ayant terminé ou non, nettoyer ses pinceaux et interrompre le processus de création en elle-même et sur la toile. Après avoir vidé la chambre d'Allie, elle commença à voir les choses sous un nouvel angle et prit tout son temps pour poursuivre l'installation, alanguie comme un chat qui s'étire au soleil.

Elle arracha et sortit la moquette marine qu'Allie avait choisie pour sa chambre lorsqu'elles avaient emménagé. Malgré tous ses arguments, Leah n'avait pas réussi à convaincre Allie de choisir un bleu plus doux. Elle avait fini par capituler et lui avait acheté une moquette bien épaisse. Après le départ des meubles – le lit, la commode et le bureau qui n'avait guère servi, tout avait été rapidement emporté dans une camionnette déglinguée, par deux hommes d'un centre pour sans-abri, sauf la table de chevet et l'étagère, qui serviraient à Allie, qu'elle installa dans sa chambre –, Leah avait constaté le peu de soin que sa fille avait pris de la moquette. À plusieurs endroits, celle-ci était décolorée, apparemment par des produits chimiques, et ailleurs les poils étaient raides de divers liquides renversés.

Leah oublia rapidement la négligence d'Allie. Sous la moquette se cachait un merveilleux plancher en bois dur, impeccable. Après avoir songé à le couvrir d'un plastique, elle se ravisa. Fini le plastique qui se chiffonne sous les pieds. La peinture qui tomberait sur ce plancher marquerait le début de sa nouvelle vie ! Elle n'en revenait pas : elle pouvait faire ce qui lui plaisait.

Ce sentiment de liberté l'enchantait, comme la vue des fenêtres de son atelier – ce n'était plus la chambre d'Allie – qui l'émerveillait chaque fois que, les bras chargés, elle montait les deux volées d'escalier à partir du sous-sol et aboutissait dans cette lumière éblouissante.

« Mais alors, lui avait suggéré Dave Allen quand, fidèle à sa promesse, il était venu l'aider à transporter sa table à dessin, si vous aimez tant les fenêtres, pourquoi ne pas faire installer une verrière ? Ce n'est pas si compliqué, même s'il faut percer le plâtre. Plusieurs maisons comme la vôtre et la mienne, je veux dire construites depuis longtemps, en ont. Vous voulez vous débarrasser de cette moquette ? Pourquoi ne pas simplement l'étendre sur le plancher du sous-sol ?

– Non, j'en ai fini du travail souterrain, dit Leah. C'est comme un caveau en bas. Par contre, une verrière ? Ce serait possible ?

Leurs maisons, construites dans les années 1850, leur donnaient les mêmes plaisirs et les mêmes maux de tête.

– Bon, reprit-elle. Installons la table ici, où la lumière est la meilleure. Quelle merveilleuse idée ! J'adorerais avoir une verrière. Mon ex-mari – il est peintre lui aussi – en avait une... mais il avait tout.

Elle grogna en arrachant un clou avec la panne fendue de son marteau.

– Te voilà parti, emmerdeur ?

Dave la regarda et sembla sur le point de lui dire quelque chose, mais il se ravisa. Leah remarqua et apprécia sa réserve.

Quelques minutes plus tard, pendant qu'ils remontaient ensemble la base de la table à dessin, Leah eut une idée.

– Est-ce que tu t'y connais un peu en plomberie? Crois-tu qu'il serait possible d'installer une chambre noire au sous-sol?

Dave retira un clou de sa bouche.

– Peut-être, dit-il. Probablement. Pourquoi?

– J'ai l'idée d'une série de tableaux, notre rue, peut-être avec parfois une personne... Il y a tellement... de vie quand on regarde bien. Vois-tu, je n'ai jamais eu le temps de me promener. D'observer. De prendre des photos pour m'en servir ensuite comme point de départ d'un tableau.

Leah ne voulait pas en dire davantage sur l'idée qui commençait à poindre au sein de sa nouvelle liberté, comme si cela risquait de lui porter malheur.

– Mais cette verrière... Vraiment? Ainsi, je jouirais de la lumière naturelle plus longtemps, pas vrai? Oui, c'est une bonne idée... Tu veux bien m'aider à descendre cette moquette au sous-sol? Pourquoi tenait-elle tellement à cette couleur? ajouta-t-elle en hochant la tête. Je n'ai jamais compris. Je vais continuer à chercher. Peut-être... »

Elle ne termina pas sa phrase. Elle reprit son marteau dans la poche arrière de son jean pour arracher un clou. Elle voulait une étagère haute près de la porte pour son lecteur de disques compacts et la pile d'albums de Mozart, de Vivaldi et de Bach dont elle aimait écouter la musique en travaillant.

Plus tard dans l'après-midi, excitée à l'idée d'obtenir un plus grand spectre de lumière, Leah appela un entrepreneur.

– Évidemment que c'est possible. Beaucoup de gens s'en font poser quand ils rénovent. Mais c'est plus difficile avec un plafond en plâtre. Pour la chambre noire, ça dépend de la façon dont les tuyaux sont installés, lui dit-il quand il la rappela le lendemain.

– Très bien. Quand pouvez-vous venir jeter un coup d'œil ? »

En attendant l'entrepreneur, Leah commença à réorganiser sa propre chambre pour faire une place à sa fille. Allie avait une compagne de chambre à l'université. Ce ne serait pas si différent de partager la chambre de sa mère quand elle viendrait passer des vacances à la maison. Et elle adorerait la vraie chambre noire. Si distincte de celle qu'elles improvisaient parfois dans la salle d'eau, sous l'escalier de la salle de séjour, en essayant d'empêcher la lumière de s'infiltrer autour de la porte avec des serviettes et du ruban adhésif. Allie aurait sa chambre noire bien à elle quand elle viendrait enfin à la maison. Pas comme une invitée qu'on fait coucher sur le canapé-lit bleu de la salle de séjour. Peut-être se rapprocheraient-elles l'une de l'autre. Peut-être Allie lui parlerait-elle quand, lumière tamisée, elles seraient allongées, rêveuses et détendues, protégées par l'ombre. Leah se demandait souvent quels secrets Allie partageait avec sa compagne de chambre. Elle était jalouse de Cindy, dont elle ne connaissait que la voix gaie et amicale qui répondait habituellement au téléphone.

Leah laissa les affiches enroulées dans sa penderie. Elle les installerait quand Allie viendrait, sans les avoir sous les yeux tous les jours entre-temps. Dommage qu'Allie soit partie avec la seule que Leah aurait volontiers posée sur le mur, peut-être même fait encadrer pour surprendre Allie. La reproduction d'un tableau de Mary Cassatt, *Mère jouant avec son enfant*, que Leah avait achetée à sa fille en souvenir de leur première visite au Metropolitan Museum of Art. Mais elle était heureuse qu'Allie l'ait emportée, signe peut-être que sa fille l'aimait plus qu'elle ne le manifestait.

Les quelques vêtements qu'Allie n'avait pas emportés remplissaient à peine un tiroir de la commode, même si Leah en avait libéré deux. Elle laissa le second vide, pour qu'il appartienne vraiment à Allie. Elle posa une statuette de Hummel du côté de la commode qu'elle avait libérée. Une petite fille aux yeux baissés, un cadeau de Dennis une des rares fois où il s'était rappelé la date exacte de l'anniversaire d'Allie. Leah posa sa brosse à cheveux, son parfum, les photos encadrées et le reste de ses bricoles du côté gauche. Vraiment, après s'être débarrassée de tout ce qui était à jeter – des vieux cahiers, des livres de poche écornés, des rouleaux de bonbons à moitié vides et un soutien-gorge au fermoir brisé qui traînait sous la commode d'Allie – il restait étonnamment peu d'objets personnels. Un moment, Leah eut un pénible sentiment d'abandon, comme si sa fille, qu'elle avait eu tant de difficulté à élever, lui avait maintenant complètement échappé, avait délibérément effacé toute trace de son âme et n'avait laissé derrière elle que des déchets et des rebuts, comme un dernier reproche. Les livres d'enfants ne comptaient pas vraiment : c'étaient des cadeaux choisis conjointement par Leah et Dennis. Leah essaya de se rappeler les paroles de Cory à propos des adolescentes qui sont toutes les mêmes et de se convaincre que ses sentiments étaient exagérés.

« Tout ira bien. » Leah répéta les mots de Cory. Elle avait fait une place pour Allie. Tout était bien. Elle n'avait plus qu'à continuer ce qu'elle avait entrepris.

Après la pose de la verrière, elle consacra une journée entière à installer son atelier, pour se donner le temps de savourer pleinement le plaisir qu'elle éprouvait. Elle rangea le long du mur, comme des sentinelles, des pots de verre remplis de pinceaux aux manches tachés de ses couleurs favorites. De la térébenthine pour nettoyer les pinceaux aux bouts arrondis, ses préférés. De l'huile de lin. Des serviettes de papier, des lames de rasoir pour son grattoir. Et, bien ordonnés sur le bord de sa table, du chaud au froid – blanc titane, orange cadmium, terre de Sienne brûlée, terre de Sienne naturelle, violet et bleu outremer – ses précieux tubes des coûteuses huiles Winsor & Newton qu'elle s'était offerts après avoir rencontré George George.

C'était le propriétaire de la neuvième galerie qu'elle avait visitée dans le quartier de la vieille ville de Philadelphia, alors qu'elle vivait encore chez sa mère avec Allie, le premier à exposer ses œuvres. Il ressemblait à un troll, avec une chevelure à la Einstein. Sur sa carte, on lisait : « George George, Propriétaire, Galerie George. » Il avait appuyé ses tableaux contre le mur et les avait examinés sous tous les angles.

« Oui. J'ai de la place pour vous », lui avait-il dit simplement.

George vendit une œuvre – un paysage urbain avec un arbre solitaire – puis il en prit une autre. Après avoir vendu la deuxième, il lui demanda tout ce qu'elle possédait. Elle n'avait pas autant de tableaux qu'ils l'auraient souhaité tous les deux, mais avec une vente de temps en temps elle avait amassé assez d'argent pour s'acheter une maison bien à elle.

Elle installa ensuite son chevalet et sortit sa palette, celle en verre transparent qu'elle s'était payée cinq ans plus tôt. Du carton blanc collé dessous lui donnait une surface neutre pour mélanger ses huiles. Des taches de couleur sur le chevalet en bois rappelaient des tableaux vendus depuis longtemps.

Ce qu'elle n'avait pas réussi à placer sur la même table que les pinceaux et les tubes de peinture, elle le posa sur une autre avec ses cahiers de croquis et ses fusains. Une cafetière et une tasse. Elle n'allait pas monter et descendre l'escalier toutes les demi-heures pour se resservir. Un panneau de liège de bonne dimension et des punaises pour les photos, quelques chiffons propres, sa copie écornée du traité d'anatomie de Gray. Ce serait sa table des commodités. Dans l'armoire, elle rangea du bois, deux rouleaux de toile, une brocheuse, un marteau, une scie, une règle et une équerre. Les outils pour tendre la toile étaient pendus à de petits clous enfoncés dans le plâtre du mur du fond.

Leah accrocha enfin au plafond un tradescantia panaché devant une des fenêtres avant et un lierre luxuriant devant celle qui donnait sur le côté de la maison, partiellement détachée de celle de Dave, au-dessus de son allée fleurie. Ses violettes ressemblaient à des moines bouddhistes accroupis sur les rebords des fenêtres. Elle appuya contre le mur les deux tableaux terminés, qu'elle n'avait pas encore apportés à George, et installa celui qu'elle venait de commencer sur le chevalet.

Elle était prête.

Chapitre 2

Même quand le soleil brillait, que le brouillard avait quitté la baie pour se réfugier dans les collines de Berkeley et que les cloches du campanile sonnaient midi, Alyssa Staton réussissait à s'accrocher aux plaisirs du sommeil. Sous deux oreillers, le visage couvert par un coin de son édredon, elle pouvait rester dans la béatitude des ténèbres douze ou même quatorze heures de suite. Le truc, c'était de se couvrir la tête, de laisser sa chevelure épaisse cacher son visage et de s'imaginer dans une chambre noire : des négatifs sous l'éclairage spécial. Dans son esprit, à moitié endormi, elle voyait les ombres se transformer, les images s'inverser et se fixer sur le papier vierge mouillé.

Il lui aurait été plus facile de dormir si Cindy n'avait pas toujours laissé la fenêtre ouverte et sans le vacarme de Telegraph Avenue en bruit de fond, jour et nuit. Elle aurait quand même réussi à retrouver le sommeil à cet instant précis si elle n'avait pas entendu le rire cristallin de Cindy dans l'entrée, interrompu d'abord par la voix grave de Marc, puis par un silence irritant, signe qu'ils étaient en train de s'embrasser.

« Hé ! les amis, je ne dors pas, cria-t-elle en lançant un oreiller en direction de la porte. Je ne dors pas.

Elle se redressa, écarta les cheveux de son visage et baissa son tee-shirt.

Ils entrèrent bruyamment dans la pièce, les joues rouges. Marc lui relança son oreiller et se pencha vers elle, les yeux brillants.

– Mets fin à ton hibernation, déesse de Morphée, dit-il en se laissant tomber vers l'arrière sur le lit de Cindy, puis en attirant Cindy sur ses genoux. Tu ne te lèves donc jamais avant l'heure des feuilletons à la télé, Alyssa ?

– Fiche-moi la paix, sale con.

Elle se leva et prit sa serviette et la bouteille de shampooing à moitié vide dans l'armoire à pharmacie entre les bureaux encastrés. En arrivant à la porte, elle se retourna et regarda Cindy.

– Je croyais qu'il avait abandonné le cours de mythologie. Qu'il avait échoué. »

Par bonheur, la salle de bains était vide. Dans la douche la plus éloignée de la porte, elle fit couler de l'eau très chaude et ajusta le jet au plus dru, et pas en pluie fine comme celui de la pomme de douche que sa mère avait installée à grand peine avec une clé anglaise. C'était au moment où sa grand-mère était venue vivre avec elles et où toute la vie de la maison avait été bouleversée. Au cours de la session[1] d'automne, Alyssa prenait sa douche le matin ou le soir, avec les autres filles de son étage. La pièce s'emplissait de vapeur et du son aigu

1. En Amérique du Nord, division de l'année universitaire en périodes (sessions) de 4 mois.

de leur babillage. Cependant, après avoir vu son nom parmi ceux des filles en lice pour le titre de Grassouillette de première année – la compagne de chambre de Linnie avait affiché la liste des finalistes au tableau à côté du téléphone public –, elle avait commencé à prendre sa douche au milieu de la journée le mardi et le jeudi, les jours où elle pouvait dormir tard sans rater de cours. Le reste de la semaine, elle la prenait entre son cours de rédaction avancée et le séminaire de première année du professeur Miller, alors que l'étage était à peu près vide.

Seule dans la salle de bains, elle n'avait pas à se tortiller pour empêcher sa serviette de tomber en ôtant et en remettant son pantalon en molleton. Elle pouvait ignorer les grands miroirs qui flanquaient les lavabos et se brosser les dents sans être agacée par son propre reflet. Généralement, quand Cindy était sortie avec Marc Raymond, elle enveloppait ses cheveux qui lui tombaient jusqu'à la taille et les démêlait dans leur petite chambre où il n'y avait pas d'autre miroir que celui, minuscule, de l'armoire à pharmacie. Aujourd'hui, comme Cindy et Marc étaient dans la chambre, elle brossa ses cheveux humides dans la douche. À l'aide de son peigne à dents larges, elle démêla ses boucles mèche par mèche, ce qui n'était pas une sinécure. Une fois, les filles s'étaient fait livrer une pizza qu'elles avaient mangée en regardant l'émission de Letterman. Tricia avait tiré sur une mèche des cheveux d'Alyssa et lui avait demandé si elle essayait d'avoir l'air de porter des nattes de rasta. Linnie avait répliqué vivement, mais Alyssa prenait depuis grand soin de démêler toutes ses boucles, même s'il lui arrivait, après le shampooing, le conditionneur et le rinçage, d'avoir besoin de toute son énergie simplement pour tenir la brosse.

Elle ne détestait pas voir le reflet de ses cheveux dans le miroir. C'était son corps, plus mou et plus lourd qu'à son arrivée en septembre, qu'elle voulait garder caché. Les kilos des filles de première année. Plusieurs en prenaient, avait-elle entendu dire pendant le cours d'orientation. La nostalgie de la maison et la nourriture servie à la cafétéria. Malgré tout, quand elle avait vu son nom sur la liste – Alyssa Pacey Staton, Tricia l'avait bien orthographié –, elle avait décidé de changer ses habitudes. Elle se faisait un shampooing quand les autres filles n'étaient pas autour pour critiquer haut et fort à travers tout le boucan : Alyssa est dans la douche depuis plus d'une demi-heure, pourtant tout le monde est au courant de la sécheresse en Californie, on devrait peut-être faire appel à une expédition de sauvetage.

Elle avait aussi demandé à Leah de cesser de lui envoyer des colis par la poste. Pas parce qu'elle n'appréciait pas les gâteaux au chocolat maison bien moelleux, les biscuits de chez Tollhouse ou l'image des mains de sa mère brassant la pâte dans l'éternel bol bleu et coquille d'œuf. Parce qu'elle ne voulait plus rien partager avec la compagne de chambre de Linnie. Et comment aurait-elle pu en offrir à Linnie sans en offrir aussi à Tricia, qui faisait toute une histoire pour accepter deux ou trois biscuits ? Alyssa les retrouvait plus tard dans la chambre de Linnie, intacts et pétrifiés, comme des bijoux abandonnés, sur le bureau de Tricia. Cindy disait que Tricia devait être anorexique, boulimique ou les deux. Après l'affichage de la liste, Alyssa la considéra comme le diable en personne.

Elle avait des raisons de se réjouir d'avoir trouvé un petit appartement dans Dwight Way : entre autres, elle bénéficiait d'une salle de bains bien à elle. Mais la première, et la plus importante, c'était qu'elle ne verrait plus jamais Cindy Cheung, Marc Raymond et madame Cheung assis dans *sa* chambre, sur *son* lit défait, la regarder telle une bête curieuse comme ils le faisaient au moment où, après avoir pris sa douche, elle ouvrait la porte. Le tableau parfait d'un cercle de famille qui jacasse. Leur conversation s'arrêta net, comme quand un invité grossier vient de dire une inconvenance pendant le thé de cinq heures. Ils se tournèrent tous vers elle, dans l'expectative. Marc avait attaché ses cheveux blonds et lisses en queue de cheval basse sur le cou. Cindy sourit. Elle passait les trois quarts de sa vie à s'exercer à sourire, mais Alyssa s'efforçait de ne pas lui en tenir rigueur. Madame Cheung rompit le silence.

« Te voilà, Alyssa, dit-elle de la même voix surexcitée avec laquelle elle avait déjà invité Alyssa chez elle, de l'autre côté de la baie, à Pacific Heights. "Ta famille est si loin, à l'autre bout du pays", avait-elle répété jusqu'à ce qu'Alyssa se laisse convaincre et se retrouve sur le Bay Bridge dans la Mustang de Cindy, comme une autostoppeuse ramassée par charité.

– Bonjour, madame Cheung, dit Alyssa en faisant passer une mèche de cheveux derrière son épaule.

Humide, lourde et odorante, la mèche mouilla son tee-shirt des Deftones dans son dos.

– Êtes-vous venue chercher les affaires de Cindy?

– Juste quelques-unes. Seulement son linge sale.

Madame Cheung croisa ses jambes bronzées. Un mince bracelet en or, semblable à celui de Cindy, scintillait à sa cheville.

– Il y en a déjà bien assez pour remplir la voiture, ajouta-t-elle en tapotant le genou de Cindy. »

Même taille, même coupe au carré et bijoux semblables, la mère et la fille avaient l'air de jumelles. Deux fois, en se rendant à la banque du sang de Berkeley (ils avaient toujours besoin de sang du groupe A et elle en donnait fidèlement tous les mois), Alyssa les avait vues sur les terrains du Cal Rec Club. Elles jouaient leur partie de tennis hebdomadaire du samedi, pour laquelle madame Cheung venait de San Francisco sans rechigner. En les regardant courir vers le filet, frapper des coups droits et des revers avec la même énergie, elle avait été incapable de distinguer la mère de la fille.

« Maman ! soupira Cindy en jetant un regard de côté à Marc. Alyssa, nous allons déjeuner *Chez Panisse*. Maman veut t'inviter à venir avec nous.

Alyssa plia soigneusement sa serviette en trois, comme sa mère le faisait, et la glissa sur le porte-serviettes sous l'armoire à pharmacie.

– Il me reste un travail de recherche à terminer, dit-elle en baissant la tête pour cacher son visage derrière ses cheveux encore humides. En anthropologie.

– C'est seulement pour le déjeuner, ma chérie, dit madame Cheung en se levant et en tirant Cindy pour qu'elle l'imite. Une récompense pour vous, les enfants, pour avoir si bien réussi votre première année.

– Merci, mais non... Je dois vraiment travailler. Merci quand même.

– Si nous te rapportions quelque chose à manger ? dit madame Cheung en se retournant vers elle.

– Non merci... je dois déjeuner à la cafétéria avec Linnie, notre voisine de l'autre côté du couloir. »

Il lui était facile de s'esquiver, d'inventer un de ces petits mensonges sans importance qui ne blessent jamais personne. Pour se sortir d'embarras, pour échapper à la perspective insupportable de voir jouer les muscles de la mâchoire de Marc Raymond quand il mastiquait, elle pouvait se le permettre. Madame Cheung la croirait. Qu'Alyssa sacrifie un déjeuner pour finir son travail en anthropologie correspondait à l'image qu'elle s'en faisait : la compagne de chambre studieuse et l'étudiante appliquée qui – Alyssa sentait que madame Cheung la plaignait – n'avait malheureusement pas la vivacité de sa propre fille.

Cindy, elle, comprit qu'elle mentait. Elle eut la même expression que lorsque Alyssa lui avait annoncé qu'elles ne partageraient probablement pas leur chambre en deuxième année. Cindy devait savoir que Linnie était en train de passer son examen de treize heures. Mais l'opinion de Cindy lui importait peu à présent, à deux jours de la fin de la session. Si nécessaire, elle pouvait fabuler tout son soûl. Avec l'appartement qui l'attendait dans Dwight Way, rien de ce que Cindy, Marc ou la si parfaite madame Cheung pourraient dire ou faire ne lui ferait regretter ses mensonges. L'appartement était à elle. Elle avait payé le loyer du premier et du dernier mois avec son argent à elle, venant de son compte à la Bank of America de Telegraph Avenue. Le premier et le dernier. Cela lui plaisait, ces limites posées au temps qui, autrement, semblait s'étendre à l'infini comme une longue route désertique se dirigeant on ne sait où. Elle aimait la notion d'obligation reliée au mot loyer, le sentiment de propriété qu'il lui donnait. Elle aimait voir son nom et son adresse imprimés sur les carnets de chèques qu'elle avait trouvés la veille, coincés dans sa boîte aux lettres avec un avis de livraison de colis froissé comme un accordéon en papier rose.

« D'accord, dit madame Cheung. Travaille bien, ma chérie.

– *Sayonara,* lança Marc en passant le bras autour des épaules de Cindy pour l'entraîner dans le corridor. »

Alyssa les salua de la main et attendit un court moment avant de fermer la porte du pied et de la verrouiller.

Après tout, c'était le règlement de la résidence : verrouiller sa porte quand on était seule.

Pour réduire son mensonge, elle alla vraiment manger à la cafétéria. Il était tard. Le caissier ferma boutique au moment où Alyssa s'asseyait à une table libre avec son plateau. On lui avait dit que les cafétérias de certaines des autres universités les plus prestigieuses des États-Unis – Harvard, Yale et Stanford, par exemple – étaient moyenâgeuses et sinistres. Celle qui desservait Griffiths Hall et trois autres résidences à quelques centaines de mètres du campus était tout simplement laide, terne et violemment éclairée, tellement bruyante à l'heure du déjeuner qu'il fallait crier pour se faire entendre de ses amis, à supposer qu'on mangeât avec des amis. Ces derniers temps, Alyssa avait essayé de l'éviter. Toutes les filles de son étage parlaient des vacances d'été, de leur retour à la maison, de la recherche d'un emploi et de la cuisine de leurs mères.

« Super ! » s'était-elle fait dire après une courte pause quand elle avait annoncé qu'elle restait à Berkeley.

On avait supposé qu'elle s'était inscrite à des cours d'été. Elle avait dû expliquer que non, qu'elle serait bénévole pour le programme d'alphabétisation de la bibliothèque et qu'elle avait trouvé un emploi chez Alfredo's Pizza, sur Shattuck Avenue. Elle s'arrêtait toujours avant de parler de l'appartement dans Dwight Way. C'était son secret. Elle ne voulait pas annoncer tout de suite qu'elle y resterait en septembre et qu'elle ne logerait pas dans une résidence du campus.

Elle mangea une assiettée de spaghettis gluants et la crème chantilly qui décorait son gâteau au chocolat. Elle enveloppa ensuite quatre biscuits au beurre d'arachide dans sa serviette de table, pour les rapporter dans sa chambre. Elle hésita entre laisser son plateau sur la table et le rapporter à la cuisine. Si elle le rapportait, elle risquait de tomber sur Tony Messina, qui y travaillait depuis le début du printemps. Quand ils sortaient ensemble, il lui souriait et lui parlait un peu pour montrer aux autres filles qu'Alyssa était sa petite amie. Elles en rêvaient toutes. Elles le trouvaient tellement séduisant qu'elles tombaient toutes en pâmoison devant lui. Si Alyssa n'était pas la première, elle avait l'impression d'être devenue membre d'un club très sélect. Jusqu'à ce que son nom se retrouve sur une autre liste de Tricia, secrète celle-là : le répertoire des vierges déflorées par Tony Messina.

« Elle est jalouse, avait dit Linnie à Alyssa.

Qui l'avait crue parce que Tony s'intéressait sincèrement à ses seins alors que Tricia n'en avait pour ainsi dire pas.

– Il est très, très sexy, avait dit Cindy devant les réticences d'Alyssa à l'idée de sortir à quatre avec le meilleur ami de Marc, son vieux camarade de collège.

– C'est tout ce qui le rend intéressant à tes yeux? » avait méchamment répondu Alyssa.

Elle avait aussitôt regretté sa cruauté, mais Cindy ne se vexait pas facilement. Elle avait amené Alyssa en ville pour acheter un pantalon noir et une veste argentée pour la fête du printemps des Alpha Kappa Lambda. Ni Marc ni Tony n'appartenaient encore à la confrérie, mais un certain statut hérité du grand-père de Marc, joueur de football légendaire pour l'université de Californie, leur permettait d'assister à la fête, même s'ils n'étaient qu'en première année, et de se faire accompagner de leurs petites amies. Cindy avait dit à Alyssa que ses cheveux étaient absolument sensationnels avec un chignon bas sur le cou, qu'elle était beaucoup plus jolie le visage dégagé. Qu'attendait-elle pour couper cette tignasse ? C'était tellement démodé. Dans la veste argentée et les sandales empruntées à Linnie, encouragée par les compliments de Cindy, Alyssa fut surprise d'avoir le goût de flirter avec Tony.

Était-ce la veste argentée, les trois bières bues sur le perron de la salle de la confrérie ou les boucles de cheveux bruns sur la nuque de Tony ? Toujours est-il qu'elle avait couché avec Tony le soir même. C'était peut-être aussi les paroles de madame Miller, l'après-midi même, devant la porte de la salle où se tenait son séminaire dans Wheeler Hall, quand elle lui avait remis son travail de mi-session.

« C'est une joie de voir quelqu'un écrire aussi bien en première année, mademoiselle Staton. Je trouve votre analyse de l'expiation chez les personnages de Wharton vraiment originale. »

Madame Miller avait continué, ses doigts boudinés tendus pour accentuer ce qu'elle disait, comme pendant les cours, en invitant Alyssa à s'inscrire à son séminaire avancé en deuxième année. Elle n'avait qu'à dire à la secrétaire du département que madame Miller l'avait déjà admise. Alyssa était-elle certaine de bien utiliser tous ses talents en préparant un diplôme en histoire ?

Intelligente comme elle savait l'être, ce fut peut-être le sentiment qu'elle était spéciale, elle, Alyssa Staton, chambre 412, Griffiths Hall, qui lui fit laisser Tony soulever son chignon et l'embrasser sur la nuque avant même de le faire sur les lèvres.

Était-ce la simplicité de la chose, leur relation sexuelle rapide et maladroite, l'absence de sonneries de cloches, de colombes volant au-dessus de leurs têtes et de tremblement de terre ? Ils recommencèrent souvent jusqu'au début du mois de mai. Sans gêne, Tony enfilait un condom quand il était « réchauffé », ainsi qu'il aimait dire, comme s'il prenait position sur la ligne de départ du sprint de cinquante mètres. Quand la nouveauté s'était émoussée, Alyssa avait dû reconnaître qu'il manifestait, au départ d'une course, la même concentration égoïste qu'en faisant l'amour. Tout ce qui importait à Tony, c'était la ligne d'arrivée.

Mais elle n'avait aucun point de référence. Sous cet aspect, elle appartenait vraiment à la liste des vierges de Tricia. Même si Cindy prétendait tout connaître du sexe et de la contraception (elle avait accompagné Alyssa à la clinique de l'université, lors de son premier examen, pour s'assurer qu'elle voie la seule femme gynécologue), Alyssa était certaine que Cindy avait eu ses premières relations avec Marc Raymond et que son nom était le seul à figurer sur la liste de Marc. Alyssa regrettait de ne pas avoir bien écouté sa mère quand elle lui avait proposé une conversation mère-fille sur les choses de l'amour, à côté du lit dans lequel sa grand-mère, Esther, agonisait. Elle se rappelait des bribes de paroles de sa mère, sur l'association du sexe et de l'amour qui rendait la relation physique si particulière, mais elle avait cru alors qu'il s'agissait d'une mesure préventive. Le sermon de Leah visait à retarder l'activité sexuelle d'Alyssa parce que, avait-elle laissé entendre, une fille de dix-huit ans n'était pas en mesure de ressentir la passion profonde qui pouvait transformer le coït en relation amoureuse. De cette conversation, ce dont Alyssa se souvenait le mieux, c'était la douceur du ton de sa mère, sa façon de peindre le mot sexe aussi délicatement que lorsqu'elle estompait les traits d'une toile avec son fin pinceau chinois et l'intonation chantante familière que Leah avait reprise au milieu de la conversation, après avoir exprimé ce qu'elle tenait à dire.

Les vraies questions d'Alyssa portaient sur la première fois, la première relation sexuelle. Cela faisait-il mal ? Y avait-il autant de sang que pendant la menstruation ou seulement quelques gouttes ? Combien de temps fallait-il au gars pour le faire ? Avec Esther qui se desséchait sur le lit dans ce qui était censé être la chambre de sa mère, avec son grand âge et sa propre jeunesse qui respiraient le même air, elle avait compris que ce n'était pas le moment de poser ces questions, égoïstes et peut-être honteuses. Juste à y penser, elle en avait eu la chair de poule. Quelle situation incongrue ! Leah, assise à côté d'Esther branchée à un réseau de tubes qui assumaient presque toutes ses fonctions vitales, expliquant le mécanisme des relations sexuelles à sa fille. Alyssa fuyait le regard sombre de sa mère pour regarder les yeux fermés de sa grand-mère, dont les paupières tressaillantes révélaient que l'esprit d'Esther n'était pas mort, ne serait-ce que dans le rêve. Le sexe n'intéressait pas du tout Alyssa, alors dans sa dernière année de lycée. Elle le dit à Leah avant de quitter subrepticement la pièce et l'odeur de mort qui y régnait. Le sujet n'avait jamais plus été abordé. Puis, avec Tony, Alyssa s'était posé de vraies questions et elle aurait voulu demander à Leah de lui expliquer de nouveau l'association entre l'amour et le sexe. Était-ce une possibilité ou seulement une fiction? Mais, à près de cinq mille kilomètres de distance, c'était trop difficile.

Comme les employés avaient déjà commencé à faire le ménage, Alyssa suivit la règle et rapporta son plateau. Tony n'était pas de service. Pourtant, après avoir traversé les portes vitrées pour se retrouver en plein soleil dans Haste Street, elle le vit qui pliait sa veste blanche et la plaçait sur son bras, comme s'il faisait semblant d'être à son service. Il mit des lunettes de soleil, aux côtés noirs et enveloppants.

« Salut, Alyssa.

– Salut, Tony.

Elle glissa la serviette de table contenant les biscuits dans la poche de son pantalon. Ce n'était pas pour empêcher Tony de les voir. Elle se sentait tout simplement plus à l'aise les mains libres.

– As-tu fini?

– Il me reste juste un travail de recherche à remettre.

– Pour Conkey?

– Ouais.

– Moi aussi. Tu vas en écrire long?

– Probablement. Avec elle, ça vaut mieux.

– Ouais.

Ils marchèrent en silence jusqu'au Griffiths, la résidence où elle habitait. Tony lui ouvrit la porte.

– Cindy n'est pas là?

– Elle est sortie déjeuner... avec sa mère et Marc.

– Le veinard. Il fait des repas fastueux ces temps-ci.

– Madame Cheung est une femme généreuse. Il devrait l'apprécier.

– Je suis certain que c'est le cas, dit Tony en retirant ses lunettes de soleil pour l'accompagner jusqu'à l'ascenseur.

Elle s'arrêta et recula d'un pas.

– Je dois aller prendre un colis dans la salle du courrier.

Dans sa poche, les biscuits devaient être en miettes maintenant. Des miettes au beurre d'arachide. Elle passa la main sur sa poche, puis dans ses cheveux pour les rejeter vers l'arrière.

– Je vais t'attendre, dit-il. Puis, je monterai avec toi. Qu'en dis-tu ?

Ses cheveux, plus longs, frisaient davantage. Une fois, la dernière où ils avaient couché ensemble, elle avait retiré l'élastique qui retenait sa propre queue de cheval pour attacher les boucles brunes de Tony et lui dégager la nuque.

– Non, Tony.

– Hé ! Je suis désolé pour les deux ou trois dernières semaines. Je t'ai déjà dit que j'étais désolé. Tu me plais, Alyssa.

– Il y a certainement des choses en moi qui te plaisent, dit-elle en pensant à la poitrine plate de Tricia.

– Ce n'est pas juste. Et je pourrais dire la même chose à ton sujet. Ces derniers temps, tu n'as pas été particulièrement sociable.

– J'ai eu la grippe. Cindy a demandé à Marc de te le dire.

– Il ne l'a pas fait.

Il triturait le coton blanc de la veste du service alimentaire entre ses beaux doigts forts, aux bouts carrés.

– Tu vas la froisser, Tony.

– Je peux monter? demanda-t-il du ton plaintif d'un petit garçon qui quémande.

– Non.

– Une autre fois?

Elle se retourna pour prendre le couloir menant à la salle du courrier.

– Peut-être.

– Avant que je rentre à la maison?

– Peut-être. »

Elle attendit au moins une minute devant les boîtes postales, pour lui laisser le temps de quitter Griffiths afin de se rendre à Sherman Hall. Elle fit et refit sa combinaison avant de constater qu'elle tentait d'ouvrir la boîte 312 plutôt que la 412. Qui était vide, de toute façon. Elle fouilla dans la poche aux miettes de biscuits pour trouver le reçu de son colis, mais se rappela l'avoir laissé dans son manuel d'anthropologie. Cet oubli lui avait au moins permis d'échapper à Tony Messina, même si elle ne savait pas précisément ce qu'elle cherchait à éviter. Mais elle était certaine qu'il la fuyait depuis au moins deux semaines. Un des rares soirs où elles s'étaient endormies en même temps, Cindy avait émis une remarque sur le fait qu'elle n'avait pas vu Tony depuis un certain temps. Alyssa savait que c'était délibéré de la part de Tony, une façon de lui faire comprendre qu'elle ne devait pas trop s'attacher à lui. Elle lui en voulait de sa manie de jouer les don juan. Elle n'avait jamais été le moins du monde possessive, ce qui était la raison pour laquelle, selon Cindy, Tony était sorti avec elle plus longtemps qu'avec les autres. C'était ce qui lui faisait le plus mal, si on pouvait parler de souffrance dans ce cas : l'idée qu'il pensait qu'elle s'intéressait à lui alors qu'elle faisait son possible pour lui prouver le contraire. Du moins, elle n'aurait pas à sortir les biscuits en miettes de sa poche devant qui que ce soit, et cela en soi la réjouissait.

Elle avait rédigé quatre pages de son travail en anthropologie et les relisait pour voir où elle en était de sa réponse à la question tordue de Conkey, sur la comparaison des théories de l'évolution, quand Linnie frappa à la porte. Alyssa sauvegarda son fichier et ouvrit.

« Tricia est partie ? » demanda-t-elle.

Elle se glissa dans la pièce et s'assit sur le lit de Cindy que madame Cheung avait refait bien tendu, même si elle devrait bientôt le défaire pour emballer la literie fleurie de Cindy signée Laura Ashley.

« Attends de connaître ta compagne de chambre avant de t'acheter un couvre-lit, avait suggéré Leah en septembre. Ainsi, vous aurez des lits assortis. »

Alyssa n'avait pas pu se payer du Laura Ashley. Malgré tout, Cindy et elle s'étaient bien entendues, même avec des couvre-lits dépareillés, pendant toute l'année.

« Ouais. Je suppose que son frère est venu de Sacramento pour la ramener à la maison avec tout son barda. Heureux homme.

– Cindy est sortie avec sa mère.

– L'inévitable madame Cheung.

Alyssa aimait bien Linnie et admirait son franc-parler, mais elle trouvait parfois dans son for intérieur qu'elle allait trop loin.

– Arrête ! Elle a été gentille avec moi... toute l'année.

– Pour elle, tu étais comme une orpheline. Tu as réveillé son instinct maternel.

Alyssa se rassit devant son ordinateur. Elle fit défiler son fichier à l'écran.

– J'ai une mère. Et un père.

– Mais ils vivent tous les deux sur la côte est. La belle affaire !

Linnie se leva, regarda par-dessus l'épaule d'Alyssa et lui indiqua une faute d'orthographe.

– Je n'ai pas encore corrigé mon texte, dit Alyssa. Écoute, Linnie, ajouta-t-elle d'une voix irritée qu'elle n'avait jamais utilisée pour s'adresser à elle, veux-tu l'écrire à ma place ?

Linnie se rassit sur le lit de Cindy et arrangea les oreillers fleuris derrière son dos.

– Pourquoi ne veux-tu pas rentrer chez toi pour l'été ? La vraie raison. Est-ce que Tony reste ici ?

– Tony n'a rien à voir avec ma décision. Et il ne reste pas.

– Ton différend avec ta mère ?

– Quel différend ?

– Parce qu'elle n'est pas venue te conduire en voiture à l'automne, comme vous l'aviez prévu...

– Ma grand-mère était mourante, Linnie... elle est morte.

– Mais tu es toujours en colère.

– Mais arrête ! Doux Jésus ! J'aime Berkeley. J'ai un travail. J'ai un appartement. Il y a plein de gens qui restent pour l'été.

C'était vrai, mais Alyssa ne les connaissait pas.

– Ça va, ça va. N'oublie pas de me donner ton adresse avant de partir, d'accord ? Si tu as besoin d'aide pour trimballer tes affaires jusqu'à Dwight Way et que je sois encore dans les parages, je tiens à te donner un coup de main. D'accord ?

– Bien sûr », dit Alyssa, les mains sur le clavier.

Mais après le départ de Linnie, Alyssa se demanda si elle le ferait. Elle n'était pas certaine d'avoir envie de recevoir des lettres de Linnie tout l'été. Que pourrait-elle trouver à répondre qui soit susceptible de l'intéresser ?

Ce ne fut que le vendredi qu'Alyssa réussit à se rendre dans la salle du courrier avant dix heures, fin de la période où on pouvait récupérer des colis. Son reçu était si corné et si sale que le vieil employé derrière le guichet dut lui demander le numéro de sa boîte. Les chiffres écrits au crayon étaient tout barbouillés.

« On dirait bien que c'est Noël en juin, dit-il en lui souriant.

Il lui tendit une boîte de la taille d'une petite valise.

– Ouais, dit-elle en lui rendant son sourire.

Elle reconnut l'écriture fine de sa mère et le cachet de la poste de Philadelphie sur la boîte.

– Avez-vous rempli le formulaire pour faire suivre votre courrier ? lui demanda l'employé en lui tendant un carton.

– Non, pas encore, merci.

– Si vous ne le remplissez pas, toutes vos lettres vont être retournées à l'expéditeur. Une pitié, dit-il en hochant la tête d'un air malheureux.

– Vraiment ? » dit Alyssa en se retournant.

Elle imagina de pleines caisses de lettres estampillées « Retour à l'expéditeur », ce qui était ridicule, à bien y penser, puisque tout le monde savait que les élèves de première année rentraient chez eux en juin. Elle devait bien être la seule étudiante de tout Griffiths à recevoir un colis de sa mère le dernier jour de la session.

L'ascenseur et le hall étaient vides. La plupart des portes le long du couloir s'ouvraient sur des lits défaits et des étagères vides. Dès qu'Alyssa aurait fini d'emballer ses effets, elle irait retrouver Howie, le gars de sa classe de rédaction un peu idiot, mais gentil, qui voyageait tous les matins de son appartement à Oakland jusqu'à l'université dans une vieille Chevrolet rouillée. Toute la session, il avait manifesté son béguin pour Alyssa, ce qui l'avait mise mal à l'aise, mais elle avait toujours été aimable avec lui. Il manquait un petit quelque chose à Howie, pas comme les gens dans les caricatures, mais il visait toujours à quelques centimètres de la cible. Un peu comme elle-même d'ailleurs. Cela faisait qu'elle se sentait mieux en sa présence qu'avec des gens comme Cindy, Tony ou même Linnie. Sa gentillesse portait maintenant ses fruits. À l'exception de Linnie, Howie était la seule personne à lui avoir offert de l'aide pour son déménagement. Cela représenterait un seul voyage pour la Chevy, et Alyssa avait promis à Howie qu'ils mangeraient ensemble après. Sans qu'elle sache pourquoi, cela ne l'ennuyait pas qu'il connaisse son adresse. C'était plutôt un filet de sécurité, au cas où.

Et voilà que, grâce à Leah, elle aurait une boîte de plus à transporter. Alyssa envisagea de ne pas l'ouvrir et de la mettre sur la pile des trois cartons de livres, comme s'il s'agissait d'un bagage semblable à un autre. Mais la curiosité fut la plus forte. Elle coupa le ruban adhésif et ouvrit le colis. Une boîte à café d'un kilo – Alyssa sentit l'odeur des gâteaux au chocolat de Leah – était nichée à côté du petit corps élimé d'un ourson aux yeux brillants.

Lazzie.

Il avait perdu depuis longtemps le chandail rouge et la

toque qu'il portait alors qu'elle avait cinq ou six ans et qu'il était tout neuf. Un cadeau de Noël de Cory. Sa fourrure était tellement feutrée et délavée qu'il était difficile de voir que c'était un panda, sa peluche préférée, la seule avec laquelle elle avait toujours dormi. Elle le sortit de la boîte et le dégagea du papier d'emballage dont Leah l'avait entouré, comme si elle l'avait préparé pour un enterrement de première classe. Une feuille du papier à lettres de sa mère tomba sur le plancher.

Allie,

En faisant du ménage dans ta chambre, j'ai trouvé les peluches que nous avions emballées avant la mort de ta grand-mère. J'ai pensé que tu ne les voudrais pas toutes pour ton nouvel appartement, mais que tu apprécierais peut-être la compagnie de Lazzie. Appelle-moi après ton déménagement. Je sais que tu es très occupée.

Je t'aime,

Maman.

P.-S. Je l'ai lavé... je ne sais pas si c'était une bonne idée.

P.P.-S. Si tu ne manges pas les gâteaux au chocolat, tu pourras t'en servir pour payer ton déménageur!

Alyssa enfouit son visage dans le ventre de Lazzie et sentit toutes les odeurs familières de la maison de Philadelphie : des serviettes fraîchement lavées, un soupçon de térébenthine, du chocolat, le parfum léger de sa mère. C'était l'évocation de toutes les choses qu'elle avait eu peur de quitter, au dernier instant, de crainte de ne pas les retrouver si elle n'aimait pas la Californie et qu'elle voulût, ou dût, rentrer à la maison.

Elle fut certaine de ne jamais avoir besoin d'y revenir quand elle avait choisi l'université de Californie, pour mettre un continent entre elle et sa grand-mère, qui déclinait peu à peu, de plus en plus ratatinée et faible, mais toujours assez forte pour retenir Leah à son chevet par devoir. Alyssa rêvait d'une ville dans la baie de San Francisco où la mort, la culpabilité, les espoirs et le devoir ne viendraient pas compliquer l'amour. Elle s'était vengée de Leah en niant ses propres besoins et lui avait annoncé son intention de ne jamais revenir à la maison.

« Allie, tu pourras toujours revenir, lui avait dit sa mère en changeant son "jamais" en "toujours", comme elle modifiait les éléments de ses tableaux qui lui déplaisaient.

– Pas Allie, Alyssa ! maman. Je ne reviendrai jamais vivre ici.

– Bien sûr que non, ma chérie. Mais la maison sera toujours là pour toi. Tout comme la fac ici. Tu sais ce que les gens du service des admissions ont dit...

– Je sais ce qu'ils ont dit.

– Chérie, ne sois pas si brusque avec moi. S'il y avait la moindre possibilité que je t'accompagne...

– Je sais que tu ne peux pas. Arrête d'en parler, maman. Je sais que mamie a besoin de toi. Je peux aller en Californie toute seule.

– Je sais que tu peux, dit Leah, je regrette simplement que tu sois contrainte de le faire. »

Dans son for intérieur, Alyssa était convaincue qu'une infirmière n'aurait pas changé grand-chose pour sa grand-mère pendant ce dernier mois. Mais Leah avait choisi de rester à Philadelphie, avec sa mère, et Alyssa avait fini par s'envoler pour la Californie sans la sienne.

Elle avait dû abandonner la boîte de peluches, la moitié de ses affiches et beaucoup de livres parce que la compagnie aérienne n'aurait jamais accepté tous ces bagages. Pendant les journées d'accueil des étudiants de première année, quand elle avait rencontré monsieur et madame Cheung, le père et la mère de Linnie et même les parents de Tricia, elle s'était juré de ne jamais pardonner à sa mère – pas d'être restée avec sa grand-mère, non – d'avoir refusé de lui envoyer ses peluches tout de suite.

« Il y en a trop, Alyssa, avait dit Leah en repoussant ses cheveux vers l'arrière d'un geste vif de la main. Tu dois prendre en considération ta compagne de chambre et l'exiguïté des chambres des résidences. Après un certain temps, tu verras si tu as suffisamment d'espace. »

À l'époque, Alyssa avait pensé à la façon dont les effets de sa grand-mère avaient envahi le moindre recoin de la maison de Philadelphie : des flacons de pilules partout dans la salle de bains, des laxatifs sur l'étagère des céréales, des couches dans les boîtes à déchets et de la literie souillée dans le panier à linge. Bien sûr, par la suite, il n'avait jamais plus été question des peluches et Leah avait oublié – jusqu'à aujourd'hui. Même si Linnie prétendait le contraire, Alyssa croyait dur comme fer que c'étaient les peluches, et pas la mort de sa grand-mère, qu'elle ne pardonnerait jamais à sa mère.

Mais à présent, elle avait Lazzie, tout délavé et bien dodu, qui l'accompagnerait dans son appartement de Dwight Way. Elle pensa le remettre dans la boîte, dans son cercueil en carton, pour que ni Linnie ni Howie ne le voient. Elle l'emmailloterait dans son papier d'emballage et refermerait soigneusement les rabats de la boîte pour le protéger pendant le transport jusqu'à son appartement, trois pâtés de maisons plus haut dans la colline. Mais d'abord, avec la résidence presque vide et sa porte bien verrouillée, elle se donnerait le plaisir de manger les gâteaux au chocolat de sa mère et de se laisser baigner dans les odeurs de la maison.

Chapitre 3

Elle avait de bonnes raisons pour s'acheter deux pantalons amples, fermés par un cordon à la taille. Après deux mois de travail dans la cuisine chez Alfredo's, elle avait décoloré tous ses jeans, à la hauteur du ventre et des hanches, constamment mouillés qu'ils étaient par le mélange d'eau de Javel et de détergent utilisé pour nettoyer la cuisine. Le mélange était si puissant qu'elle souffrait de nausées quand elle ne passait pas ses pauses dans la ruelle à côté du restaurant. L'air y était chargé d'odeurs de cuisson et de légumes pourris, mais ça la changeait de l'eau de Javel.

Ensuite, l'été était très chaud à Berkeley, et elle n'avait rien de plus léger à porter que ses pantalons en molleton et ses jeans. Leah lui avait bien envoyé deux robes d'été, mais elles étaient trop serrées à la poitrine. De toute façon, Alyssa avait cessé de porter des robes. On ne voyait à Berkeley que des petites robes aux dessins psychédéliques, de couleur phosphorescente, si courtes qu'on pouvait les prendre pour des chemisiers. Ou encore des robes noires et informes, si longues que le bord s'effilochait et se salissait dans le caniveau. Comme la session d'automne allait commencer moins de deux semaines plus tard, c'était le temps de faire des achats, même si elle devait côtoyer des filles minces comme un fil, qui dédaignaient les pantalons amples qui intéressaient Alyssa. Elle ne prenait même pas la peine de les essayer. La taille la plus grande ferait l'affaire, elle le savait. Ce type de pantalon était justement conçu pour être informes. Voilà. Pour la première fois de sa vie, elle prit un certain plaisir à faire des courses pour la rentrée, heureuse de choisir seule ses vêtements. Elle fut agréablement surprise de constater qu'une activité qu'elle avait toujours détestée, appréhendée même, devenait gratifiante.

Sa mère avait abandonné ce genre d'expédition, au moment de la rentrée, quand Alyssa était au lycée, probablement en deuxième année. Avant, Leah passait traditionnellement le matin de la fête du Travail[1] à étudier les publicités de l'*Inquirer*, qu'elle étalait sur la table de la cuisine. Elle analysait le prix des classeurs, des baskets et des chemisiers, à la recherche des meilleures aubaines dans la région de Philadelphie. Venait ensuite l'expédition de l'après-midi, véritable marathon dans le centre commercial, les innombrables salles d'essayage et les désaccords prévisibles sur ce qui était préférable : les bottes lacées ou celles qu'on enfile, le tricot vert avec ou sans manches. Leah installait Alyssa devant le miroir de la salle d'essayage et ajustait les vêtements sur elle, le vilain petit canard. La beauté simple de sa mère se reflétait avec charme dans tous les miroirs. Le visage de Leah – des yeux tendres couleur ébène, des pommettes hautes

1. Le premier lundi de septembre en Amérique du Nord. *(N.D.T.)*

et des lèvres pulpeuses – était celui d'une reine de conte de fées. De ses traits émanait une sorte de pouvoir mystique, un don secret qui manquait cruellement à Alyssa.

De tout ce rituel, Alyssa avait retenu le message muet de Leah : *Si tu essayais seulement de me ressembler davantage, tout serait tellement plus simple.* Les excursions avaient pris fin quand Alyssa avait proposé, pour leur simplifier la vie à toutes les deux, que Leah lui donne le montant prévu. Elle prendrait ensuite l'autobus avec Sharon – dont la mère procédait ainsi depuis des lustres – pendant que Leah pourrait peindre pendant tout le long week-end au lieu de perdre son temps dans les grands magasins, ce qui l'horripilait.

« Je sais que tu préfères peindre, maman », lui avait dit Alyssa d'un ton provocant, dans l'espoir que sa mère se récrie.

Mais sa grand-mère avait appelé, de la voix empâtée qu'elle garderait jusqu'à la fin. Leah avait abandonné son journal, repoussé sa chaise sans un mot. Elle était montée dans ce que Sharon appelait l'infirmerie, la chambre qu'elle partageait maintenant avec sa mère et son lit d'hôpital. C'était effectivement en deuxième année de lycée, Alyssa s'en souvenait à présent, parce que Sharon s'était fait percer les oreilles une deuxième fois.

« C'est ravissant, Shar », avait dit Leah en touchant une des boucles en or.

Mais, plus tard, seule avec Alyssa pendant le dîner, elle avait été beaucoup moins conciliante.

« Non. Il n'en est pas question. Pas avant que tu aies dix-huit ans en tout cas. »

La dernière raison pour laquelle elle avait acheté les fameux pantalons, raison moins avouable qu'elle dissimulait comme les mouchoirs en papier sales que sa grand-mère cachait sous les poignets de ses tricots, c'était qu'elle savait enfin pourquoi elle n'avait pas eu ses règles depuis deux mois. Le premier test de grossesse avait été positif. Elle avait vu des publicités à la télé – en fin de soirée dans la salle de séjour du Griffiths – où plusieurs jolies femmes exprimaient leur inquiétude, puis leur satisfaction face au résultat du test. L'impression qui se dégageait de la publicité était qu'il suffisait d'acheter le test pour obtenir exactement ce qu'on désirait : un bébé pour la femme qui en voulait un, pas de bébé pour celle dont le petit ami avait eu une érection un après-midi où ils n'avaient pas prévu faire l'amour, mais où il l'avait suppliée – « Juste pour une fois, ce ne sera pas grave. Je vais me retirer avant » – et laissée avec l'angoisse d'être enceinte parce qu'il n'était pas question d'un bébé dans sa vie, pas maintenant, et peut-être jamais.

Après le premier test positif, elle en avait acheté un autre, d'une marque différente, en espérant que la publicité tienne ses promesses et qu'elle obtienne la réponse qu'elle attendait. Mais il avait aussi été positif. Alyssa n'avait pas eu le courage de se rendre à la pharmacie de Telegraph Avenue pour en acheter un troisième. « Trois est un chiffre chanceux », disait sa grand-mère quand quelque chose clochait : un gâteau qui refusait de lever ou les peintures à l'eau de Leah qui se mêlaient pour former un gribouillis. Mais ce ne serait pas le cas pour Alyssa, elle le savait, parce que ça n'avait jamais, jamais, été le cas. Elle vivait dans une famille de trois, avec son père et sa mère, mais il était parti avant même qu'elle soit assez âgée pour s'en souvenir.

« Il avait besoin de plus de place, d'espace, ma chérie », lui avait dit Leah quand elle avait été plus grande.

Des années, Alyssa avait cru que Dennis les avait quittées pour aller vivre dans une maison plus grande, ce qui finit d'ailleurs par se réaliser. À cause de cette méprise, elle avait développé, à l'adolescence, de l'aversion pour la petite maison que Leah avait achetée à Philadelphie et qu'elle aimait tellement. Pour Alyssa, c'était une maison où il n'y avait pas de place pour un père. Son ressentiment se tourna contre sa grand-mère quand celle-ci, toute frêle et chancelante, vint s'installer à l'étage. Comment pouvait-il y avoir de la place dans la maison pour une grand-mère, se demandait Alyssa sans jamais poser la question, s'il n'y en avait pas pour un père ? Pourquoi était-ce possible de s'organiser pour vivre à trois avec sa grand-mère alors que ça avait toujours été trop petit pour un père ?

Quand Sharon avait commencé à sortir avec Jason, le chiffre trois n'avait pas été plus chanceux pour Alyssa. Sharon lui avait dit qu'ils feraient des choses ensemble, à trois. Mais lors de rares tentatives, Alyssa avait bien senti combien sa présence empêchait le courant de passer entre Jason et Sharon. Avec sa grand-mère, elles avaient réussi à s'organiser un certain temps, mais le fait qu'elles fussent trois ne lui avait pas sauvé la vie, n'est-ce pas ? Alyssa avait eu envie de rire en entendant sa mère expliquer pour la première fois à Cory, la voix basse et larmoyante, qu'Esther était dans un état végétatif permanent.

Une carotte ou un chou-fleur ? aurait-elle voulu demander, pour attirer le regard de sa mère et la faire rire de soulagement que ce soit Esther, plutôt qu'Alyssa, qui se mourait si égoïstement et si lentement.

Donc, elle n'acheta pas de troisième test. Elle jeta les deux autres dans un sac qu'elle ferma soigneusement pour que personne – ni sa voisine, Clara Edwards, ni son propriétaire Huddie Clark, ni même l'éboueur – ne puisse voir les bandes et les ronds colorés qui l'avaient trahie. À presque dix-neuf ans et sur le point de commencer sa deuxième année à l'université, après avoir obtenu des notes excellentes en première année, elle était devenue, injustement et par imprudence, la victime d'une blague horrible. Une sorte de plaisanterie cosmique destinée à ruiner sa vie.

Mais une fois les pantalons payés et emballés (l'un à rayures bleues, l'autre dans un imprimé violet foncé qui rappelait à Alyssa un foulard de sa mère), elle trouva plus facile d'oublier la vraie raison pour laquelle elle les avait achetés. D'abord, passer à travers ses deux dernières semaines de travail et de lectures préparatoires pour le séminaire de madame Miller. Ensuite, elle penserait à cette histoire de grossesse. Elle saurait alors quoi faire.

Elle s'acheta un cornet de yaourt glacé au citron et le mangea en montant la colline jusqu'à son appartement. À la tombée de la nuit, les rues lui plaisaient davantage. Elle s'appliquait à éviter les crottes de chien. De cela au moins, elle n'était pas responsable. Ce n'étaient pas celles de son chien, un petit labrador noir aux longues pattes que Huddie avait trouvé, maigre et gémissant, sous l'escalier qui menait à l'appartement d'Alyssa, au deuxième. Huddie avait le cœur brisé à l'idée de l'emmener à la SPA. Alyssa lui dit qu'elle était prête à s'en occuper – elle voulait justement un chien – mais à la condition de pouvoir le garder dans son appartement. Le chiot – elle l'avait appelé Coffee à cause de l'odeur de son haleine, celle du café frais moulu – leur appartenait en fait à tous les trois : à Huddie, parce qu'il l'avait trouvé, puis avait acheté le collier, la laisse et le ramasse-crottes ; à sa voisine Clara, qui lui faisait faire sa promenade quand Alyssa travaillait tard ; et à Alyssa, dont le matelas servait de lit au chiot la nuit. Quand elle se tournait sur le côté pour dormir, il se blottissait dans le creux de ses genoux. Parfois, les sursauts et les gémissements causés par ses rêves de chien la réveillaient. Elle l'entourait alors de son bras. Il se serrait contre elle et se calmait pendant qu'elle se rendormait. Avec le temps, il était devenu apparent qu'il n'était pas un vrai labrador. Son torse était trop maigre, avait dit Huddie. Mais, quand elle sut que c'était un bâtard, Alyssa l'aima tout autant, sinon davantage.

Dwight Way, le soir, lui était devenu si familier qu'elle ne s'offusquait pas des papiers poussés par le vent le long du trottoir ou du sans-abri qui voulait éviter le quartier des mendiants dans Telegraph. Si la nuit n'était pas encore tout à fait tombée, elle s'arrêtait et regardait droit vers l'ouest. Elle imaginait les bateaux à voile dans la baie et les moutons blancs qui indiquaient une mer agitée. *Tant mieux pour les navigateurs,* songeait-elle généreusement quand il ventait, même si la navigation à voile lui donnait le mal de mer. Elle se rappelait toujours le naufrage du bateau loué par son père, lors d'un des rares voyages qu'ils avaient faits ensemble pendant les vacances d'été. « C'est ta faute », avait-il crié en pataugeant dans l'eau trop froide et pas trop propre du détroit de Long Island.

Elle aimait observer les navigateurs de Berkeley, aux cris joyeux même quand les vents violents faisaient rouler leurs bateaux. Parfois, le coucher du soleil était si parfait qu'elle mourait d'envie de décrire à sa mère le spectre des couleurs éclatantes, de lui dépeindre le soleil qui tombait derrière la ligne d'horizon comme une flamme qui s'éteint. Les bribes de conversation qu'elle saisissait l'apaisaient, centrée sur ses sentiments comme elle l'était, avec le sac contenant ses achats qui battait contre sa jambe droite à chacun de ses pas. Le dernier bout de la rue, entre Warring et Prospect, était son préféré. La pente était abrupte, mais les ormes étaient si épais au-dessus de sa tête qu'elle s'imaginait parfois dans un tunnel qui s'étendait de l'océan Pacifique jusqu'à la porte de son appartement.

Si on les comparait à la plate-bande soignée de Leah, devant la maison de Philadelphie, les minuscules jardins entre le trottoir et les immeubles semblaient en friche. Par rapport à la symétrie et à l'harmonie des couleurs des annuelles plantées par Leah, les jardins de Berkeley étaient désorganisés et audacieux. Là, les tiges rampantes d'un plant de citrouille s'enroulaient paresseusement autour d'une unique sphère orange, de la grosseur d'un ballon de plage. À côté, des capucines rouges et jaunes s'étaient entremêlées aux rayons des roues d'un tricycle d'enfant. Devant son propre appartement, il n'y avait pas de fleurs, seulement des genévriers que Huddie ou parfois son fils, Junior, taillaient régulièrement pour ne pas gêner la vue du côté de la baie aux locataires du rez-de-chaussée. Alyssa s'en moquait. Comme elle passait devant chaque maison au moins deux fois par jour, avec Coffee qui tirait sur sa laisse, elle avait l'impression que toutes les fleurs de la rue lui appartenaient. Le fait qu'elle connût le moindre centimètre carré de terrain aussi bien que son jardinier lui donnait, estimait-elle, le droit de jouir du résultat.

Dès qu'elle posa le pied sur la première marche, Coffee se mit à aboyer. Quand elle ouvrit la porte de l'appartement, il se rua sur elle et l'accueillit avec des jappements aigus.

« Salut, Coffee. Bon chien. Bon bon chien.

En dansant autour d'elle, il donnait des coups de queue à son sac. Elle s'assit sur le plancher pour qu'il puisse lui lécher le visage.

– Ça suffit à présent, Coffee. Assez, d'accord ? »

Sur l'étagère en planches et blocs de bois contre le mur de la cuisine, le répondeur attira son regard : la petite lumière rouge clignotait, aussi impatiente d'avoir son attention que Coffee. Probablement Howie, qui voulait lui demander si elle avait envie d'aller au cinéma. Ils y étaient allés ensemble tout au long de l'été, trop rarement pour que Howie puisse dire qu'il sortait régulièrement avec elle, s'il l'avait voulu. Alyssa sortit un biscuit pour chien, le dernier, de la boîte posée sur le plan de travail de la cuisine, et ordonna à Coffee de s'asseoir, à plusieurs reprises, jusqu'à ce qu'il obéisse, ou presque. Elle lui donna alors le biscuit et lui caressa la tête en le complimentant, comme Huddie lui avait dit de le faire quand Coffee obéissait. Elle appuya sur le bouton du répondeur et alla ouvrir le réfrigérateur : un demi-litre de lait presque vide, deux bananes trop mûres, du thon vieux de trois jours et trois pizzas qu'elle avait rapportées de chez Alfredo's la semaine précédente, ou peut-être même celle d'avant. Elle devait aller faire des courses de toute urgence.

« Allô, chérie. C'est maman. Je suis désolée de t'avoir ratée. Je voulais te parler parce que je me prépare à réserver tes billets pour Thanksgiving[1] et pour Noël. Tu me manques, ma chérie. Appelle-moi dès que tu pourras me donner les dates, d'accord ? J'espère que tu pourras rester trois semaines à Noël.

Une pause.

– Je t'aime, Allie. »

Alyssa ferma la porte du réfrigérateur. Elle trouva, sous la pile de journaux posée sur la cuisinière, le bloc-notes sur lequel elle faisait ses listes d'épicerie. Du lait, des biscuits pour chien, des carottes, un fruit quelconque – pas des bananes cette fois – des macaronis et du fromage. Elle s'arrêta, appuya de nouveau sur le bouton du répondeur et réécouta la voix de sa mère. La seconde fois, c'était comme pincer un hématome. Alyssa ne pouvait s'empêcher de toucher ces endroits où le sang se concentrait, sous la peau si mince. Sa mère avait un ton suppliant, pas autoritaire : *Aime-moi en retour, Allie. Aime-moi davantage.* Malgré le nombre de fois où elle avait expliqué à sa mère qu'Allie était un nom de bébé, Leah continuait à l'utiliser. Même dit à un répondeur et enregistré sur un ruban, cela la hérissait. *Rappelle-toi que je suis ta mère*, laissait entendre l'usage du diminutif. *Rappelle-toi que tu es mon bébé.*

Il était presque dix-neuf heures, vingt-deux heures à Philadelphie. Elle pouvait attendre et prétendre qu'elle était rentrée trop tard pour rappeler Leah, mais sa mère pourrait alors la rappeler à un moment où Alyssa ne serait pas sur ses gardes et où sa voix la trahirait. Elle s'empara du combiné tout en caressant Coffee, alangui

1. Fête célébrée aux États-Unis, le 4e jeudi de novembre, en remerciements de la 1re révolte des Pilgrims Fathers.

après avoir englouti son biscuit. Le téléphone sonna six fois. Peut-être Leah n'était-elle pas à la maison. Peut-être, quand le répondeur se mettrait en marche, Alyssa devrait-elle laisser à son tour un enregistrement de sa voix. Ou peut-être Leah essuyait-elle la peinture sur ses doigts avant de répondre, rituel qu'Alyssa revoyait dans le moindre détail, les yeux fermés. Même à près de cinq mille kilomètres de distance. Sa mère ne réussissait jamais à se nettoyer les mains à fond. La peinture se retrouvait sur le combiné blanc, et le téléphone de Leah, avec ses taches de toutes les couleurs, ressemblait à de l'art abstrait.

« Allô !

C'était la voix grave de sa mère, en personne, pas le répondeur.

– Maman ?

– Chérie ! Je suis si heureuse que tu m'aies rappelée ce soir. Juste une minute, mon trésor, j'enlève un peu de ce truc de mes... Voilà. Comment vas-tu ?

– Bien, maman. Je t'appelle à propos des billets.

Alyssa laissa planer le silence.

– Chérie ? Es-tu là ? Comment vas-tu ? Je travaille comme une damnée pour mon exposition de l'automne. George me harcèle jour et nuit pour avoir d'autres œuvres. Mais je ne cesse de penser à toi, ma chérie. Tu dois avoir reçu ton calendrier de la session d'automne, alors tout ce que tu as à faire, c'est...

– Maman, je ne sais pas si je pourrai venir te voir.

Alyssa s'étira pour prendre le sac qui contenait ses pantalons et en sortit celui qui était imprimé. Elle le lissa sur sa poitrine comme s'il s'agissait d'un tablier.

– Grand Dieu !...

Silence de Leah, long et blessé.

– Peux-tu me donner une seule bonne raison qui t'empêcherait de venir à la maison ?

Alyssa enroula les bouts des cordons autour de son index, fit un nœud et le serra jusqu'à ce que le bout de son doigt devienne pourpre.

– Bien... tu sais que j'ai un chien et il...

– Chérie, je n'ignore pas qu'il existe des chenils en Californie.

– C'est encore un chiot, maman. Il détesterait se retrouver dans un chenil. Et mon propriétaire m'a dit...

– Pourquoi ne demandes-tu pas à ta voisine de s'en occuper ? Celle que tu aimes bien, Claire ?

– Clara. C'est trop. Je ne peux pas lui demander ça.

Alyssa défit le nœud et recommença avec l'annulaire. Elle serra le cordon et regarda le bout de son doigt gonfler et prendre la couleur intense du sang comprimé. Cela ne faisait pas mal du tout d'étrangler ses propres doigts. Pas plus que de se piquer avec une aiguille, d'arracher des poils sur ses bras ou d'étirer des muscles qui ne veulent pas s'étirer. À un certain moment, passé un certain seuil, elle ne sentit plus rien et eut l'impression que cela arrivait à quelqu'un d'autre, pas à elle.

– Il y a une autre raison. Je sais qu'il ne s'agit pas de ce chien... Tu as un petit ami, chérie ? Pourquoi ne l'emmènes-tu pas ?

– Non, maman, je n'ai pas de petit ami.

Elle défit le nœud et secoua les doigts. Tony Messina avait-il été son petit ami ? Baiser avec un type dans son lit dans une résidence universitaire faisait-il d'elle sa petite amie ? Peut-être était-ce plutôt sa grossesse qui faisait d'elle sa petite amie. Pourrait-elle confier à sa mère, comme preuve extrême de confiance, que son corps gonflait? Si elle réglait la chose autrement, comme la sœur aînée de Linnie, pourrait-elle se montrer à sa mère? D'un seul regard, Leah comprendrait, comme elle l'avait toujours su, avec une justesse presque diabolique, quand Alyssa venait de commettre un méfait.

– Comment peux-tu refuser de venir à la maison? Cet été, d'accord. Je sais que tu voulais ton été, mais Thanksgiving et Noël aussi?

Leah s'en apercevrait. D'une manière ou d'une autre, elle saurait. Si Alyssa ne cédait pas, Leah serait bien capable d'imaginer ce qui se passait, même depuis l'autre bout du continent. Il valait mieux céder, juste un peu.

– Bon, maman, je vais venir pour une fête ou pour l'autre, mais pas pour les deux. Je ne veux pas laisser Coffee si longtemps et je... je suis simplement bien ici.

– Écoute, chérie, je voulais te garder la surprise... Tu sais comme la lumière est bonne dans ta chambre, parfaite pour un atelier. Eh bien, le sous-sol est devenu une chambre noire, aménagée dans les règles de l'art. Je suis certaine que tu vas l'adorer. Elle est bien organisée, avec beaucoup d'espace, et...

– Tu te sers de ma chambre comme atelier?

– Oh! chérie. J'espère que tu ne...

– Où vais-je dormir quand j'irai à la maison? Où sont mes affaires?

– J'ai tout emballé. Avec soin, ne t'inquiète pas. Tout est bien étiqueté. J'ai tout mis en bas.

– Mais où est mon lit? Où vais-je dormir?

– Avec moi, ma chérie. J'ai arrangé ma chambre pour nous deux. J'ai installé tes affiches. Ce sera amusant. Pour toi, ce sera un peu comme avec Cindy.

– J'aimais ma chambre, maman.

– Tu as encore une chambre, Alyssa ! Tes choses, la chambre noire... C'est seulement différent. Chérie, j'ai hâte que tu voies tout cela... Tu vas adorer, Allie, je te jure.

Alyssa recommença à entourer le cordon, plus fort cette fois, autour de deux doigts, l'annulaire et l'auriculaire.

– C'était ma chambre.

Plus serré. Encore plus serré.

Leah haussa le ton. Alyssa avait encore réussi à l'exaspérer.

– Mais tu n'es pas venue à la maison cet été. Tu ne veux même pas venir maintenant.

Sa mère en était arrivée là où elle voulait arriver, où elle arrivait toujours, elle avait gagné. Alyssa était à l'origine de toutes ses déceptions. Elle ne contentait jamais sa mère. Elle n'était jamais assez mince, jamais assez soignée, jamais assez affectueuse, jamais assez reconnaissante, jamais jamais jamais assez. Comment pourrait-elle confier son secret à sa mère ? C'était impensable. Elle céda, en disant les mots qui lui venaient.

– À Thanksgiving. Je vais venir pour Thanksgiving. À condition, poursuivit-elle intentionnellement pour blesser sa mère, que tu persuades papa de venir. J'ai envie de le voir. »

Tout à coup, elle se sentit trop lasse pour marcher, rester debout et même parler. Elle devait vite raccrocher, aller s'étendre sur le matelas, serrer Coffee dans ses bras et sombrer dans le seul refuge où elle n'avait à réfléchir à rien.

Elle rentrerait pour Thanksgiving. Voilà tout. À Thanksgiving.

Une fin d'après-midi, Alyssa revint à l'appartement les bras chargés des livres qu'elle venait d'acheter pour la session d'automne. En fouillant dans son sac pour trouver sa clé, elle les laissa tous tomber. De l'autre côté de la porte, Coffee était fou à lier. Ce qui s'annonçait comme une merveilleuse journée ensoleillée s'était transformée en une grisaille automnale. Une mince couverture de nuages, en provenance de l'ouest, avait balayé le ciel de Berkeley, puis s'était déchirée pour laisser passer quelques rayons de soleil, plus déprimants qu'un ciel complètement couvert, alors qu'on sait qu'il n'y a rien de mieux à espérer.

« Besoin d'aide ?

Clara sortit sur le palier en s'essuyant les mains avec un torchon vert. Alyssa sentit l'odeur d'ail et d'oignons en train de dorer et entendit les crépitements de l'huile de cuisson chauffée sur un brûleur réglé au plus fort. Comme celle d'Alyssa, la porte de Clara s'ouvrait en haut de l'escalier. Elles partageaient donc le palier et la connaissance de leurs allées et venues respectives, surtout quand il se produisait un incident, comme c'était le cas pour Alyssa ce jour-là.

Clara était la voisine parfaite, si différente d'Alyssa qu'il leur avait fallu tout l'été pour s'apprivoiser mutuellement ; toutes deux étaient heureuses et étonnées de s'entendre si bien.

À soixante ans, peut-être soixante-cinq, Clara était une femme grande et forte, musclée mais gracieuse. Pour Alyssa, depuis son arrivée à Berkeley, elle représentait ce qui ressemblait le plus à une amie intime. Elle mesurait près de deux mètres. Alyssa aimait se tenir à côté d'elle pour comparer la taille de Clara à la sienne. Elle avait l'impression de ne plus être la fille dépendante de sa mère mais une pupille choisie par Clara. Leur relation ressemblait à celle d'une mère qui choisirait sa fille selon ses goûts plutôt que de se la voir imposée à la naissance. Devant sa mère, qui était plus petite qu'elle, Alyssa se sentait empotée. Ce qui n'était pas le cas avec Clara; même en se tenant bien droite, Alyssa ne pouvait pas la regarder droit dans les yeux. L'âge, le poids, la race, tout était tellement différent entre elles que cela lui donnait de l'aplomb. En présence de Clara, elle avait l'impression de renaître, en négatif de ce qu'elle était avant. Une nouvelle Alyssa Staton, chez qui les ombres se changeaient en lumière et vice-versa.

– Merci, Clara.

Derrière la porte, Coffee hurlait.

– V'là un roquet qui se prend pour un molosse.

C'était une autre chose qu'Alyssa adorait chez Clara, un autre présent imprévu : sa conversation faisait passer Alyssa du statut de la fille blanche qui habite à côté à celui d'une femme du quartier comme les autres. Les phrases de Clara entraînaient Alyssa dans un monde de sensations, un mélange vigoureux de passion et de plaisir, que ses mots à elle n'évoqueraient jamais.

– Il s'ennuie.

Clara ramassa les livres d'histoire d'Alyssa. *Avec ses mains magiques*, songeait Alyssa. La beauté de leurs veines noueuses et des longs tendons sous la peau d'ébène donnait à Alyssa l'envie de sortir son appareil photo pour la première fois depuis des mois. Les mains noires, les livres lourds et le ciel gris. L'image se cadra d'elle-même.

– Il s'ennuie pas, ma belle. Il a juste trop de voix.

– Merci, Clara.

Alyssa ouvrit sa porte d'un coup de hanche.

– Voulez-vous entrer? J'ai du coca light.

– Non. J'ai du poulet qui cuit là-bas.

Son noble visage impassible, elle baissa les yeux vers Alyssa.

– T'as l'air fatiguée. Je sais pas pourquoi, mais on dirait que tu te ronges.

– J'ai dix kilos de trop, dit Alyssa.

Même en confiant à Clara le secret qu'elle n'avait jamais eu le courage d'avouer à personne, Alyssa mentait. Elle avait plutôt quinze kilos de trop. Après son mensonge, comme elle en avait récemment pris l'habitude, elle sentit le besoin d'y apporter des précisions.

– Je ne me ronge pas, je gonfle.

– Chaque personne a sa façon de se ronger. Toi, tu manges pas comme il faut, alors tu enfles comme ça.

Clara prit l'avant-bras d'Alyssa et tourna délicatement sa main la paume vers le haut. Elle frotta la mince peau blanche près du coude et appuya le pouce à trois endroits différents.

– C'est le sel et le gras qui font ça. Ils gardent l'eau en dedans.

Alyssa recula en se frottant la peau là où la pression légère des pouces de Clara lui avait laissé un douloureux désir d'être touchée.

– Trésor, tu viens à côté manger du poulet avec moi. Toute cette pizza te vaut rien. Amène le chien aussi, ajouta Clara en se retournant pour partir. On ira faire une promenade avec lui après le dîner, s'il pleut pas. »

Pendant tout le repas offert par Clara – poulet frit, brocoli et pommes de terre bouillies avec du persil –, Alyssa observa ses mains magiques servir, desservir et, à l'occasion, lui toucher l'épaule. Elle aimait Clara surtout parce que celle-ci ne posait jamais de questions. Pas par manque d'intérêt – elle écoutait et se rappelait ce qu'on lui disait – mais confiante que, tôt ou tard, l'interlocuteur en viendrait à l'essentiel. Leah était tout le contraire. Depuis toujours, elle avait cuisiné sa fille jusqu'à ce que, de guerre lasse, Alyssa se réfugie dans la chambre noire sous l'escalier, aille se coucher (l'excuse des migraines aidant, car elle en avait toujours souffert) ou quitte la maison pour échapper à l'inquisition. Que s'était-il passé entre elle et Sharon ? Où était le chemisier noir qu'elles avaient acheté ensemble chez Bloomingdale ? Alyssa prévoyait-elle – ce n'était pas important, mais elle se le demandait – d'aller au bal du printemps ? Même à l'autre bout du continent, même affairée à préparer son exposition, elle trouvait le moyen de poser encore des questions. Alyssa ne voulait ni ne pouvait répondre. Puis, Leah faisait une interprétation erronée, vraisemblable ou pas, des réponses qu'elle recevait ou qu'elle imaginait.

Clara posa la théière sur un brûleur. Le bruit du gaz qui s'enflammait annonça la fin du repas. C'était la façon de Clara de lui signifier qu'elle avait apprécié sa compagnie, mais qu'elle prendrait maintenant son thé toute seule.

« C'était super, Clara. Merci.

– Il en reste tout plein pour toi. Je vais l'emballer. Ton dîner de demain.

– Non, non, gardez-le...

– C'est déjà prêt.

Clara posa une assiette contenant du poulet et des pommes de terre devant elle et plia une feuille de papier aluminium tout autour, comme le faisait la grand-mère d'Alyssa quand elle enfermait des pommes sous une pâte à tarte.

– Tu dois boire plus d'eau.

– Je bois de l'eau.

– Bois pas des sodas. Ils sont tout pleins de sel. C'est pas comme boire de l'eau.

Clara passa le pouce sous l'œil d'Alyssa en suivant le cerne bleuâtre. Par la plus grande fenêtre de l'appartement, identique à celle de la salle de séjour d'Alyssa, elle regarda tomber la pluie mêlée de grésil.

– Pas de promenade, je pense. Ce chien va te faire tourner en bourrique.

Elle s'assit en face d'Alyssa et lissa la nappe avec les pouces, comme elle avait pressé la peau du bras d'Alyssa.

– De toute façon, dit celle-ci, je suis un peu fatiguée. Je pense que je vais me coucher tôt ce soir.

– Tu vas pas bien.

– Ça va.

– Au centre médical, tu peux y aller sans rendez-vous.

– Vraiment...

– Tu dois y aller, mon trésor.

La bouilloire siffla. Clara la laissa gémir pendant qu'elle accompagnait Alyssa jusqu'à la porte.

– Ça peut pas faire de tort de voir quelqu'un », dit-elle, la main sur l'épaule d'Alyssa.

Le centre médical offrait effectivement des services sans rendez-vous, avec des infirmières aptes à traiter à peu près tout ce dont un étudiant pouvait souffrir. Mais Alyssa n'y était pas retournée depuis que Cindy l'y avait amenée. Elle était alors repartie avec une boîte de pilules contraceptives jaunes, qu'elle n'avait jamais prises, parce que, en haut de la liste des effets secondaires possibles, il y avait le gain de poids. Après avoir trouvé son nom sur la liste de Tricia, elle ne pouvait pas prendre consciemment un médicament susceptible de causer un gain de poids et de faire traîner en longueur tout régime qu'elle entreprendrait. Tony utilisait des capotes, bien cotées en termes d'efficacité, et elle n'était pas retournée à la clinique pour l'examen prévu trois mois plus tard. Elle ne voulait surtout pas devenir comme l'infirmière obèse qui avait pris sa pression, une poupée gonflée, une version caricaturale d'elle-même.

Plutôt que d'aller se promener avec Coffee sous la pluie battante, elle s'assit sur son ciré jaune au pied de l'escalier extérieur et lui ôta sa laisse pour lui permettre de fouiner un peu partout dans le parking et autour des genévriers. Il faisait des allers et retours entre elle et les odeurs qui l'attiraient plus loin, mais il revenait dès qu'elle l'appelait, en prononçant distinctement les deux syllabes de son nom. Quand il eut fait ses besoins derrière la voiture de Clara, elle les nettoya avec le ramasse-crottes. Après avoir verrouillé la porte de son appartement derrière elle et secoué son ciré, elle s'aperçut que la pluie avait cessé. Coffee avait eu une sorte de sortie, à défaut d'une vraie promenade. Alyssa pensa que sa journée était accomplie. Alanguie par le bon repas de Clara, elle se rappela la sensation des longs doigts noirs sur sa peau. Elle se laissa tomber sur son matelas et s'endormit. Elle se réveilla une seule fois, pour tirer l'édredon sur sa tête.

Si elle avait pensé un seul instant que Tony Messina quitterait le campus en joggant sous Sather Gate, elle n'aurait jamais amené Coffee y courir. Elle serait allée dans la direction opposée ou aurait grimpé sur les collines de Berkeley, là où les maisons chics se cachaient au bout d'allées fermées par des grilles. Si elle avait prévu la moindre possibilité de devoir parler à Tony Messina en ce 5 septembre, à deux jours du début de la session, elle serait sans doute restée à la maison, au lit même.

« Salut, Alyssa ! lui lança-t-il sans ralentir son allure, en contournant les rastas qui faisaient office de sentinelles à l'entrée de Telegraph Avenue.

Le torse nu, Tony portait un short et des tennis.

– Ton chien ?

Puis, il se mit à faire du surplace en levant les genoux très haut avec l'exagération caractéristique de tous les fanatiques d'athlétisme qu'Alyssa méprisait.

– Bien sûr que c'est ton chien. As-tu passé un bon été ?

Abasourdie, Alyssa crut un instant pouvoir lui parler. Jusqu'à ce qu'une fille svelte le rejoigne, aussi légèrement vêtue que lui et au bronzage aussi réussi que celui de madame Cheung. Alyssa aurait peut-être invité Tony au café étudiant, pour parler avec lui en prenant un moka glacé. Coffee aurait reniflé les jambes de Tony, ce qui l'aurait chatouillé et fait rire. Il lui aurait dit avoir pensé à elle tout l'été. Elle aussi. Rapidement, ils en seraient venus à converser si amicalement qu'elle aurait réussi à lui dire ce qui lui était arrivé, probablement la toute dernière fois qu'ils avaient fait l'amour, en mai. Cette fois où Cindy était sortie et leur avait dit au revoir par la fenêtre de la BMW de madame Cheung, où Tony avait dit « on se revoit plus tard » à Marc et où Alyssa avait pensé *tant pis, pourquoi pas une fois encore ?* De toute façon, elle ne voyait pas pourquoi elle aurait refusé ce qu'elle lui avait déjà donné tant de fois. Quand ils auraient terminé leur moka, Tony saurait peut-être quoi dire et quoi faire. Il lui relèverait les cheveux pour l'embrasser sur la nuque et tout redeviendrait normal.

– Salut, dit la fille en se frottant contre Tony comme une chatte.

Ses cheveux blonds étaient courts, avec une longue frange qui tombait sur ses yeux gris.

– Sandie, voici Alyssa. Elle était à Griffiths l'année dernière. En histoire, c'est bien ça Alyssa ?

– C'est ça.

Si seulement Coffee s'échappait, elle pourrait courir derrière lui sans avoir à faire la conversation. Tony et Sandie ne la trouveraient pas bizarre, seulement préoccupée par son chien.

– Sandie est en première année. Elle vient aussi de Fresno.

Sandie, elle, était assez bien élevée pour cesser de sautiller quand elle parlait.

– Je lui avais dit qu'il ne m'échapperait pas en venant à Berkeley. Que je le suivrais au bout du monde.

Elle pinça la peau de Tony au-dessus de la taille, à l'endroit exact où il avait invité Alyssa à mesurer l'épaisseur de sa couche de gras.

« Pas trois centimètres, pas vrai ? Même pas deux centimètres ! » s'était-il félicité.

– La majorette. La photo dans son portefeuille, fut tout ce qu'Alyssa trouva à dire.

Ce n'était pas génial, mais Sandie parut ravie. Si sûre d'elle, si convaincue de la fidélité de son petit ami que cela lui plaisait de savoir qu'une autre fille, plus âgée, sache exactement où se trouvait sa photo dans son portefeuille. Sandie était aussi sûre de l'affection de Tony qu'Alyssa l'était de celle de Coffee. Même détaché et libre de rôder, il revenait toujours vers sa maîtresse. Comme Coffee, Tony gémissait et se plaignait, tirait sur sa laisse et suivait toutes les odeurs qui flottaient, mais il revenait toujours au bercail. Parce que Sandie était blonde. Qu'elle était mince. Qu'elle joggait et l'avait suivi à Berkeley, au bout du monde. Qu'il était évident qu'elle ne serait jamais assez folle et idiote pour gâcher sa vie en tombant enceinte.

Ils parlèrent encore un peu. Ils échangèrent des paroles dont, plus tard, Alyssa fut incapable de se souvenir. Tony habitait dans la résidence de la confrérie, Sandie à Sherman. Tony était en sciences politiques, Sandie en psychologie. Évidemment. Et, bien sûr, pour prouver à Alyssa qu'elle ne lui en voulait pas, quand Tony lui prit la main pour traverser au pas de course la rue au feu rouge, elle se retourna.

– J'adore ton chien. »

En les quittant, Alyssa s'emmêla les pieds dans la laisse de Coffee. Elle tira dessus d'un coup sec, même si ce n'était pas la faute du chien. Son visage était rouge de honte. Elle pencha la tête – une vieille habitude prise au collège – pour cacher ses traits avec ses cheveux et éviter que Tony et Sandie voient qu'elle pleurait en se retournant vers eux pour les saluer. Elle ne put s'empêcher de remarquer son reflet dans une immense vitrine : des cheveux longs jusqu'à la taille, une silhouette informe et sans visage dans un tee-shirt et un pantalon rayé, qui marchait d'un pas chancelant derrière un bâtard aux oreilles pendantes tirant sur sa laisse en nylon bleu.

Quand elle y repenserait plus tard, elle se dirait qu'elle avait dû vivre une expérience extracorporelle quand elle avait téléphoné, ce soir-là, à la résidence des Alpha

Kappa Lambda. Elle s'entendit demander calmement de parler à Tony Messina. Elle se rappela le plaisir d'entendre sa voix quand, après que son compagnon de chambre eut crié : « Une nana pour Messina ! Téléphone, mon pote ! », il répondit avec un tel empressement qu'elle comprit que « nana » devait vouloir dire Sandie. Toujours à l'extérieur d'elle-même, elle écouta leur conversation, banale comme celle de connaissances qui s'efforcent de se parler gentiment. Elle rêva de savoir ce qu'on ressentait quand quelqu'un – une mère, une amie – répondait au téléphone avec un tel plaisir et une telle affection. Puis, irritée par l'irréalisme de son rêve, elle lâcha enfin ce qu'elle n'avait encore confié à personne.

« Je suis tombée enceinte, Tony. De toi. Je suis absolument certaine que c'est de toi.

Il eut la bonne grâce de pousser des oh non ! et des ah merde ! pour exprimer sa souffrance virile.

Elle l'interrompit.

– Je ne sais pas quoi faire.

– Que veux-tu dire ? Tu n'as encore rien fait ? Tu es toujours enceinte ?

– Je suis enceinte.

– Merde, Alyssa. Tu es enceinte depuis... quatre mois ? Tu n'aurais pas pu m'en informer plus tôt, quand c'était, quand tu aurais pu...

Elle ne disait rien. Elle ne parlerait plus s'il rejetait la faute sur elle. Exactement comme sa mère. Comme l'infirmière obèse à la clinique quand elle lui dirait que, non, elle n'avait jamais pris les pilules contraceptives. Pourquoi ? Je ne voulais pas devenir aussi grosse que vous. Regardez-moi à présent. Ironie du sort. S'il rejetait la faute sur elle, elle ne pourrait plus parler à Tony.

– Écoute, il doit encore être possible de... tu sais bien... écoute, je vais aller au centre médical avec toi, pour savoir... si tu veux...

– Tu veux venir à... la clinique avec moi.

– Hé ! Je ne vois pas quoi faire d'autre. Écoute, donne-moi ton numéro de téléphone. Je ne peux pas parler actuellement, mais je vais te rappeler. Demain. Tôt. Avant... »

À l'extérieur ou à l'intérieur de son corps, quelle différence ? Tony Messina n'arrangerait pas les choses, comme un gentil garçon le ferait. Elle raccrocha et se laissa glisser sur le plancher. Le téléphone se mit à sonner, encore et encore, faisant déclencher le répondeur et interrompant son message à répétition, comme dans un mauvais rap chanté par une Blanche. Elle comprit que Tony appuyait ses jolis doigts minces et nerveux sur le rappel automatique. Ses doigts étaient-ils moites de sueur ? Tremblaient-ils ? Pas gentil, vraiment pas gentil. Probablement qu'il ne le serait même pas avec Sandie quand il aurait eu ce qu'il voulait. Mais assez brillant pour éviter les ennuis. Il finirait par se lasser de rappeler et ne pourrait pas obtenir son numéro par les renseignements. Elle attendrait, jusqu'à ce que ça passe. Ça passerait, comme tout le reste. Il lui suffisait d'attendre.

Elle rapprocha le téléphone d'elle sur le plancher et s'appuya sur la porte d'armoire à laquelle il manquait un gond. Huddie avait dit qu'il devrait la suspendre de nouveau.

Pendre. Être pendu.

Pendre, pendant, pendu.

Chapitre 4

Après tout ce temps, Dennis réussissait encore à exaspérer Leah.

« Écoute, dit-elle en changeant le combiné d'oreille et en laissant tomber avec fracas une casserole dans l'évier, juste pour le plaisir de faire du bruit.

Elle avait, croyait-elle, trop de dignité pour engueuler son ex-mari, mais cela lui demandait parfois de prodigieux efforts. Maintenant, par exemple, alors qu'elle avait le cœur brisé par le refus d'Allie de venir à la maison pour Noël.

– Elle dit qu'elle viendra seulement pour Thanksgiving. Aurais-tu la bonté de faire le voyage, pour une fois ? Tu pourrais venir la chercher pour l'amener dîner.

La voix de baryton de Dennis était exactement la même que quand ils s'étaient rencontrés, vingt-deux ans plus tôt. Comme s'il avait été un chanteur d'opéra plutôt qu'un peintre en voie de devenir célèbre. Une voix à la fois autoritaire et enjôleuse.

– Bien sûr. Ça me plairait, mais Missy est enceinte – un autre garçon – et je déteste la laisser seule.

Pas autant que je te déteste, espèce de con prétentieux. Elle laissa tomber le couvercle de la casserole dans l'évier, où il fit à son tour un grand fracas.

– Écoute, Dennis. Cette fois, je ne la laisserai pas prendre ma voiture pour aller au New Jersey quand elle est ici pour si peu de temps. Tu pourrais essayer de trouver quelqu'un pour... s'occuper... de Missy. Je veux bien te faciliter la chose autant que possible.

Il n'allait pas réussir à la bouleverser encore une fois au sujet d'Allie qui, Dieu merci, avait maintenant plus de dix-huit ans. Il s'agissait là d'un simple appel de courtoisie. Une faveur qu'elle faisait à Allie, et qu'elle regrettait d'ailleurs.

– Je ne suis pas certain que ce sera possible, Leah.

– Je suis désolée de te l'entendre dire. Je dois te laisser. J'ai un tableau à emballer dans une caisse pour une exposition.

– Une exposition de groupe? demanda-t-il d'un ton condescendant.

– Non, solo. Le reste est déjà à la galerie. »

Elle jubilait. Ces bribes d'information allaient piquer sa curiosité, mais il n'oserait pas poser de questions. Malgré tous ses succès, Dennis avait toujours l'esprit de compétition. Surtout avec Leah. L'ascendant qu'il exerçait sur elle était un des facteurs qui les avaient attirés l'un vers l'autre. Mentor et étudiante. Homme du monde et jouvencelle. Quand le talent de Leah, plus grand que le sien, avait commencé à se manifester, il n'avait pas pu le supporter. Pourtant, ni l'un ni l'autre n'avaient jamais envisagé cette explication à leur séparation.

Ils s'étaient rencontrés en octobre, lors d'une exposition de Dennis au Ritton Center For The Arts, une galerie moderne au centre ville. Il portait une veste en tweed et une cravate en tricot rouge, mais une chemise en denim. Il restait de la peinture sous ses ongles. Dennis était un vrai peintre. Les gens snobs de Philadelphie s'arrachaient ses tableaux abstraits remplis d'éclaboussures pour décorer leurs salles de séjour. Malgré sa notoriété, qui commençait à s'étendre au-delà de la région, il choisissait délibérément sa façon de s'habiller en fonction du rôle qu'il voulait jouer, celui du peintre qui ne se préoccupe que de son art. Leah croyait qu'il n'était même pas conscient de son inconséquence.

Il tenait un verre de vin blanc dans sa main carrée, faite pour tenir plutôt des outils que des pinceaux. Selon sa biographie, dans le catalogue de l'exposition, il avait douze ans de plus que Leah et il était divorcé. Les rares cheveux gris dans sa chevelure noire lui donnaient le charme de l'expérience.

« Votre exposition est magnifique, dit Leah en s'approchant de lui quand le cercle de ses admirateurs se rompit parce que le traiteur venait de servir de nouveaux plateaux de crevettes. Votre coup de pinceau... le mouvement, il est très particulier.

– Merci, dit Dennis d'un ton satisfait.

Il devrait s'épiler les sourcils, songea-t-elle ; ils étaient trop épais et retombaient sur son nez. Des yeux bruns, des cheveux de la couleur de ceux de Leah, mais le teint plus pâle qu'elle, presque terreux. Ce n'était pas vraiment son apparence qui l'avait séduite, même s'il avait un beau nez droit et des dents très blanches sur lesquelles il aimait attirer l'attention en les découvrant le plus souvent possible.

– Êtes-vous peintre aussi ? Personne d'autre n'a remarqué cela. Je serais bien étonné si Zanza le notait.

Il indiqua d'un geste de la tête le critique de l'*Inquirer* qui s'approchait de lui, carnet à la main, en examinant consciencieusement les tableaux l'un après l'autre.

– Pourquoi ne s'intéresse-t-il pas à l'élevage des vers à soie ou à autre chose qui relève de sa compétence? ajouta-t-il d'un ton amer, mais avec un rire moqueur. Allons. Voilà que je vous ai posé une question et que je ne vous laisse même pas le temps de répondre. Êtes-vous peintre, mademoiselle...?

– Pacey, répondit-elle en serrant la main qu'il lui présentait. Leah. Pas vraiment. Enfin, je peins, mais je n'ai pas...

Quel intérêt pour lui de savoir comment et pourquoi elle n'avait pas terminé ses études à l'école des beaux-arts? Leah passa la main sur sa jupe noire. Merde! Un de ses bas filait.

– Hum! Que de modestie pour quelqu'un d'une telle perspicacité. Venez. Allons faire le tour du propriétaire. Mon premier essai du coup de pinceau en spirale, c'était dans ce tableau, dit-il en la guidant vers une petite toile. Ici, je travaillais la profondeur et l'illusion, et la notion du tourbillon imprévisible et même chaotique intrinsèque, que n'évoquent pas les formes carrées. Vous comprenez?

– C'est... C'est un commentaire sur la condition humaine, les restrictions de nos vies extérieures. Je veux dire, heu... le coup de pinceau contredit les couleurs froides des carrés, la passion de la vie intérieure par opposition à...

Leah s'interrompit, gênée par son désir de l'impressionner. Pour qui se prenait-elle? Elle était en train d'expliquer son œuvre au peintre lui-même. Elle-même ne peignait jamais de tableaux abstraits. Elle n'avait jamais cru avoir la capacité de comprendre l'art non figuratif.

Mais, cette fois, Dennis posa la main dans le dos de Leah pour la guider vers le tableau suivant. La pression de cette main l'excita plus qu'elle ne l'avait jamais été avec Elliott. Ce bon, ce fidèle Elliott avec qui elle sortait depuis cinq ans déjà. En principe, il devait épouser Leah, mais pas avant d'avoir établi son cabinet d'avocat.

– Parfaitement, dit Dennis. Vous aimeriez visiter mon atelier un de ces jours. »

Pas le moindre point d'interrogation à la fin de sa phrase. C'était un énoncé de fait, et Dennis avait tout à fait raison.

Ils s'enfuirent à New York quatre mois plus tard, le jour de la Saint-Valentin 1976, privant ainsi Esther du plaisir d'assister au mariage de sa fille unique.

« De cette façon, je t'aurai tout à moi, avait dit Dennis. »

À leur retour, ils s'installèrent dans l'appartement de Leah et il garda le sien comme atelier.

« J'ai besoin d'avoir un espace distinct pour travailler, dit-il. J'en ai toujours eu un. »

Avant de partir travailler, il prenait une douche, se rasait et s'habillait soigneusement, presque comme si c'était lui qui devait se présenter dans une agence immobilière à neuf heures tous les matins. Ses revenus étaient importants mais imprévisibles, avait-il précisé. Le travail de Leah leur fournissait un revenu de base et une sécurité.

Les deux années suivantes, Leah étudiait avec Dennis. Le week-end, elle peignait à côté de lui et il critiquait son travail et lui donnait des explications. Il laissait l'acrylique de ses tableaux abstraits pour lui faire une démonstration rapide avec l'huile qu'elle utilisait.

« Il te faut plus d'expérience dans le dessin de nus, lui dit-il d'un air dégoûté un samedi midi. Ça ne va toujours pas.

Leah avala le fond refroidi de sa tasse de café du matin.

– Le programme en design n'avait pas...

– Je m'en fiche. Tu as besoin d'un cours là-dessus. Tu ne sais pas ce qu'il y a sous les vêtements que tu peins, et ça transparaît. Inscris-toi à Fleisher. Tu sais, ce cours en design a été une erreur magistrale. Il vaut mieux que tu ne l'aies pas terminé. Un cours pour des mauviettes connes, sans passion ni audace, déclarait-il énergiquement en désignant à grands gestes sa poitrine à elle, puis la sienne. Et toi, ma douce... tu as du talent, tu as de la passion et, moi, je vais te donner du cœur à l'ouvrage.

Il se pencha pour toucher du doigt son sein gauche.

– Hum ! Oui, je crois que ton cœur a besoin d'être raffermi. »

Il prit son sein dans une main, mit son autre bras autour de son dos, l'attira à lui, la souleva du sol et la fit virevolter. Il était fort. Même s'il la serrait un peu trop fort, elle sentit son érection, et son désir à elle, plus pressant que tout ce qu'elle avait éprouvé pour Elliott. Ce samedi, comme bien d'autres, ils gaspillèrent une bonne partie de la meilleure lumière du jour à faire l'amour. Dennis disait que l'orgasme les rendait plus audacieux dans leur peinture quand ils retournaient travailler. Ils avaient déménagé la plupart des meubles de Dennis, de meilleure qualité que ceux de Leah, dans son appartement, mais ils avaient gardé le grand lit. La peinture leur servait d'aphrodisiaque, même si Leah tardait parfois à céder, réticente à quitter sa toile. Même quand Dennis se collait contre son dos, pour l'exciter avec son érection sur ses fesses, tout en l'entourant de ses bras pour déboutonner son chemisier et baisser la fermeture éclair de son jean.

Elle prit le cours de peinture de nus. Toute cette chair sensuelle lui inspira peut-être l'envie de laisser son corps donner la vie, plutôt que de se contenter de la peindre. À moins que ce ne fût l'approche de la trentaine.

Elle peignit beaucoup pendant sa grossesse, heureuse d'avoir une excuse pour travailler à mi-temps à l'agence. Cory, alors troisième dans la hiérarchie, avait obtenu que son salaire ne soit coupé que du quart.

« Disons que c'est un versement d'avance pour t'inciter à rester avec nous », avait-elle dit, tout à fait sérieusement, comme si elle lisait dans l'esprit de Leah aussi facilement que dans un livre ouvert.

Puis, en novembre, un mois et un jour avant d'avoir trente-deux ans, Leah était devenue la mère d'Alyssa, et sa peinture avait été mise aux oubliettes. Comme une pièce du jeu d'échecs dans la main d'un maître imbattable : échec et mat.

Mais c'était fini, à présent. Bien fini.

Au cours de l'été, Leah réalisa les paysages urbains qu'elle avait imaginés. D'abord, dans Waverly Street, la clôture en fer forgé et le petit trottoir fleuri qui menait à sa porte. Ensuite, dans Panama Street, la petite rue pavée et vieillotte, conçue pour les charrettes et trop étroite pour les automobiles. Puis, en cercles concentriques dans d'autres quartiers de la ville, elle avait observé, photographié et fait des croquis au fusain. Elle s'était plongée dans la lumière argentée et la fraîcheur du petit matin. Ses peintures de crépuscules rendaient les ombres subtiles qui montaient des rues, pendant que les immeubles s'efforçaient de retenir le rose doré du ciel vespéral. Des silhouettes solitaires se dirigeaient vers leurs maisons, inconscientes du jeu de la lumière sur elles. Des pots garnis de lierre retombant, des géraniums en bosquets dans d'énormes jardinières, des gens qui tendaient leur visage au soleil à un arrêt d'autobus, une minuscule pelouse avec des enfants sous un arroseur. Dès que George avait vu ses trois premiers tableaux, il avait parlé de faire l'exposition en septembre.

Elle avait des objections.

« Trop de pression, lui dit-elle. J'ai encore trop de tableaux à faire. J'ignore le temps que ça va me prendre.

Pourtant, tout allait bien. Le travail coulait de source. Malgré sa crise de confiance habituelle quand elle terminait un tableau, la vie qu'elle dévorait et qu'elle s'appropriait semblait jaillir d'elle en abondance, une œuvre par semaine.

– Coup de pinceau exceptionnel. Avec une touche d'impressionnisme, non? Un pinceau plus léger, plus rapide, une palette plus claire. Et les personnages, ma chère, ils bougent. Extraordinaire. Tu vas y arriver. Si jamais nous en manquons, nous pourrons toujours piocher dans tes autres œuvres, tu sais.

En passant la main dans sa crinière, George cherchait l'argument qui convaincrait Leah de lui donner le feu vert.

– Il y en a quelques-unes qui conviendraient, me semble-t-il. Peut-être dans une autre galerie? Si elles ne sont pas retenues et payées, tu peux les reprendre, tu sais.

Ainsi, elle l'avait blessé en donnant des œuvres à d'autres galeries, comprit alors Leah. Ce fut probablement la principale raison qui lui fit accepter de préparer une exposition solo pour la rentrée d'automne. C'était vrai qu'elle avait d'autres tableaux qui pourraient faire l'affaire, mais elle tenait à ce que ses nouvelles œuvres soient en évidence.

– Je ne ferai pas préparer la publicité ni imprimer les invitations avant le mois d'août. Ne t'inquiète pas. Ce sera simple, mais ta nouvelle série est trop belle pour être éparpillée. Nous imprimerons un catalogue, dit-il. Il est temps que les critiques commencent à s'intéresser à toi.

– Merci, dit-elle, consciente du cadeau qu'il lui offrait. »

Sans les soins d'un galeriste d'expérience, le talent, le génie même, signifiait souvent la pauvreté ou un emploi de jour dans un domaine comme l'immobilier.

« Alors, que vas-tu faire à Noël ? demanda Cory.

Sa salade végétarienne et le thon de Leah venaient de leur être servis.

En ce début de septembre, la vitrine teintée de gris du restaurant atténuait l'éclat du soleil de midi. L'air climatisé fonctionnait à plein régime, ce qui chassait l'humidité. Leah venait de confier à Cory la décision d'Allie de ne pas venir à la maison pour Noël. En voyant l'assiette de Leah, Cory brandit sa fourchette.

– Doux Jésus, se lamenta-t-elle. Quand tu vas arriver à la ménopause, tu ne pourras plus manger comme ça, crois-moi. Plus la moindre frite. J'ai les fesses tellement grosses qu'on dirait que je porte une crinoline. Avant, je n'avais jamais besoin de me priver.

– Ouais, dit Leah en éclatant de rire, je pense que j'y arrive. Parfois, quand je me regarde dans le miroir, je ne me reconnais pas. Tu vois ce que je veux dire ? Ces rides, j'ai l'impression qu'elles viennent juste d'apparaître. Comme dans le cou, ici. Et mes mains ressemblent à celles de ma mère quand elle était déjà vieille. Presque cinquante et un ans. Je crois toujours en avoir trente. Comme s'il y avait erreur sur la personne, ajouta-t-elle en soupirant. C'est injuste.

– Je comprends ce que tu veux dire. Mais tu es superbe. As-tu des bouffées de chaleur ?

– Parfois. Tu prends des hormones, toi ?

– Mon Dieu, oui. J'ai besoin de toute l'aide que je peux trouver. As-tu la moindre idée du temps qu'il nous faut, depuis ton départ, pour vendre une maison ?

– Allons. Tu exagères. Je ne suis pas irremplaçable.

– Mais c'est bien difficile de se contenter de moins, quand on a vu ce qu'il est possible de faire. Pour si peu d'argent. Le problème est là.

Chaque fois qu'elles se voyaient, Cory ne pouvait s'empêcher de dire à Leah combien elle regrettait son départ de l'agence.

– Si ma fille pouvait souffrir de mon absence autant que toi.

– Excuse-moi. Avant mes digressions, je te posais justement la question, pas vrai ? Alors, que vas-tu faire ? Tu sais que tu serais la bienvenue chez nous à Noël.

La serveuse, une jolie fille à peu près de l'âge d'Allie, s'approcha pour remplir de nouveau leurs tasses de café. Leah attendit son départ pour répondre. Elle se demandait si le restaurant d'Allie, à Berkeley, était aussi agréable que celui-ci, avec de vraies plantes et pas trop de bruit. Malgré ses questions, elle ne réussissait jamais à obtenir des réponses précises de sa fille.

– Tout ira bien. Après avoir raccroché, j'ai pleuré un bon coup et je me suis apitoyée sur mon sort. Surtout pour le vernissage. J'aurais tant voulu partager ce moment avec elle, mais je comprends que ses cours viennent juste de commencer. Quant à Noël, j'ai senti qu'elle n'est pas convaincue de ce qu'elle dit. Elle ne voudra jamais passer Noël loin de la maison. Quand elle viendra, à Thanksgiving, je lui donnerai son billet d'avion pour Noël.

– Cela pourrait la braquer contre toi, la prévint Cory en glissant une mèche derrière son oreille et en prenant un autre petit pain. Je suis déjà passée par là.

Elle regarda Leah par-dessus ses lunettes.

– Oh, je ne crois pas. Quel enfant voudrait passer Noël seul, loin de la maison ? Ses amis ne seront pas là, ils vont tous être partis dans leur famille... Quand elle aura son billet en main, elle ne le refusera quand même pas.

– À moins qu'elle ne sorte avec un garçon dont elle ne t'a pas parlé.

– J'en doute, répondit Leah après une pause. Pour dire vrai, je souhaiterais presque que ce soit le cas. Je lui enverrais un billet à lui aussi. Je déteste l'imaginer seule dans son appartement. Elle dit qu'il est bien et qu'elle l'aime, mais elle a sa fierté. Comment pourrait-elle m'avouer qu'elle a fait une erreur ?

Cory hocha la tête.

– Impensable.

– Qu'elle fasse une erreur ou qu'elle l'admette ?

– Les deux. »

Les deux mères éclatèrent de rire.

Pour le vernissage, George avait commandé du champagne et autant de hors-d'œuvre qu'à ceux de Dennis auxquels Leah avait assisté, avant ou après leur mariage. Élégant. Leah portait sa couleur préférée, le noir. C'était pratique et ne demandait pas beaucoup de soins. Elle avait finalement choisi un large bracelet en cuivre, martelé à la main, et un collier assorti, orné d'onyx, créés pour elle par un ami de l'école des beaux-arts, et des talons de hauteur moyenne – qu'elle avait toujours exécrés.

Les nerfs en boule, elle éprouva une reconnaissance puérile en voyant arriver Cory, tôt comme elle le lui avait promis.

« Doux Jésus, tu es splendide ! Tu crois sincèrement que quelqu'un va s'intéresser aux tableaux ? Et ces ongles ! ajouta Cory d'un ton taquin.

Leah plia ses pouces, aux ongles vernis de rouge, contre les paumes de ses mains, les couvrit de ses autres doigts et pressa les poings sur ses hanches. Le traiteur étendait une nappe en toile blanche sur une table dans l'entrée de la galerie.

– Arrête. Ils sont parfaits. Je te taquinais.

– Je sais, mais ça ne me ressemble pas, hein ? Mes mains sont toujours dans un tel état que j'ai voulu les améliorer. Je me suis fait faire une manucure.

– Il était temps, maintenant que tu entres dans le monde des gens riches et célèbres, dit Cory en la serrant dans ses bras. Je suis sérieuse, Leah. Je suis tellement fière de toi, heureuse pour toi. Tu le mérites, et ce n'est qu'un début.

George fit sauter un bouchon.

– Venez, mesdames. Un toast entre nous avant la ruée.

L'exposition était vraiment spectaculaire. Même Leah n'avait pas prévu l'effet de ses œuvres, une fois réunies et accrochées. Les encadrements étaient simples, selon ses vœux, et convenaient bien aux tableaux. Quand elle participait à des expositions de groupe, elle était toujours fière du succès de l'événement. Mais ce n'était rien en comparaison de ce qu'elle vivait aujourd'hui.

– Profites-en bien, ne cessait de lui répéter George, qui pour l'occasion avait mis du gel sur ses cheveux en broussaille.

Leah faisait son possible, mais elle se sentait un peu comme un imposteur.

Crevettes. Champagne. Champignons farcis au crabe. Du fromage de la ferme. Du brie en croûte. Des bouchons qui sautaient. Et, comme George l'avait prévu, les gens avaient apporté leurs carnets de chèques.

– Ça, c'est le truc de Dennis, pas le mien, confia Leah à Cory. Il adore être le centre d'attraction.

– Lui as-tu envoyé une invitation ?

– Es-tu folle ?

– Pas pour qu'il vienne ! Seulement pour lui montrer... songes-tu parfois à te remarier ?

– Retrouver les poils de barbe d'un type dans mon lavabo ? Les sous-vêtements sales d'un type coincés derrière la porte de ma salle de bains ?

– D'accord, mais une relation sexuelle passionnée... ou même simplement un bon massage de dos ?

Leah haussa les épaules.

– Je ne sais pas si je crois à l'amour, sauf pour Allie. C'est d'ailleurs ce qui nous a séparés, Dennis et moi.

– L'amour vous a séparés ? Ou Allie ?

Cory fronça les sourcils et attendit la réponse en sirotant son champagne. S'il y avait une chose qu'elle savait faire, c'était bien attendre.

– C'est la même chose. »

Cory aurait voulu en savoir davantage, mais Leah n'en dit pas plus. Un instant plus tard, elle s'éloigna pour aller accueillir les gens qui arrivaient, curieux d'avoir un aperçu de son monde. La plus grande partie en était pourtant cachée, comme Charlie[1] dans les fameux dessins.

Dennis et elle vivraient-ils encore ensemble, songeait parfois Leah, si elle n'avait pas eu d'enfant ? Évidemment, Dennis avait toujours occupé la première place et, d'une certaine façon, cela leur convenait à tous les deux. Leah représentait le potentiel, l'avenir ; Dennis, la réussite et le pouvoir.

Au début, il semblait pouvoir être un bon père. Il était tendre et acceptait même de changer les couches à condition qu'elles soient « mouillées mais sans merde », comme il disait. Évidemment, les nouveau-nés ne font pas grand-chose. À part boire, dormir et recevoir des flatteries sur leur beauté, un cadeau de l'espèce aux parents pour les encourager à continuer. Dennis gobait tous les compliments et s'appropriait le duvet foncé sur la tête d'Allie, comme si les cheveux de Leah étaient, disons, bleus. Elle avait convaincu Dennis de choisir le prénom Alyssa, plutôt que son choix à lui, Allison. Elle en aimait la douceur qui lui rappelait les alyssums.

1. Charlie Brown, une bande dessinée très célèbre aux États-Unis.

Toutefois, quand Allie commença à se déplacer, à trottiner, à tout saisir, à pleurnicher et à tout renverser, la patience de Dennis fut mise à rude épreuve.

Allie avait vingt-six mois quand le mariage se termina pour de bon, bien qu'il eût connu beaucoup de hauts et de bas depuis sa naissance. Elle était de nouveau malade, une autre otite, et elle faisait trop de fièvre pour qu'on l'accepte à la crèche. Leah, qui avait déjà pris plusieurs journées de congé, ne voulait pas abuser davantage de la tolérance de Cory. La fièvre d'Allie n'était pas trop forte et elle était de bonne humeur.

« Je dois absolument aller travailler aujourd'hui, dit Leah à Dennis en sortant une boîte de céréales de l'armoire et du lait du réfrigérateur, tout en essuyant le nez d'Allie et en se préparant un sandwich au jambon pour le lunch. J'ai déjà été absente lundi et mardi et je dois m'occuper de la maison des Raymer. Elle doit être prête à visiter pour la semaine prochaine et je n'ai même pas encore pu établir les plans et devis.

Dennis serra les lèvres, Leah s'arma de courage.

– Pas aujourd'hui. Ça va me couper l'inspiration. Je prépare l'esquisse de mon nouveau tableau.

Leah posa lourdement le lait sur la table. Dans sa chaise haute, Allie pleurnichait et se tortillait. Une fois de plus Dennis n'avait pas attaché la ceinture, s'aperçut Leah qui se précipita pour le faire avant qu'Allie réussisse à se lever.

– Je t'ai déjà dit cent fois d'attacher la ceinture. Chéri, je suis désolée, mais j'ai vraiment besoin de toi pour garder Allie aujourd'hui.

Ils continuèrent à se quereller tout en mangeant leurs céréales et leur pain grillé – le contenu de leurs repas était déterminé par ce qu'Allie voulait ou pouvait manger. Leah surveillait si leur fille s'en tirait bien avec sa tasse de bébé et les minuscules bouchées qu'elle déposait, une à la fois, sur le plateau devant elle. Allie avait enduit ses boucles de beurre et de gelée. Dennis, ébouriffé comme au sortir du lit, dans sa vieille robe de chambre blanche, toisait Leah. Il commençait à comprendre qu'elle n'avait pas l'intention de se soumettre, cette fois. Elle était prête à partir, dans une jupe longue en tweed, un tricot noir et ses bonnes bottes. Elle était vêtue pour une journée de sortie, quand elle allait visiter de nouvelles maisons mises en vente, son cahier de croquis à la main, pour planifier un retapage. Si elle avait eu la moindre intention de rester à la maison avec Allie, elle aurait porté un jogging pour pouvoir s'asseoir par terre et construire des villes avec un jeu de cubes. Comme c'était le travail de Leah qui leur fournissait une assurance médicale et qui payait souvent l'atelier de Dennis, c'était le seul type de dispute qu'elle pouvait gagner.

– C'est bon pour vous deux, toi et Allie, de passer un peu de temps ensemble, tu sais. »

Leah essayait de calmer l'irritation de Dennis, tout en embrassant Allie avant de partir. Malgré les étiquettes bien claires apposées par le pharmacien sur les médicaments, elle transcrivit les instructions pour le décongestionnant et les antibiotiques du bébé et laissa tomber la feuille comme une bombe sur la table de la cuisine. Ils n'avaient pas l'habitude, ni l'un ni l'autre, de la voir aussi décidée. Elle sortit de l'appartement en se blindant contre les pleurs d'Allie et en marchant comme un automate.

Quand Leah appela à la maison pour prendre des nouvelles d'Allie, elle ne s'inquiéta pas de ne pas avoir de réponse. Dennis était peut-être en train de changer Allie. Leah elle-même ne se précipitait pas pour répondre au téléphone quand elle était occupée avec Allie. Mais au deuxième appel, elle commença à se tracasser. Distraite, elle continua à comparer des échantillons de couleurs de peinture pour la maison des Raymer et à esquisser une nouvelle disposition des meubles de la salle de séjour. La troisième fois, elle s'affola.

Elle avança son heure de déjeuner et rentra. Aucun signe de la présence de Dennis ou d'Allie. Mais un rapide coup d'œil la rassura. Comme le sac à couches d'Allie n'était pas là, ils ne devaient pas être partis d'urgence. Après avoir pensé qu'elle devenait névrosée, elle décida de retourner travailler. Ses talons faisaient un bruit creux sur le plancher en bois dur du couloir.

À l'agence, Alice, la réceptionniste, était seule. Elle mangeait un sandwich au thon à son bureau. En la voyant, Leah s'aperçut qu'elle avait l'estomac vide. Mais son sandwich au jambon ne lui disait rien. Elle s'assit à son bureau, agitée et improductive. Quand le téléphona sonna, un peu après midi trente, elle y répondit avant la fin de la première sonnerie.

« Alyssa vient de réussir à ouvrir un litre de térébenthine. Il y en a partout dans l'atelier et sur elle.

– Mon Dieu ! C'est toxique. L'as-tu lavée ?

Leah entendait Alyssa crier, du hurlement que seule Leah savait calmer en la berçant et en lui caressant les cheveux et les joues.

– Elle va bien. Je lui ai lavé les mains. Il faut que tu viennes la chercher. Je suis incapable de travailler dans ces conditions.

– As-tu vérifié son haleine... pour être certain qu'elle n'en a pas avalé une seule goutte ? Dans le doute, appelle les secours. J'arrive.

– Bien.

Leah brûla un feu rouge et se mit à prier, même si elle ne croyait pas vraiment que Dieu s'intéressât à ce genre de prières.

Dans l'atelier, la boîte de jeux d'Allie et deux ou trois peluches gisaient sur le sol. Dennis épongeait de la térébenthine avec des essuie-tout. À l'autre bout de la pièce, Allie pleurait toujours en hoquetant lentement. Elle avait un côté du visage trop rouge.

Leah la saisit dans ses bras et la serra tendrement contre elle.

– Qu'est-il arrivé à son visage ? demanda-t-elle sans élever le ton.

Elle s'assit pour pouvoir bercer Allie.

– J'ai vérifié son haleine, comme tu m'avais dit, répliqua sèchement Dennis.

Leah tenta d'examiner la joue d'Allie, mais l'enfant se retourna et enfouit son visage dans l'épaule de sa mère.

– Tu devais t'en occuper à la maison, dit Leah.

– Tu ne sembles pas comprendre. J'ai du travail. Je lui ai apporté des choses pour l'occuper. Il n'y a aucune raison pour qu'un enfant de son âge ne se conduise pas correctement. Si elle n'était pas si gâtée... »

Leah le regarda fixement. Quand Allie fut calmée, Leah lui mit son habit de neige et la ramena à la maison. Moins de deux mois plus tard, elle avait signé les papiers de divorce que l'avocat d'Esther avait préparés. Malgré l'avis contraire du juriste, elle ne demandait pas de pension alimentaire, ni pour elle ni pour l'enfant, mais un fonds pour les études d'Allie. Le seul profit que lui apporta personnellement son mariage fut le droit de mépriser Dennis et de se moquer fréquemment de lui avec Cory. Elle pouvait exagérer, en faire un stéréotype ou un démon, Cory riait. Et Leah aussi. Elle se consacra à Alyssa. Elle ne lui donnerait jamais un deuxième père, de peur de l'en priver aussi par la suite.

En sentant la main de George sur son bras, Leah sursauta. Il inclina légèrement la tête pour la regarder bien en face. Ses yeux, un peu exorbités derrière ses lunettes, brillaient de bonheur.

« Tu vois ? Reconnais que j'avais raison pour l'exposition. Il y aura une critique dans *Philly Arts*, tu sais. J'en prévois aussi une dans l'*Inquirer*. Et elles seront favorables, crois-moi.

Embarrassée, Leah se sentait encore comme un imposteur, mais un imposteur heureux. Elle repoussa ses cheveux vers l'arrière de sa main exceptionnellement manucurée.

– Merci, George. Merci vraiment.

George sourit.

– Ne reste pas là à te dissimuler. Les gens veulent te rencontrer. Ma chère, les ventes vont bon train. As-tu compté les points rouges ? Déjà quatre. *Vêpres, Jeux d'enfants, Panama Street et Plein Cintre* – je t'avais dit combien ces taches de lumière étaient extraordinaires – sont déjà retenus. »

Les verres tintaient, le traiteur en ajoutait constamment. À combien de vernissages de Dennis Leah avait-elle assisté ? Il y avait combien de temps ? Il lui avait fallu plus de vingt ans pour surmonter les obstacles, mais elle s'était découverte. Maintenant qu'elle savait qui elle était, elle n'avait pas l'intention de changer.

Chapitre 5

Par deux fois, Leah avait appelé la compagnie aérienne. À cause du mauvais temps qui régnait sur le centre du pays, l'aéroport O'Hare tournait au ralenti et les avions devaient être déglacés. Une pluie verglaçante de mois de novembre tombait. Mais le vol direct d'Allie était attendu avec seulement quarante minutes de retard. Au cas où il regagnerait du temps en route, Leah s'était rendue à l'aéroport près d'une heure avant l'annonce de l'arrivée.

Depuis elle avait flâné dans la librairie, avait méticuleusement enlevé les peluches de son manteau et était allée deux fois aux toilettes des dames où elle s'était recoiffée et avait vérifié la propreté de ses dents. Elle s'acheta enfin un café qu'elle laissa refroidir en gigotant sur un siège voisin de la porte par où Allie devait arriver. Elle avait inutilement apporté le dernier numéro du *Philly Arts.* Trop nerveuse pour lire, elle jeta le blâme sur le faible éclairage de l'aéroport bondé. Sept mois, trois semaines et quatre jours. *Jamais plus je ne passerai autant de temps sans la voir.*

À l'arrivée de l'avion, Leah se plaça de façon à distinguer les passagers qui en descendaient. Elle savait que le siège d'Allie était dans la moitié arrière de l'avion. C'était elle qui avait acheté le billet et l'avait envoyé à sa fille en septembre, pour que cette visite devienne aussi arrêtée dans la tête d'Allie que dans son cœur à elle.

Enfin, Allie posa le pied sur la passerelle. Sans voir son visage, Leah reconnut le rideau formé par ses cheveux, plus ternes que leur onyx habituel, qui cachait ses traits. Allie marchait la tête baissée, avec un sac à dos bourré. Elle portait un pantalon en molleton ample, son vieux caban marine – même si Leah lui avait offert un parka matelassé pour Noël l'année précédente – et des tennis montantes qui venaient de sa garde-robe du temps du collège.

Quand Allie redressa enfin la tête pour écarter ses cheveux de son visage, alors qu'un groupe de passagers la protégeait encore de l'étreinte passionnée de sa mère, Leah la trouva bien pâle et bien cernée.

« Chérie, ma chouette, laisse-moi te regarder... tu m'as tellement manqué.

Le bagage à main d'Allie empêcha Leah de l'étreindre, mais sa fille passa l'autre bras autour de ses épaules, dans un geste apparemment senti. Leah se retint de lui dire combien elle lui paraissait épuisée et passa sous silence le fait qu'elle avait pris du poids – un sujet toujours délicat. Elle glissa simplement le bras sous celui d'Allie et tendit l'autre pour la débarrasser de son bagage à main.

– Ça va, maman, je m'en occupe, dit Allie.

– Tu es certaine ? Ton sac à dos semble bien lourd. Puis-je porter quelque chose ?

– C'est bon.

– D'accord, ma chérie. Allons maintenant prendre tes valises. As-tu faim ? Si tu veux nous nous arrêterons pour manger un morceau en route.

– Je n'ai pas de valises.

– Tu n'as rien apporté d'autre ? dit Leah en jetant un coup d'œil sur le petit bagage à main. Le reste doit être dans ton sac à dos.

– Non, ce sont des livres. J'ai des examens bientôt, tu sais. Et je n'ai pas besoin de grand-chose.

Contrairement à Esther, Leah elle-même n'avait jamais accordé tellement d'importance aux vêtements.

– Nous ferons des courses ensemble pour t'acheter quelques nouveaux vêtements, dit-elle du ton le plus neutre possible.

Allie haussa les épaules.

– Je n'ai besoin de rien, maman.

– Je le sais bien, ma chouette. C'est juste pour satisfaire une de mes marottes.

En voyant le teint blême et les yeux cernés d'Allie, Leah aurait voulu la bercer pour l'endormir, puis lui préparer un bouillon au poulet bien odorant, pour retrouver sa petite fille, celle dont elle avait le droit de prendre soin.

Depuis qu'Allie avait appris à marcher et longtemps après qu'elle fut devenue plus grande que sa mère, elle avait souvent demandé à Leah de s'asseoir dans la berceuse et de la prendre sur elle. Elle aimait se blottir contre la poitrine de sa mère, le visage dans son cou et les genoux pliés comme pour s'agenouiller. C'étaient des moments d'intimité si intenses que Leah les trouvait presque insoutenables, tout comme elle n'imaginait pas un seul instant les perdre un jour. Leah caressait les cheveux d'Allie, qui épaississaient avec le temps, et elle l'avait fait jusqu'à ce que des tresses lui flottent dans le dos.

– J'ai tellement hâte que tu me parles de l'université, dit Leah.

En traversant le hall du même pas, elles passèrent devant The Steak Hut où des clients faisaient la queue.

– Comme ça sent bon ! Tu ne m'as toujours pas dit si tu avais faim.

– Je mangerais bien un morceau.

– Alors, nous nous arrêterons en route. À moins que tu aies le goût de la cuisine maison.

– Ce qui est le plus simple. Ça m'est égal.

– Peux-tu attendre jusqu'à la maison ? J'ai préparé des lasagnes. Mais elles peuvent se conserver si tu as trop faim pour attendre.

– Non, ça va. Je peux attendre. »

Dans la voiture, Leah trouva sa fille bien silencieuse. Elle fit son possible pour égayer l'atmosphère, tout en se souvenant d'éviter une avalanche de questions. Allie regardait droit devant elle en triturant un bouton de son caban.

« Ça va à l'université.

– Un séminaire avancé.

– Non, je prépare toujours un diplôme en histoire.

– Non, je ne fréquente pas quelqu'un, ni d'exceptionnel ni d'ordinaire.

– Pas vraiment, répondit-elle quand Leah lui demanda si elle s'était liée d'amitié avec des voisins de son immeuble.

– Alors, as-tu mis ton chien dans un chenil ? demanda Leah. Rappelle-moi comment il s'appelle.

– Il s'appelle Coffee. Non. La femme qui vit dans l'appartement en face du mien aime les chiens. Elle s'occupe de Coffee.

– Tu ne m'avais pas dit que ce serait abuser de sa gentillesse ? demanda Leah.

Elle le regretta aussitôt. Les mains serrées sur le volant, elle fixa les yeux sur la voiture qui la précédait, en s'efforçant de trouver un sujet de conversation pour distraire Allie et l'empêcher de se replier sur elle-même.

– Alors, des lasagnes et une salade, je pense, et j'ai aussi du pain à l'ail.

– Non, ce n'est pas abuser de sa gentillesse. Elle me l'a offert elle-même, répliqua Allie d'un ton accusateur.

Leah se retint pour ne pas répondre.

– C'est vraiment gentil de sa part. Nous pourrions lui acheter un cadeau.

– Je vais m'en occuper, maman.

Leah allongea la main pour tapoter la cuisse de sa fille.

– Je sais que tu vas le faire, ma chérie. Je suis désolée.

– À propos de cadeaux, je t'en ai apporté un.

Allie fouilla dans sa poche et en sortit une petite boîte enveloppée dans du papier bleu avec un ruban argent.

– Pour moi ? Je te remercie, ma chérie. Qu'est-ce ?

– Je pense que tu vas devoir souffrir les affres de l'attente, comme dit madame Miller.

Allie avait le même ton taquin qu'à neuf ans, l'année heureuse que Leah considérait comme un tournant.

– Veux-tu tenir le volant ? Ou mieux encore, et plus prudent, l'ouvrir pour moi ?

– Pas tout de suite, maman.

– Allons, chérie, j'ai tellement hâte.

– Maman.

Le ton taquin d'Alyssa avait disparu, aspiré par la fenêtre que sa fille avait entrouverte, comme si elle manquait d'air.

– Ce n'est pas grand-chose. Ça peut attendre. »

Le reste du trajet se passa en silence. Leah avait espéré des détails sur la vie à l'université et sur les amis de sa fille. Mais Allie alluma la radio. Leah soupira. Elle décida de se taire. La petite boîte bleue était légère comme un œuf sur ses genoux. Elles auraient le temps de se parler davantage pendant le dîner. Allie devait être fatiguée. Leah espérait qu'elle aimerait l'aménagement de la chambre, avec la commode et l'armoire soigneusement partagées en deux. Même l'affiche d'Allie avec une marguerite était maintenant au mur, à côté des rockers aux tresses de rastas et à l'air renfrogné. Leah avait demandé à l'entrepreneur d'installer deux étagères à droite du côté de la commode réservé à Allie. Elle les avait laissées libres, pour que sa fille puisse les utiliser à sa guise. Elle lui offrirait d'acheter de nouvelles couettes pour les lits jumeaux et lui demanderait de les choisir.

Et elle espérait surtout qu'Allie serait ravie par la chambre noire permanente installée dans le sous-sol. Assez ravie pour avoir envie de revenir plus souvent à la maison. Assez ravie pour ne pas trop souffrir de la perte de sa chambre. Leah se sentait un peu coupable à ce propos, mais Allie, après tout, était maintenant une adulte.

Sur la première marche, Leah s'arrêta.

« Je vais mettre les lasagnes au four. Je te rejoins dans une seconde. Veux-tu une boisson ? Du jus de canneberge ? d'orange ?

Alyssa s'apprêtait à répondre qu'elle n'avait pas soif, mais le visage rayonnant de sa mère, transformé par l'espoir, l'arrêta.

– Du jus d'orange, ce sera parfait, maman.

Elle imaginait sa mère comme sur une photographie, en noir et blanc, un portrait parfait : un visage lumineux encadré par des cheveux toujours aussi noirs que ceux d'Alyssa et une main mince et pâle sur le pilastre. Selon Sharon, sa mère avait plutôt l'air d'être sa sœur.

– Très bien, ma chérie. Je t'ai gardé tous les tiroirs de la commode qui servaient à ta grand-mère. Il y a une profusion de cintres dans l'armoire. Nous allons te trouver des vêtements pour les occuper tous, pas vrai ? Nous dépasserons la limite de crédit de toutes mes cartes...

– Maman.

– Bon, bon. D'une seule carte, alors... qu'en penses-tu ? Des pulls, une jupe ? Quelque chose à étrenner quand tu verras ton père ? Chez Macy's, ils ont de ravissantes tuniques en laine...

– Pas besoin de me métamorphoser juste pour voir papa, maman.

– Je sais bien, ma chérie, dit Leah en se dirigeant vers la cuisine. Je le sais... mais j'ai seulement envie de t'offrir tout ce que tu désires. Juste comme ça. »

« Juste comme ça. » Un jeu qui remontait aussi loin qu'Alyssa pouvait se rappeler et qui avait cessé au temps du collège, quand il n'était plus question que sa mère fonce sur elle en public pour lui couvrir le visage de baisers. « Juste comme ça », disait Alyssa quand, fatiguée, somnolente ou en manque de caresses, elle se glissait sous le bras de Leah, repoussait le livre qu'elle lisait et lui passait les bras autour du cou. « D'accord, répondait Leah, juste comme ça ». Elle attirait Allie vers elle et la serrait contre sa poitrine, sans se préoccuper de son livre quand il tombait par terre. Elles n'avaient pas besoin de se parler, alors. Alyssa ne pouvait se rappeler que sa mère ait gâché un seul « juste comme ça » par des questions. Elle reconnut la même tendresse dans la voix de Leah, mais une question planait, qui la privait du plaisir du souvenir : *Qu'est-ce qui ne va pas, ma chérie ?*

« Je devrais me retrouver, dit Alyssa en arrivant au sommet de l'escalier.

– J'en suis certaine, ma chérie. »

Elle passa devant la porte de la chambre de sa mère – *leur* chambre, l'avait repris Leah quand elles avaient tourné dans Waverly Street. Dans sa hâte, Alyssa était en train de détacher sa ceinture de sécurité.

Elle laissa tomber son sac à dos et fit glisser son bagage à main de son épaule. Elle les laissa dans le couloir, là où ils étaient tombés. Quand Leah remonterait, elle les ramasserait et les porterait à l'endroit qu'elle leur avait assigné. Elle ne changerait jamais. Une sorte d'instinct biologique semblait inciter les mères à ramasser ce que leurs enfants laissaient traîner. Qu'ils aient deux, ou vingt ans. Dans la chambre d'abord occupée par Leah seule, puis par Leah et Esther, puis de nouveau seulement par Leah, avant de devenir la leur, à toutes les deux, sa mère poserait ses bagages dans l'espace qu'elle lui avait réservé, bien alignés près du mur. *Tant pis pour elle. Si ça peut la rendre heureuse, qu'elle ramasse ce que je laisse traîner.*

Depuis qu'elle était à l'université, surtout après un été dans l'appartement de Dwight Way, elle avait découvert le plaisir de laisser tomber les habitudes de la maison. Avec une facilité étonnante, elle s'était mise à briser les vieilles règles familiales, les façons de faire de Leah qui avaient toujours paru régies par des lois. À Berkeley, elle gardait le beurre sur le plan de travail et non dans le réfrigérateur. Pourquoi s'évertuer à essayer d'étendre des morceaux de beurre à moitié gelés sur du pain grillé qui avait le temps de refroidir avant que le beurre ramollisse ? Elle laissait aussi la brosse pour nettoyer la cuvette bien en vue, plutôt que de la cacher dans l'armoire de la salle de bains. Puisque tout le monde a une brosse pour nettoyer la cuvette, pourquoi tenter d'en faire un secret ? Et pourquoi ne pas attendre d'avoir utilisé toutes les assiettes et tous les ustensiles qu'on possède avant de laver la vaisselle ? L'économie de travail et la conservation des ressources justifiaient amplement ce choix, tout à fait politiquement correct en Californie.

Elle s'arrogeait le droit de briser les conventions, mais cela n'autorisait pas Leah à faire de même. Même si elle savait que son ressentiment était injuste, elle considérait comme un acte d'ingérence inacceptable le fait que Leah ait effacé toutes les traces de sa présence dans sa chambre et ait transformé celle-ci en atelier. Après tout, madame Cheung achetait encore à l'occasion une poupée en porcelaine pour ajouter à la collection de Cindy, exposée sur des tablettes en verre de sa chambre jaune citron, toujours pareille, dans Pacific Heights. Cindy gardait encore ses vêtements dans son armoire à la maison. Sa mère lui faisait sa lessive et traversait la baie en voiture tous les week-ends pour la lui rapporter. Si Alyssa avait su ! À la demande de Leah, elle lavait elle-même ses vêtements depuis l'âge de dix ans. Dix ans !

Elle tenait à voir d'abord le studio, sans la présence de sa mère à côté d'elle pour modérer sa réaction. Elle voulait savoir ce qu'elle ressentirait d'elle-même, sans que Leah lui souffle ce qu'elle devait penser. Pas de bécot sur le bobo.

Debout sur le plancher nu de la pièce qui, six mois plus tôt, était couvert de la moquette qu'elle avait choisie, elle fut envahie par la nostalgie de son chez-soi. Des toiles, certaines vierges, d'autres terminées, étaient appuyées contre le mur, à la place de la tête du lit. Là où Sharon et elle avaient fixé des photos et des affiches et, une fois où Sharon était en colère contre sa propre mère, tout un paquet de papier à cigarettes, une punaise par feuille. Vrai, elle avait voulu partir et elle avait choisi une université à près de cinq mille kilomètres de Philadelphie, mais elle ne l'avait pas fait pour que sa mère s'imagine qu'elle ne reviendrait jamais. Sa chambre lui appartenait, et Leah n'aurait jamais dû y toucher. À présent, à l'exception d'un relent de térébenthine, la pièce ne semblait même plus faire partie de la maison qu'elle avait en mémoire. Elle sentit la rage gonfler sa poitrine, comme un ballon fragile empli d'air, que le moindre coup d'épingle peut faire éclater.

Seule la vue par les fenêtres était restée la même. Derrière les branches dénudées du chêne, les lumières de la chambre des Goldman, de l'autre côté de la rue, clignotaient. Elle avait l'habitude d'observer les ombres d'Elise et de Peter se déplacer comme des marionnettes derrière les rideaux. Ils sont en train de mettre leur pyjama, imaginait-elle. À présent, Peter se brosse les dents. Elise vient de se coucher. Peter éteint. Alors, ses propres lampes éteintes depuis déjà longtemps, elle serrait Lazzie dans ses bras et s'endormait. Comme si Elise et Peter étaient ses parents et qu'ils dormaient tous les trois en sécurité sous le même toit. Leah les avait-elle remarqués, les parents de rêve d'Alyssa ? Avait-elle deviné le désir qui sommeillait dans le cœur inconstant de sa fille ? Était-ce le soupçon de cette infidélité qui avait facilité à Leah la tâche d'éradiquer la place de sa fille et de l'occuper avec des pinceaux, de la peinture et son égoïsme ?

Leah avait peint les murs blanc crème. Évidemment, elle avait fait disparaître les marques de doigts et les taches qui auraient pu lui rappeler qu'il s'agissait de la chambre d'Alyssa. À part sa petite étagère en acajou, où *Les Aventures de Stuart Little* et *La Toile de Charlotte* avaient été remplacés par les catalogues de fournitures de sa mère et son exemplaire de l'*Anatomie* de Gray à la couverture tachée de peinture, tous ses meubles avaient disparu. L'appui-livres de fortune, un pot à confiture rempli de fleurs séchées, contenait maintenant des fusains en plus, dans l'agaçant mélange d'ordre et de désordre qui caractérisait l'atelier de sa mère.

« Quand chaque chose a sa place, disait-elle en retirant un pinceau ou un tube de peinture des mains de sa fille, il est plus facile d'avoir de l'ordre. Remets-le où tu l'as pris, Allie. Quand tu empruntes quelque chose, assure-toi de le rendre au moins en aussi bon état que tu l'as reçu, ma chérie. »

Et voilà que Leah avait brisé toutes ses propres règles. Qu'elle les avait ignorées pour posséder son atelier. Alyssa passa la main sur la toile appuyée contre la table à dessin de sa mère. On aurait dit un homme marchant dans son parc à elle, Alyssa. Celui où elle avait appris à monter à bicyclette et où, pendant sa révolte d'adolescente, assise avec Sharon sur les balançoires, elle avait appris à fumer de la marijuana. Encore une fois, Leah s'était emparée de son espace et avait placé une silhouette d'homme dans le parc désert. Comme toujours, la peinture de sa mère faisait abstraction d'elle. Il ne restait rien d'elle. Rien. Elle eut envie de déchirer la toile de ses mains nues.

Le chevalet et la palette de sa mère lui parurent plus gros que lorsqu'ils étaient dans le sous-sol sombre, au plafond bas, où Leah peignait auparavant. Comme les deux lierres que Leah avait accrochés devant les fenêtres, ils étaient avides de soleil et d'espace, prêts à étendre leurs racines, bien décidés à prendre encore plus de place que celle qui leur était assignée.

« Qu'en penses-tu ? lui demanda Leah en lui touchant le bras. Hé ! Je ne voulais pas te faire sursauter !

Du jus d'orange se renversa. Sa mère posa le verre mouillé sur la table à dessin.

– J'aurais dû m'annoncer.

Elle s'épongea, puis essuya le plancher et le chemisier d'Alyssa.

– Je suis désolée, ma chérie... baptême involontaire...

– De toute façon, je vais me changer.

– C'est bien, hein ?

– C'est super. »

Elle s'éloigna de Leah. Au prochain contact, elle était certaine d'éclater tellement elle se sentait fragile.

« Où vais-je coucher ?

– Avec moi ! J'ai acheté un autre lit, viens voir ! De nouveaux draps aussi, bleu marine, ta couleur préférée...

– Ce n'est pas ma couleur préférée.

– Ça l'était avant.

– Il y avait beaucoup de choses, avant.

Elle se retourna, trop vite. Le bord de son sweat-shirt accrocha les fleurs séchées dans le pot à confiture, qui tomba et se brisa en mille éclats sur le plancher en bois dur.

– Je suis désolée.

Leah s'agenouilla pour ramasser les fleurs séchées et les fusains parmi les éclats de verre.

– Ce n'est pas grave. C'est seulement un pot. Un crayon ne souffre pas quand il tombe.

– Le pot ne se serait pas brisé si tu avais laissé ma moquette.

La guérilla.

– Je ne peux pas peindre sur de la moquette, tu le sais bien, répliqua vivement Leah d'une voix forte.

Elle avait failli rester sans voix à cause de ce maudit pot avec ses fleurs séchées.

– Je vais prendre une douche, répliqua Alyssa.

– Une douche rapide, d'accord? dit Leah d'une voix redevenue douce et câline.

Elle ne laisserait pas Alyssa lui gâcher son plaisir d'avoir son nouvel atelier.

– Le dîner sera prêt dans une quinzaine de minutes. »

Dans la salle de bains, Alyssa laissa tomber ses vêtements sur le plancher sans les ramasser. Sa mère avait pris un temps infini à s'approprier sa chambre, mais elle n'avait pas trouvé celui de se débarrasser du tuyau en chrome qu'elle avait installé pour Esther tout le tour de la douche. Chaque fois qu'Alyssa se retournait pour se rincer, elle se frappait le coude ou la hanche sur la rampe froide. En sortant, elle se contorsionna pour que son ventre ne touche pas au métal glacé. Elle s'efforça de ne pas se regarder dans le miroir en s'essuyant et en entourant ses cheveux d'une des serviettes propres que sa mère avait déposées sur le siège des cabinets, en se glissant dans la salle de bains pendant la douche d'Alyssa. Des serviettes neuves, bleu marine, assorties aux draps neufs dans les lits jumeaux.

Elle devait être prudente et elle le serait. Elle n'aurait aucune intimité dans cette maison.

Au centre ville, elles trouvèrent enfin un espace libre au quatrième étage du stationnement en hauteur, après en avoir fait le tour de si nombreuses fois qu'Alyssa en avait la nausée.

« As-tu apporté des pellicules ? Sinon, nous pouvons nous arrêter chez Gower's pour t'en acheter. Avons-nous verrouillé ? ajouta Leah en se retournant vers la voiture.

– Nous avons verrouillé.

Dans l'ascenseur, Alyssa attendit que sa mère la rejoigne.

– Je n'ai pas apporté mon appareil photo.

Leah appuya sur le bouton du rez-de-chaussée et prit la main d'Alyssa.

– Veux-tu te servir du mien, alors ? Pour ta sortie avec ton père ? J'étais tellement certaine que tu aurais hâte d'essayer la chambre noire, dit-elle en serrant les doigts d'Alyssa. Plus de serviettes, de ruban adhésif ni de prises de vue ratées ! Un vrai évier !

C'était une vraie chambre noire. Le rêve de tout photographe. Mais, comme la commode partagée, les lits jumeaux et les affiches ridicules sur le mur de la chambre de Leah, Alyssa la voyait comme une compensation pour ce que sa mère lui avait pris, sans le lui demander. Une autre de ses lois que Leah avait violée : « commence toujours par demander ». Elle n'avait rien demandé, n'est-ce pas ? Elle s'était simplement approprié la chambre de sa fille. Alyssa n'utiliserait jamais cette chambre noire, qui devait son existence au vol de sa chambre.

– Je serais étonnée d'avoir envie de prendre des photos de Missy. Merci quand même.

Sa mère éclata de rire.

– Donc, nous ne nous arrêtons pas chez Gower's, dit Leah sans lui reprocher son ingratitude.

– Non, pas d'arrêt chez Gower's. »

L'ascenseur arrêta au troisième étage. Deux jeunes ados boutonneux entrèrent en plaisantant. Suivant la tendance instinctive à se rapprocher des siens quand des étrangers entrent en scène, Alyssa se rapprocha de sa mère et se serra contre elle. Elle en voulait à Leah de cette dépendance qui réapparaissait dans les circonstances les plus imprévues, un reste de cordon ombilical. La même chair et des souvenirs communs. Les garçons regardèrent, assez effrontément, le visage de Leah, mais ce fut Alyssa qui les fixa des yeux jusqu'à ce qu'ils baissent le regard et se retournent.

« Il y a longtemps que tu as vu Caleb et Missy, n'est-ce pas ? Caleb doit avoir changé...

– Et Missy doit être enceinte jusqu'aux yeux », répliqua Alyssa qui le regretta aussitôt.

Leah devait être agacée par Missy, elle aussi. Même si elles ne l'avaient jamais dénigrée ensemble, Alyssa s'imaginait que sa mère devait partager son opinion. Trop jeune, trop naïve, trop servile. Le clone parfait de la Sandie de Tony Messina. *Usurpatrice*, se dit-elle en pensant à Missy. Puis, jalouse de l'attention que les garçons avaient portée à la silhouette mince de Leah, elle attribua le même qualificatif à sa mère et à sa grand-mère, toutes deux usurpatrices à leur façon.

« On commence par la couverture ? Je ne croyais pas que tu déciderais de coucher en bas. Veux-tu de nouveaux draps aussi ?

– Maman, je me fiche des draps.

Alyssa retira sa main de celle de sa mère, comme si c'était pour ajuster la courroie de son sac à dos. Les portes de l'ascenseur s'ouvrirent au rez-de-chaussée.

– Je suis habituée à dormir seule maintenant. »

Souvent, elle avait envie de briser la tension qui régnait entre elles en disant à sa mère de lui ficher la paix. Après sa première nuit à la maison, quand elle s'était réveillée, étourdie et migraineuse, elle s'était juré de se retenir. Leah avait préparé de la pâte à crêpes au sarrasin dans leur bol bleu préféré – le bol à biscuits, comme l'appelait Alyssa. *Elle fait des efforts. Ne gâche pas tout.* Quand la tension diminuait, qu'elles riaient ou retrouvaient les jeux absurdes de l'enfance, alors, et alors seulement, Alyssa s'avouait que c'était agréable de se faire dorloter. Quand la rancœur ne l'aveuglait pas, elle reconnaissait qu'elle était contente de se retrouver à la maison.

Dans le magasin de linge de maison, Leah l'entraîna vers le rayon des couvertures.

« Quelle est maintenant ta couleur préférée ? Puisque ce n'est plus le bleu marine...

– N'importe laquelle.

– Regarde ça, dit Leah en lui indiquant une épaisse couverture verte et jaune. Tu préfères des rayures ? Des fleurs ?

– Pourrai-je la rapporter à Berkeley ?

– Heu... bien sûr que oui.

– Peu importe. Prenons simplement quelque chose qui va bien avec le canapé-lit.

– Ce n'est pas nécessaire que...

– Celle-ci, dit Alyssa en montrant une couverture épaisse, enveloppée dans un sac de plastique, avec des taches brunes et crème. Ça ressemble à un tableau, tu ne trouves pas ?

– Une peinture abstraite, peut-être, dit Leah en fronçant le nez. Tu es certaine que c'est ce que tu veux ?

– Maman. Prenons-la et finissons-en.

– D'accord, ma chérie. D'accord. »

Ce fut plus ardu pour les vêtements. Selon Leah, Alyssa devrait porter une tunique, une robe ou, peut-être même, une jupe longue pour son dîner avec Dennis. Selon Alyssa, un pantalon ferait parfaitement l'affaire. En guise de compromis, elles choisirent un pantalon bouffant noir, style harem, que Leah avait aperçu dans la vitrine de *Kountry Kasuals*. Elles y entrèrent, même si elles trouvaient ridicule la modification orthographique pour accentuer l'allitération [1]. Elles en rirent ensemble et examinèrent les vêtements sur les cintres en chuchotant entre elles.

« *Phoney Phinesse* [2], souffla Alyssa.

– *Hair and There* [3], pouffa Leah en relevant ses cheveux pour former un chignon bouffant.

– *Easy Sleazy* [4], répliqua Alyssa en louchant.

– *Racey Lacies* [5] », dit enfin Leah en serrant son tricot pour faire ressortir sa poitrine et en posant comme une pin-up.

Leah ne lui demanda pas quelle taille il lui fallait. Elle lui tendit simplement deux pantalons venant de l'arrière du présentoir, autour de l'affichette G qui indiquait la fin des grandes tailles et le début des très grandes.

« Choisissons un chemisier à présent, hein ? dit-elle en tendant les pantalons à Alyssa. Puisque tu te fais belle. Regarde !

1. Les deux mots s'écrivent normalement avec un C. Country Casuals veut dire « vêtements décontractés pour la campagne ». *(N.D.T.)*

2. *Phoney Finesse* : « fausse finesse ». *(N.D.T.)*

3. *Hair veut dire* « cheveux ». *Here and there* : « ça et là ». *(N.D.T.)*

4. « Facile et dégueulasse ». *(N.D.T.)*

5. *Racey pour racy. Racy lacies* : « dentelles osées ». *(N.D.T.)*

Elle sortit une veste courte en satin d'un présentoir et le montra à Alyssa.

– C'est mignon, chérie !

– C'est trop court.

– Non, c'est voulu.

– C'est quand même trop court.

Leah raccrocha la veste.

– Tu veux quelque chose de plus long, de flottant, un peu comme le pantalon ?

– Peu importe. Ce n'est tout simplement pas mon genre, les vestes courtes, maman.

– Et ceci ? demanda Leah en lui présentant un pull fin à manche longue aux reflets argentés. C'est simple et élégant, tu ne trouves pas ?

Mais beaucoup trop semblable à la veste que Cindy Cheung lui avait fait acheter à San Francisco. Cela lui rappelait trop Tony Messina et tout ce à quoi elle ne voulait pas penser, surtout avec sa mère à deux pas d'elle.

– Non, pas d'argent.

– Doré, peut-être ? Ils l'ont aussi en doré.

– D'accord.

Les courses commençaient à perdre de leur charme.

– Allons essayer tout cela.

– *Je* vais aller les essayer.

– Mais je veux voir ! Je serai ta conseillère de mode.

Alyssa prit le pull.

– Laisse-moi faire.

– Laisse-moi au moins te trouver un autre haut. Quelque chose que tu pourrais porter ici ou à l'université ? Pour le dîner de Thanksgiving.

– Bon. Bon. Bon. Trouve-moi un autre haut...

Joviale, mais trop vieille pour la minijupe en suède violet qu'elle portait, la petite vendeuse leur lança :

– Êtes-vous prêtes à essayer quelque chose, mesdames ? Ces pantalons sont magnifiques, pas vrai ? Nous avons des chemisiers rouges...

Alyssa se sentit manquer d'air. Hyperventilation, avait-elle appris durant le cours de premiers soins qu'elle avait suivi pendant sa dernière année au collège. Il faut se calmer et s'asseoir avant de s'écrouler.

– Où est la cabine d'essayage, s'il vous plaît ?

– Suis-moi, ma chère. C'est juste là. »

Alyssa verrouilla la porte derrière elle et vérifia deux fois pour s'assurer qu'elle ne s'ouvrirait pas sur une autre cliente. Cela lui était arrivé lorsque, à douze ans, elle essayait son premier soutien-gorge, dans le rayon de la lingerie chez Macy's. C'était la faute de Leah, qui n'avait pas verrouillé la porte.

« Voyons, Allie, lui avait dit sa mère en riant, elle n'a rien vu qu'elle ne connaisse déjà. »

Pourtant, le visage hilare de la cliente et les excuses qu'elle avait faites s'étaient gravés dans la mémoire d'Alyssa. À ce souvenir s'ajoutait la honte qu'elle éprouvait, encore aujourd'hui, en vérifiant la porte une troisième fois, pour être absolument certaine qu'elle ne s'ouvrirait pas.

Comme si elle avait mérité une récompense, le pantalon le plus grand lui allait. L'élastique la serrait inconfortablement au niveau du nombril, mais si elle le roulait plus bas, comme elle le faisait avec ses pantalons amples en coton, elle se sentait assez confortable. Elle devenait une experte de la dissimulation, songea-t-elle en se regardant de tous côtés dans le miroir de la cabine d'essayage. Une experte de la tricherie. Elle avait l'air grosse, mais elle n'avait pas l'air enceinte. Avec le pull doré long qui lui arrivait aux cuisses, cela irait. Elle crut pouvoir montrer le résultat à sa mère et ouvrit la porte.

« Maman ?

Leah arriva, deux chemisiers à la main.

– Chérie ! Ça te va ! Tu es superbe. *Très élégant*[1].

– Maman !

– C'est vrai ! C'est un merveilleux ensemble.

La vendeuse se pointa derrière Leah, qui se tourna vers elle, heureuse d'avoir un deuxième avis.

– Voilà une jeune femme très différente de celle qui est entrée ici avec vous, c'est certain. Cet ensemble lui enlève presque dix kilos, je dirais.

Les yeux de Leah s'arrêtèrent sur le visage d'Alyssa. Brusquement, les lèvres serrées, elle repoussa la vendeuse de l'épaule, si violemment qu'elle aurait pu être accusée de voies de fait en d'autres circonstances.

– Merci, nous n'aurons plus besoin de vous. C'est une imbécile, ma chérie, dit-elle en se retournant vers Alyssa, barricadée derrière la porte verrouillée. Elle devrait travailler chez Phoney Phinesse.

Alyssa ôta le pantalon à toute vitesse. Elle enfila son sweat-shirt par-dessus son chemisier en flanelle qu'elle n'avait pas pris le temps de boutonner. Elle remit maladroitement le pull et le pantalon sur leurs cintres en plastique.

– Maman ?

– Je suis là, ma chérie. Passe-moi les vêtements. Je vais payer pendant que tu vas aller m'attendre chez Java

1. En français dans le texte. *(N.D.T.)*

Jitters. On mangera une bouchée, d'accord? Tu veux un hamburger? Une salade? Je sais que tu ne veux pas de pizza.

– Merci, maman.

– C'est une imbécile, mon trésor. Une imbécile finie. »

Après cette aventure, le reste de la journée se passa mieux qu'elles ne l'auraient cru. Alyssa dit à sa mère qu'elle appréciait sa gentillesse d'avoir accroché l'affiche des Radiohead au mur, mais qu'elle ne les écoutait plus. Leah décida de lui acheter une reproduction d'un Van Gogh. D'un commun accord, elles ignorèrent *Les Iris*, beaucoup trop à la mode, et choisirent le *Portrait d'un jeune homme*. Elles se dirent en blaguant qu'elles auraient ainsi au moins un bel homme dans la maison. Leah voulut alors faire parler sa fille de ses petits amis. Alyssa pensa que Howie pourrait convenir et que cela plairait à sa mère. Elle parla à Leah des parents alcooliques de Howie et de la bourse qu'il avait obtenue pour aller à l'université. Elle lui expliqua aussi qu'il ne pouvait pas quitter leur maison à Oakland, parce que ses parents s'entre-tueraient certainement s'il les abandonnait à eux-mêmes. Leah répliqua qu'il était trop jeune pour mériter un tel sort. Alyssa lui donna raison tout en lui disant que c'était un sujet délicat à aborder avec Howie. Ce qu'elle aimait de lui, dit-elle à sa mère, c'était son souci des autres, si rare chez les garçons. Leah lui manifesta sa satisfaction qu'elle ait un ami comme ça.

« Papa n'a jamais été comme ça? » demanda Alyssa.

Et sa mère lui répondit que non, il n'avait jamais été comme ça, mais qu'Alyssa était bien sensée de faire la différence entre les hommes qui avaient cette qualité et ceux qui ne l'avaient pas.

Plus tard, assise sur le canapé-lit de la salle de séjour, la nouvelle couverture sur les genoux, Leah se sentit triste.

« Je regrette de ne pas t'avoir donné un meilleur père, ma chérie, dit-elle. J'aurais voulu faire davantage pour toi de ce côté-là.

Devant son air si affligé, Alyssa cessa de retirer les étiquettes de prix de ses nouveaux vêtements et s'approcha d'elle. Depuis l'atterrissage de son avion, c'était la première fois qu'elle souhaitait vraiment sentir les bras de sa mère autour d'elle.

– Tu ne pouvais pas savoir, maman, dit-elle en humant l'odeur fraîche et familière des cheveux de sa mère. Comment aurais-tu pu le savoir? Personne ne peut savoir ça? »

Chapitre 6

Leah n'avait pas revu Dennis depuis l'époque où Allie avait obtenu son permis de conduire. Pour donner à sa fille l'occasion de conduire sur de longues distances, elle lui avait laissé le volant deux ou trois fois, les jours de congé, jusqu'à l'ancienne maison de Dennis et de Missy au New Jersey. L'ancienne, pas la nouvelle, immense, achetée et payée par les parents de Missy. Sa dot, songeait Leah. Dennis avait réussi à épouser une femme à dot. Leah n'aimait pas laisser Allie conduire seule sur la grand-route. Mais quand sa fille avait obtenu son permis, le soulagement de ne plus être obligée de voir son ex-mari l'avait emporté sur la prudence. Quand Dennis venait chercher Allie, elle s'arrangeait pour être absente. Sa façon d'entrer comme un conquérant en sifflotant, de poser des questions de pure forme et de jouer son personnage de père attentif la rendait folle. Il lui était même arrivé de se disputer avec lui, ce qu'elle s'était pourtant bien promis d'épargner à Allie.

Quand Leah ouvrit la porte, le lendemain de Thanksgiving, elle fut estomaquée. Les cheveux de Dennis, poivre et sel la dernière fois qu'elle l'avait vu, étaient maintenant tout blancs. Toujours aussi épais, avec la même mèche sur le front, soigneusement coiffée de façon à avoir l'air de retomber naturellement. Leah savait comment il la façonnait, avec le pouce et l'index. Il devait se mettre de la laque, à moins qu'il ne se serve du gel coiffant de sa femme. Missy utilisait sûrement du gel coiffant.

Il était en avance, autrement Leah aurait déjà été partie.

« Allie... Allie vient juste d'entrer dans la douche, réussit-elle à dire.

Dennis haussa les sourcils et regarda sa montre, d'un regard visiblement distrait.

– Je... lui dis de se dépêcher.

Leah triturait le collier en argent qu'Allie lui avait offert sur la route de l'aéroport. Elle aurait voulu ne pas avoir à inviter Dennis à entrer.

– Elle ferait mieux de se dépêcher. L'exposition d'Alfie ouvre à quinze heures, et nous avons ensuite des réservations pour dîner au restaurant. J'ai voulu nous donner le plus de temps possible. Comme Allie s'intéressait aux portraits, l'année dernière, j'ai parlé d'elle à Alfie.

C'était gentil. C'était Dennis tout craché : faire des surprises. Les photographies d'Alfie, surtout ses portraits qui l'avaient rendu célèbre, étaient très prisées.

– Elle va beaucoup l'apprécier, dit Leah, sincère.

– Ce sont tous des portraits d'artistes au travail. D'ailleurs, il en a fait un de moi l'année dernière, pour mon catalogue du printemps. Il est dans son exposition... je vou...

Dennis rit et baissa les yeux.

– Je voulais qu'Alyssa le voie.

Laisse-moi au moins cela, lui disait-il. *Laisse-moi être quelqu'un pour ma fille. Maintenant. Avant qu'il soit trop tard.* Il fit un signe de tête vers la rue.

– Missy et Caleb sont avec moi.

Leah tenta de sourire, en vain.

– Missy, euh... je pense qu'elle ne pourra pas attendre plus longtemps. C'est le bébé, tu sais. Pourrait-elle utiliser tes toilettes ?

Les sourcils de Dennis étaient restés poivre et sel. Mais ses yeux. Leah essaya de cacher son étonnement à son ex-mari. Ses yeux étaient passés du brun au bleu. Probablement des lentilles bleues pour remplacer les lunettes à monture de métal qu'il avait commencé à porter, d'abord à son corps défendant, puis avec beaucoup de style, au début de la cinquantaine. C'était ça. Des verres de contact presque turquoise, la couleur présumée des mers les plus tropicales. *Vieux con vaniteux*, songea Leah, mal à l'aise de le trouver encore beau. Elle s'aperçut qu'ils ne s'étaient pas poliment exclamés, ni lui ni elle, pour dire à quel point l'autre avait l'air bien.

Silence trop long. Leah s'empressa de le remplir.

– Oui, bien sûr, dit-elle maladroitement.

– Alors, je vais les chercher. »

Il reprit le trottoir entre deux murs qui menait à l'entrée. Leah les avait peints en blanc pour faire ressortir le vert de ses plantes et le fer forgé noir de la barrière. Il regarda les tuiles en céramique peinte qu'elle avait placées à intervalles réguliers jusqu'à la rue. L'œil critique.

Un instant plus tard, Missy suivait Dennis jusqu'à la porte, tenant par la main un garçon de deux ans. Leah lui parlait rarement au téléphone et encore plus rarement en personne. Missy semblait en être à son cinquième ou sixième mois de grossesse, mais pas encore trop lourde.

Elle paraissait encore agile, comme une charmante adolescente. Si elle avait tenu la main de Dennis plutôt que celle de l'enfant, on aurait pu les croire père et fille. *Charmant.* Leah aurait souhaité avoir quelqu'un avec qui déblatérer contre Dennis. Elle appellerait Cory plus tard.

« Bonjour, Missy. Je suis heureuse de te revoir après si longtemps. Entre. Les toilettes sont là, sous l'escalier. Elles sont petites...

Leah désigna, à l'autre bout de l'étroite salle de séjour crème et bleu, avivée par des touches de bourgogne, la porte fermée que tout le monde prenait pour celle d'une armoire. L'ancienne chambre noire d'Allie, artisanale et maintenant abandonnée, qu'elle n'avait jamais voulu partager avec sa mère. Leah se demanda si la belle-mère d'Allie, aux allures de nymphette, y serait la bienvenue.

– Salut, Leah. Quelle jolie petite maison ! Merci de me laisser utiliser les toilettes. Voici Caleb... Caleb, c'est la maman d'Alyssa. Tu ne te souviens sûrement pas d'elle, tu étais si petit la dernière fois.

Le petit garçon ôta les doigts de sa bouche et tendit les bras pour se faire prendre.

– Dennis... veux-tu t'en occuper, s'il te plaît ? demanda Missy. Chéri, tu sais que cela fait mal au dos de maman de te prendre, maintenant que tu es un si grand garçon.

Missy tourna vers Leah son visage de lutin, encadré de longs cheveux blonds, et lui sourit.

– Mon Dieu, quelle impression ça doit faire quand votre enfant se retrouve à l'université ? Je n'arrive pas à y croire.

Leah ne saisit pas quelle était son intention, mais elle s'en fichait, aveuglée qu'elle était par la colère. Apparemment, Dennis avait tenté d'assortir la couleur de ses yeux à celle des yeux de Missy. Le lifting suivrait probablement, même si elle ne voyait pas à quel endroit il lui serait utile. Elle savait par contre pertinemment où son visage à elle aurait avantage à être remonté.

– Allie ! Dépêche-toi, ma chérie. Ton père et Missy t'attendent, lança-t-elle nerveusement vers l'étage.

– Et Caleb, ajouta Dennis pendant que le garçon se tortillait dans ses bras et que Missy fermait la porte des toilettes.

Caleb pleurnicha et Dennis le posa à terre. Aussitôt, le garçon se précipita vers les éléphants en verre, souvenirs de l'Inde, posés sur la table basse et commença à les empiler sur le plancher. Dennis sourit à Leah en haussant stupidement les épaules, comme pour dire, *que veux-tu qu'un père fasse ?* Allie, elle, n'avait jamais eu la permission de seulement y toucher. Après tout, Dennis était peut-être capable de changer.

Leah était prête à grimper l'escalier et à traîner Allie en bas toute nue, si c'était ce qu'il fallait pour couper court à cet entretien.

– Ainsi, tu... tu as fait une petite exposition, il y a quelque temps ? dit Dennis.

– As-tu vu la critique dans l'*Inquirer* ? demanda Leah, espérant marquer un point.

– Non, je ne l'ai pas vue. Nous lisons le *Times*. Je n'y ai rien vu à ton sujet.

Bien sûr que non. Un vernissage à Philly dans un journal de New York !

– Allie ! Tu veux t'asseoir, Dennis ?

Elle supportait difficilement qu'il traverse la barrière en fer forgé, alors l'inviter à s'asseoir dans la salle de séjour... Et Caleb jouait avec un arrangement de fleurs séchées que Leah avait mis des heures à disposer. Missy tira la chasse d'eau et sortit des toilettes.

Allie apparut. Elle portait le pantalon style harem et le tricot ample qu'elles avaient achetés ensemble. Plus encore : un foulard vert et or et des bottes habillées qui venaient de l'armoire de Leah. Elle avait relevé ses cheveux et les avait attachés avec une élégante barrette dorée, qui appartenait aussi à sa mère. Mais Leah ne connaissait pas les boucles d'oreilles pendantes qu'elle portait. Il y avait bien trois ans qu'elle n'avait pas vu Allie porter des boucles d'oreilles. Dennis siffla sa fille et Leah lui en fut intérieurement reconnaissante.

– Salut, papa. Salut, Missy. Salut, Caleb.

Leah apprécia qu'elle ne passe pas devant elle pour aller embrasser son père.

– Tu es superbe, ma chérie, dit Leah. Amusez-vous bien. »

Leah serra consciencieusement Allie dans ses bras avant son départ.

Mais elle fit ensuite l'erreur de monter en vitesse à l'étage pour regarder par la fenêtre de l'atelier et les suivre des yeux jusqu'à la Volvo argent. Dennis laissa Missy s'occuper d'installer Caleb dans son siège d'enfant. Il se retourna et passa les bras autour d'Allie. Celle-ci l'imita et posa de plus la joue sur le revers de son veston en tweed. Elle ferma les yeux et resta ainsi un long moment, ni une étrangère ni une invitée, mais une enfant qui se retrouve chez elle.

Même à l'intérieur de la Volvo neuve, où régnait le lourd parfum de Missy – ou celui de sa laque –, l'odeur nauséabonde des usines de produits chimiques le long de l'autoroute, comme du métal radioactif en fusion, donna la nausée à Alyssa. Par-dessus le marché, Caleb la regardait fixement en faisant des bulles entre ses lèvres fermées. La salive lui coulait sur le menton. Il ne ressemblait pas du tout à son père. Il avait l'air d'un croisement entre Missy et monsieur Minchy, le professeur de sciences d'Alyssa en septième année, dont les cheveux, du moins ce qu'il en restait, étaient d'un blond filasse. Son crâne était aussi frais et d'un rose aussi faux que le lapin en peluche de Caleb, qui était tombé à ses pieds. Il se retrouvait à présent sous le siège du conducteur où son père profitait des moments de distraction de Missy pour pousser des pointes à cent quarante kilomètres à l'heure. Quand elle lui demandait de ralentir, il se passait la main dans sa toison blanche ondulée, comme s'il flattait un animal. Les cheveux de Caleb, dont il avait volontairement mouillé la frange avec de la salive, étaient aussi raides que des tiges de maïs.

« Caleb, maman t'a dit d'arrêter tout de suite, le gronda Missy à contrecœur. Ta sœur n'aimera pas ça si tu continues à cracher jusqu'à New York.

– Ce n'est pas grave, dit Alyssa en s'efforçant de sourire.

Mais Missy s'était déjà retournée vers Dennis.

– Qu'est-ce que c'est? demanda Alyssa à Caleb en ramassant le lapin.

– C'est l'horrible monsieur McGregor, dit Dennis en baissant le son de la cassette d'un violoniste de New York qu'il disait avoir rencontré à l'une de ses expositions, plusieurs années auparavant.

« Ne parle pas à sa place, Dennis ! » disait Leah quand il ramenait Alyssa après une de ses rares visites chez son père à Philadelphie et annonçait à Leah d'un ton autoritaire que sa fille avait faim.

Mais Dennis était le genre de père qui ne pouvait s'empêcher de parler pour ses enfants.

– Mais, papa, monsieur McGregor est un homme.

Ce n'était pas vraiment ce qu'Alyssa voulait dire à son père. Elle se demandait si son père, dans la courte vie de Caleb, lui avait déjà lu *Peter Rabbit* au complet, ce qu'elle ne se rappelait pas qu'il eût fait pour elle. C'était Leah qui faisait la lecture et Alyssa soupçonnait que Missy devait faire de même dans la maisonnée de Dennis. *À supposer qu'elle sache lire,* songea Alyssa, qui se reprocha aussitôt sa méchanceté. Missy avait toujours été parfaitement correcte avec elle, sans essayer de jouer à la belle-mère. Ce qui aurait évidemment été difficile avec quelqu'un de seulement dix ans sa cadette.

– Tu sais, Alyssa, la perspective artistique ne s'attarde pas à ces petites distinctions. Tout comme toi, Alyssa, Caleb a hérité de gènes plutôt créatifs.

– Denny... protesta mollement Missy en se tournant vers son mari et en présentant son profil à Alyssa, ce n'est qu'un bébé.

– J'ai peut-être hérité des gènes de maman, dit Alyssa en plissant les yeux pour regarder Caleb, qui avait décidé de cracher sur monsieur McGregor plutôt que sur son menton.

– Peut-être. Elle a un bon sens des ombres, de l'ambiguïté de la pénombre. Hé ! Lyssa, tu vas adorer l'exposition d'Alfie ! »

C'était bien Dennis. Il compensait toujours chaque compliment qu'il adressait à quelqu'un d'autre par un retour, délicatement orchestré, à ses intérêts personnels. Quand elle était petite, Alyssa croyait que c'était parce qu'elle n'était pas assez intelligente, jolie ou intéressante pour retenir son attention. Pendant des années, elle avait pensé que c'était sa faute à elle si les visites de son père étaient aussi espacées et se résumaient souvent à une sortie éclair chez McDonald's ou dans un grand magasin de jouets. Elle croyait alors que, si elle avait été une meilleure fille, il ne les aurait jamais quittées, elle et Leah. Puis, au moment de son entrée au lycée, embarrassée par son embonpoint et gênée de se comparer à Missy, dont même la grossesse n'arrivait pas à enrober l'ossature fine, elle avait décidé qu'elle ne voulait plus le voir. Les visites étaient devenues de plus en plus rares.

« As-tu apporté de tes photos ? J'ai parlé à Alfie de ce que tu avais fait à Philly. Ton prix « Jeune talent ». Peut-être pourrait-il jeter un coup d'œil, pas aujourd'hui, évidemment, mais...

– Je n'ai pas apporté de photos, dit Alyssa en ramassant pour la troisième fois le petit lapin et en le posant à côté du siège de Caleb. Je n'ai pas fait beaucoup de photos ces derniers temps. »

Un autre mensonge. De fait, elle n'avait pas touché à son appareil photo depuis qu'elle avait caché ses tests de grossesse positifs au fond de la poubelle. Elle ne savait trop pourquoi, mais elle avait alors perdu le goût d'immortaliser le monde en noir et blanc. La couleur ne l'intéressait pas, ne l'avait jamais intéressée. Maintenant, sans l'ensemble d'objectifs déformants, qui lui auraient facilement coûté mille dollars, le noir et blanc la perturbait. Il faisait paraître le monde trop net. Elle ne s'était jamais présentée au cours avancé de photographie auquel, encouragée par Howie, elle s'était inscrite, en lui promettant de lui prêter son Canon s'il s'inscrivait lui aussi. Elle se justifia du fait qu'il s'agissait d'un cours optionnel, qu'elle pourrait suivre plus tard, et qu'elle préférait passer ce temps à promener Coffee. Howie, perspicace à sa façon, ne l'avait pas crue. Mais Dennis, oui, beaucoup trop facilement. Elle lui avait expliqué qu'elle avait abandonné le cours de photo parce qu'elle manquait de temps. Ils traversaient alors le George Washington Bridge. Missy se plaignait qu'elle devait faire pipi au plus tôt et Caleb paraissait sur le point de vomir. Tout ce qui semblait préoccuper Dennis était de savoir si Alfie avait ou non accroché son portrait de lui sur le mur face à l'entrée de la galerie SoHo.

« Pourquoi ne rentres-tu pas à la maison avec nous ? demanda Missy à voix assez haute pour se faire entendre malgré le vacarme qui régnait dans le café où elles avaient emmené Caleb après qu'il eut vomi, deux fois, sur le plancher de la galerie.

Dennis avait failli piquer une colère, qu'il avait réussi à contenir en ignorant toute la scène et en laissant Alyssa et Missy s'occuper de Caleb, qui pleurnichait, et nettoyer les dégâts sans essuie-tout. Ennuyée par les portraits d'Alfie, trop froids et inexpressifs à son goût, et embarrassée par l'étalage public de l'insensibilité de son père, Alyssa était prête à partir. Elle prit le petit garçon dans ses bras et dit à Dennis que Missy et elle l'attendraient de l'autre côté de la rue.

Missy paraissait inquiète – Caleb avait encore le teint verdâtre – mais son offre semblait sincère.

– Nous pourrions annuler le dîner au restaurant et te ramener avec nous passer la nuit à la maison. »

Alyssa brassa la crème chantilly dans son moka. Elle laissa ses cheveux lui cacher la moitié du visage avant de se décider. Pourquoi ne pas essayer ? Rentrer à Princeton Junction avec eux. Elle n'avait jamais vu l'immense maison que Dennis et Missy y avaient achetée ou que Missy avait achetée pour Dennis, elle ne savait trop. Caleb, à qui le trajet sur l'autoroute avait donné mal au cœur, se révélait maintenant beaucoup plus gentil qu'elle ne l'aurait cru. Couché à côté d'elle sur la banquette capitonnée du café, il sommeillait, la tête sur ses genoux. Elle fit le tour du lobe de son oreille du bout du doigt. *Duvet de pêche*, pensa-t-elle. Elle dit à Missy qu'elle était d'accord et qu'elle téléphonerait à Leah pour la prévenir. Une fois chez lui, dans sa maison, où il ne se sentirait pas obligé de jouer au grand artiste, Dennis l'écouterait peut-être. Quand Caleb serait couché, Missy ferait peut-être du thé, Dennis allumerait un feu et Alyssa essaierait de leur parler à tous les deux. Après tout, ils attendaient un bébé eux aussi et ils sauraient peut-être quoi lui dire.

« Viens, mon petit homme, mon soldat tombé au combat, dit Dennis en sortant le corps endormi de Caleb du siège d'enfant.

Alyssa se surprit à ne pas éprouver de jalousie en regardant son père embrasser le front mouillé de sueur de Caleb et l'installer la tête sur son épaule. Missy avait pris les devants pour ouvrir la porte, en criant qu'elle allait faire pipi dans sa culotte. Alyssa fut également surprise que son père lui prenne la main et la glisse sous son bras pour traverser la vaste pelouse en suivant une allée en briques.

– Nous allons coucher ce petit garçon et puis prendre un verre de brandy ?

– Je ne bois pas, papa.

– Missy ne doit pas boire, elle non plus, mais elle ne crache pas sur un petit verre d'alcool à l'occasion. Et toi ?

– Je n'aime pas ça, c'est tout.

– Nous trouverons autre chose. Puis, nous aurons enfin le temps de t'écouter nous parler de la Californie et de tes brillants résultats à l'université...

– Qui t'a dit ça ?

– Ta mère. Qui d'autre ?

– Je me demandais. »

Un palais. C'était le seul mot qui convenait à la maison de Dennis et Missy. À lui seul, le hall aurait pu contenir tout le rez-de-chaussée de la maison de Philadelphie. Il était complètement vide à l'exception de quatre grands tableaux de Dennis, accrochés à des murs aussi hauts et aussi nus que ceux de la galerie qu'ils venaient de quitter à Manhattan.

« *Faux riche*[1], dit son père d'un air penaud à Alyssa debout près de l'escalier en spirale dans lequel Missy venait de s'engouffrer. Un peu ostentatoire, ajouta-t-il en déplaçant Caleb sur son autre épaule. Mais Missy aime ça.

Il se rapprocha d'Alyssa. Mêlée à un léger relent de vomi sur la chemise de Caleb, elle sentit l'odeur de l'eau de toilette de son père.

– C'est sa famille, tu sais, murmura-t-il comme pour s'excuser. Ils descendent de toute une lignée de gros bonnets de Princeton.

Toujours, au moment où elle s'apprêtait à l'abandonner pour ses manières de dandy, d'orgueilleux et de vantard, son père lui sortait quelque chose de ce genre. Il se

1. En français dans le texte. *(N.D.T.)*

dénigrait lui-même avec tant de perspicacité qu'elle ne pouvait s'empêcher d'avoir envie de l'aimer, malgré ce que lui en disait Leah. Quand Missy avait invité Alyssa à passer la nuit à Princeton, il avait eu l'air sincèrement heureux. Sur la route, il avait chanté pour endormir Caleb. Faux, bien sûr. Des paroles insignifiantes et des mélodies monotones. Mais il était évident qu'il était ravi de la garder chez lui pour la nuit.

– Papa ! Arrête ! Elle va t'entendre.

Elle ne reconnut pas sa propre voix. Rieuse, elle sonnait comme celle d'une enfant de cinq ans. Une enfant de cinq ans heureuse.

Elle le suivit à l'étage jusqu'à la chambre de Caleb. Une immense salle de jeu avec un lit à roulettes dans un coin, sous une girafe en peluche de deux mètres cinquante. Alyssa y toucha pour s'assurer qu'elle n'était pas vivante.

Missy arriva dans le couloir, en murmurant des excuses pour s'être précipitée la première à l'intérieur, alors qu'Alyssa était là comme invitée.

– Le contrôle de la vessie. Je pensais que c'était terrible quand je portais Caleb, mais je n'en ai plus du tout cette fois. »

Elle ôta sa chemise et son pull à Caleb pendant que Dennis délaçait ses tennis et les lui enlevait. Il les laissa tomber par terre. Alyssa s'agenouilla pour prendre un des souliers minuscules. En s'accroupissant, elle perdit l'équilibre et s'accrocha à la jambe de son père pour éviter de tomber. Dennis la retint en lui couvrant la tête de la main. La semelle du soulier de Caleb tenait dans sa paume aussi parfaitement que les mocassins pour bébés, blancs et perlés, que les marchands ambulants vendaient dans Telegraph Avenue aux touristes et aux grands-mères hippies gâteau. Aussi parfaitement que sa propre tête dans la main de son père.

« Tu as des cheveux magnifiques, ma fille, dit Dennis en les caressant.

C'est le moment. Tout va bien se passer.

– Je suis obligée d'aller faire pipi tous les quarts d'heure, pas vrai, papa ? dit Missy.

Dennis prit le soulier des mains d'Alyssa et le posa avec l'autre à côté du lit de Caleb.

– Ne crois pas Missy, dit-il en aidant Alyssa à se relever. Nous sommes les plus grands consommateurs de couches-culottes de tout le pays.

Missy posa les mains sur les hanches, laissant Dennis enfiler son pyjama à Caleb.

– Ton père se croit tellement drôle.

Dennis s'éloigna d'un pas du lit de Caleb, pour s'assurer qu'il avait bien fait son travail. Il passa un bras autour de Missy et l'autre autour d'Alyssa, les fit se retourner en direction de la porte de la chambre et les guida dans le couloir jusqu'à l'escalier.

– Enfin seul avec les femmes de ma vie, dit-il en les serrant contre lui.

À cet instant, avec Missy qui regardait Dennis d'un air béat d'admiration et le bras de son père autour de ses épaules, dans cet univers agréable et fécond qu'il avait bâti avec Missy, Alyssa crut possible de se trouver une place.

En bas, Missy se dirigea vers la cuisine.

– Des sandwiches au rôti de bœuf froid, ça vous va ? lança-t-elle. J'ai de bons petits pains frais. »

Dennis conduisit Alyssa dans une pièce où un foyer en pierres des champs occupait tout le mur du fond. Il était flanqué d'immenses étagères en chêne dans lesquelles étaient empilés les albums d'art de son père, parmi des vases en céramique et des photos de Dennis, Missy et Caleb dans des cadres en argent. Les draperies étaient tirées, mais leurs dimensions laissaient supposer une immense porte-fenêtre qui devait ouvrir sur la pelouse luxuriante entourant la maison. Dennis fit asseoir Alyssa sur un long canapé en cuir. Il s'assit lui-même sur un canapé semblable, placé à angle droit avec l'autre pour créer un îlot pour la conversation au milieu de la pièce.

« Que penses-tu de Caleb ? demanda-t-il en poussant vers elle un bol d'arachides.

– Il est super, papa.

– Il me ressemble, pas vrai ?

– Je... oui. Surtout autour des yeux.

– Et Missy est pas mal super, elle aussi.

– C'est vrai, papa. Elle est... gentille.

Mensonges diplomatiques, inoffensifs, nécessaires à ce que madame Miller appelait le ciment social. Si faciles à faire.

– Alors, Lyssa, parle-moi de la Californie. Le fonds pour tes études couvre bien tes frais ? Je laisse ta mère s'en occuper.

– Tout va bien. Pour l'argent, ça va. J'aime Berkeley, papa. J'aime aussi la Californie.

– Traîtresse.

Il rit, bâilla, puis posa les pieds sur la table basse.

– Mais il y a quelque chose...

– Tu sais, ma chérie, quand tu étais petite, quand tu avais l'âge de Caleb, je ne réussissais pas à communiquer avec toi. Les enfants sont si... disons que j'ai de la difficulté à les comprendre. Mais, à présent que tu es une vraie adulte, je pense que nous pouvons parler ensemble, aussi aisément que Missy et moi nous nous parlons.

Il appuya la tête sur le dossier du canapé et ferma les yeux.

– Je deviens facilement irritable avec de petits enfants. Tu ne t'en souviens sûrement pas, mais c'était tout un exploit de réussir à peindre et à te surveiller en même temps.

– Je... ne me rappelle pas. Je me souviens de maman, puis de grand-maman.

– Tu m'enverras quelques-unes de tes photos. Je vais m'assurer qu'Alfie les voie. C'est un photographe influent. Il peut faire beaucoup pour toi.

– Mais je prépare un diplôme en histoire.

– C'est vrai! Histoire.

– Papa?

Missy sortit par les portes battantes doubles qui menaient à la cuisine, avec un plateau sur lequel étaient posés des sandwiches épais, des marinades à l'aneth et un panier de bretzels.

– Denny? Veux-tu aller chercher les boissons? Une bière pour toi et des sodas pour nous. Ça va, Alyssa?

– Bien sûr. »

Dennis se leva péniblement du canapé, et Alyssa vit ce qu'elle n'avait pas remarqué au cours de l'après-midi : son père devenait un vieil homme, beaucoup trop vieux pour avoir des bébés avec une femme-enfant. Elle se rappela une phrase de Leah, dite par hasard, pendant une des sessions de bavardage téléphonique qu'Alyssa lui accordait le dimanche soir. « Ton père s'en tire généralement bien, mais il ne rajeunit pas. » Quand Caleb aurait l'âge d'Alyssa, Dennis aurait quatre-vingts ans. Trop vieux.

Missy se laissa tomber sur le canapé que Dennis venait de quitter.

« Tout est prêt, les verres et les glaçons. Tu n'as qu'à les apporter.

Elle baissa les yeux vers son ventre et lissa son chemisier, le regard vague. *Un chat qui a mangé un canari,* songea Alyssa. Elle s'en repentit aussitôt. Dans une situation normale, il n'y aurait rien eu de mal à se réjouir de ce dont Missy se réjouissait.

– Missy?

Missy saurait peut-être mieux que Dennis ce qu'il fallait faire.

– Oui?

– Avant papa, as-tu...?

– Si je suis sortie avec d'autres hommes? Tu parles. Beaucoup de gens disent qu'il a dû venir me chercher dans un berceau, je le sais, mais c'est simplement parce que je ne m'entends pas avec les hommes de mon âge.

– Non, je veux dire avant d'être enceinte...

– Il avait tellement hâte d'avoir un enfant. Que je sois enceinte, je veux dire. Dès le début. Mais, Alyssa, ça ne te gêne pas que je parle de tout ça avec toi?

– Non, pas du tout.

– Il espérait que je tombe enceinte dès la première fois où nous, tu sais, dès que... Il disait qu'il voulait un garçon.

– Bien sûr.

Parce qu'il était incapable de comprendre les enfants, songea Alyssa. *Il pensait peut-être y arriver s'il en avait un ou deux autres avec Missy.*

– Pauvre chérie, il n'a rien contre toi! Il est tellement fier de ce que tu fais, tes études d'art là-bas en Californie...

– J'étudie l'histoire.

– ... mais il pensait, c'est probablement le cas de tous les hommes plus vieux, il pensait être un meilleur père cette fois.

Alyssa ne voyait rien d'autre que l'expression du visage de Dennis quand Caleb s'était penché sur son bras et avait vomi son déjeuner sur le plancher bien ciré de la galerie.

– Et a-t-il réussi ? À être un bon père ?

– Le meilleur ! »

Dennis surgit de la cuisine, une bouteille de bière sous le bras et un grand verre de coca dans chaque main. Après avoir ouvert sa bière, il s'assit sur le canapé, à côté de Missy, et prit un sandwich.

« Missy ? Sais-tu à quoi j'ai pensé ?

Une feuille de laitue tomba de son sandwich et atterrit sur ses genoux. Missy la ramassa et la fourra dans sa bouche délicate.

– Si elle veut, nous pourrions envoyer Alyssa à la Sorbonne. Alfie y est allé.

Il s'arrêta pour mastiquer.

Fascinée, Alyssa regardait bouger les muscles de ses mâchoires. Elle songea à Marc Raymond, le petit ami de Cindy. Elle eut une nausée.

– Où est la salle de bains ? Je voudrais me laver les mains.

Elle se leva, déposa son coca au centre du sous-verre en liège que Missy avait tiré d'une boîte chinoise couverte d'émail rouge sur la table basse.

– Prends la porte de la cuisine, puis c'est à ta gauche, dit Missy en offrant un cornichon à Dennis.

Alyssa s'arrêta avant de traverser les portes battantes et se retourna. Missy et Dennis s'embrassaient passionnément. Le poignet de Missy était appuyé sur l'épaule de Dennis et le cornichon pendait de sa main.

– J'étudie l'histoire, murmura-t-elle, probablement trop bas pour qu'ils l'entendent. L'histoire. »

Elle poussa ensuite les portes de la cuisine et se dirigea tout droit vers le téléphone ancien posé sur le plan de travail, juste à côté des livres de recettes de Missy.

Leah n'était pas fâchée d'avoir à faire la route. Bien sûr, il était très tard et elle aurait préféré ne pas devoir y aller, mais elle n'était pas fâchée. Dennis oui. Quand, après être revenue dans la salle de séjour et avoir mangé son sandwich au bœuf rôti froid avec quelques bretzels, Alyssa annonça, du ton le plus neutre possible, qu'elle s'en allait. Elle avait appelé Leah pour lui demander de venir la chercher parce qu'elle ne se sentait pas bien. Missy parut déçue, mais Alyssa ne pouvait savoir si c'était de la voir partir ou simplement de perdre une visite. Ils voulurent réveiller Caleb pour qu'elle fasse ses adieux à son frère, mais elle les en empêcha. Finalement, elle le regretta. De retour sur l'autoroute, quand elle tourna un regard somnolent vers la glace, elle songea que le meilleur, dans sa visite avortée, avait été Caleb. Que c'est lui qu'elle avait fini par aimer le mieux.

« Maman, je te l'ai dit. Je ne viendrai pas à la maison pour Noël. Je ne peux pas.

Le soir avant le départ d'Allie pour l'université, Leah avait abordé ce sujet sensible aussi délicatement qu'elle manipulait les assiettes qu'elle était en train de laver. Elle s'essuya les mains sur une serviette.

– Alyssa, ma chérie. À l'approche de Noël, tu vas probablement te sentir triste et avoir envie de venir à la maison. Dieu sait que j'en serais heureuse. Je ne peux imaginer Noël sans toi. Mais attends... à moins que ? Veux-tu que ce soit moi qui aille te voir ?

– Non, ce n'est pas ça. C'est que j'ai tellement de boulot, et mon travail... c'est simplement que ce n'est pas un bon moment.

Son ton était bien décidé et tranchant.

Leah sentit les larmes lui monter aux yeux. Elle se retourna vers l'évier, en apparence pour terminer la vaisselle. Assise à la table de la cuisine, Allie ne s'était même pas chargée de ranger dans le réfrigérateur les aliments qui devaient l'être.

– Pourrais-tu ranger la vinaigrette et la margarine ? demanda Leah dans l'espoir de retomber sur ses pieds en abordant des sujets insignifiants. Tu devrais comprendre pourquoi j'ai autant de difficulté à interpréter ton comportement. Je suis ta mère, c'est Noël. Et tu ne veux pas être avec moi, ni ici ni là-bas à Berkeley. »

À ce moment-là, Leah sentit quelque chose. Peut-être un allégement de l'atmosphère, peut-être un léger changement de position d'Allie. Sa fille faiblissait. Il valait mieux attendre, laisser le sentiment de culpabilité se développer un certain temps. Puisque c'était la seule arme qui lui restait, tant pis. Si c'était vraiment dans le meilleur intérêt d'Allie, Leah était prête à faire n'importe quoi. Et ce n'était certainement pas mieux pour sa fille de rester seule. Elle attendrait le lendemain pour ramener le sujet sur le tapis.

Leah fut troublée toute la soirée. Les affaires qui restaient en suspens l'avaient toujours agacée, même si elle avait appris au cours des ans qu'Allie tolérait mieux l'indécision qu'elle. Allie pouvait remettre éternellement les choses à plus tard, une habitude difficile à accepter pour la nature vif-argent de Leah. Malgré tout, quand elle réussissait à patienter jusqu'à ce que ce soit Allie qui en reparle – ou du moins jusqu'à ce qu'elle soit prête –, les résultats étaient habituellement meilleurs.

Il arrivait aussi parfois qu'Allie ne veuille ni ne puisse agir. Plus sa fille grandissait, plus Leah devait apprendre à vivre avec l'attente. À retenir sa langue, patiemment, et à attendre le lendemain.

Leah s'était endormie rapidement. Mais elle se réveilla, peu après minuit, et fut incapable de retrouver le sommeil. Un tableau à peine commencé était posé sur son chevalet dans l'atelier et elle avait l'impression de savoir maintenant ce qu'elle voulait faire. Elle transposerait sa douleur en larges coups de pinceau qui s'arrêteraient avant d'être complétés, porteurs à la fois d'espoir et de désespoir. Elle ferait tout le tableau avec ce même mouvement et adoucirait l'intensité de la couleur à la fin de chaque coup. Cela rendrait-il l'émotion qu'elle cherchait ? Il s'agissait de peindre une silhouette dans la clairière urbaine d'un parc voisin, un étranger qu'elle avait photographié alors qu'elle marchait vers le dernier rayon jaune du crépuscule. Le sentiment de désir et de désespoir qu'elle éprouvait face à Allie deviendrait l'émotion principale qui se dégagerait de la scène. Elle avait l'impression de pouvoir y arriver.

Elle n'avait pas peint pendant le séjour d'Allie à la maison. C'était probablement stupide. Allie ne s'en serait sans doute pas formalisée. Mais Leah avait tenté d'éviter tout ce qui pouvait attiser le ressentiment d'Allie. Elle voulait se sentir bien avec sa fille et garder ensuite cette sensation en elle. Elle espérait ainsi résoudre quelque vieille colère d'Allie, mystérieuse pour Leah, qui échouait chaque fois malgré ses bonnes intentions. Depuis toujours, elle cherchait peut-être trop à retenir ce qu'elle trouvait trop précieux pour le perdre.

Elle devrait avoir un coup de pinceau plus rapide, mettre la lumière en mouvement dans la scène.

Leah se leva et passa sans bruit devant la salle de bains pour aller dans l'atelier. Même si elle avait mis certains de ses effets dans les tiroirs que Leah avait libérés pour elle, Allie dormait sur le canapé-lit de la salle de séjour, une autre déception pour sa mère. Elle n'avait pas fait de commentaire sur l'endroit où les affiches étaient accrochées et Leah ne lui en avait pas demandé. Encore une impasse.

Elle alluma la lampe halogène à forte intensité sur sa table à dessin, puis l'installa sur une tablette, en courbant son cou comme celui d'un cygne au-dessus de la toile. Elle se servirait de la silhouette d'Allie, avec cette impression de quelque chose de fugitif, d'une perte récente. Dans son cahier à croquis, Leah se mit à dessiner la silhouette de sa fille. Au bout de quarante-cinq minutes, elle était prête. Elle pensait avoir compris ce qu'elle cherchait. Elle mit de la peinture sur sa palette.

Quelle heure était-il? Elle entendit la chasse d'eau, puis Allie apparut silencieusement dans la porte, presque comme un fantôme, avec une longue et immense chemise de nuit blanche, ses cheveux fous répandus sur ses épaules et ses bras.

« Chérie! Salut. Je ne t'ai pas dérangée, j'espère. Je... j'ai eu une idée et j'ai pensé travailler un peu pendant que tu dormais.

– Non, non. Je me suis levée pour aller aux toilettes.

– C'est terrible que tu repartes demain. Tu me manques, Allie.

– Alyssa.

– Alyssa. Je suis désolée, ma chérie. Je ne le fais pas exprès. C'est simplement une vieille habitude, tu sais. Tu te souviens ? Petite, tu ne répondais même pas quand on t'appelait Alyssa. Tu pensais qu'il s'agissait de quelqu'un d'autre.

Allie sourit en hochant la tête.

– Les choses changent.

– Oui, mais pas toutes. Que dirais-tu d'un goûter de minuit ? Tu te rappelles ? Heureusement que ta grand-mère dormait à poings fermés.

Allie gloussa.

– Il est plus près de trois heures que de minuit.

– Et alors ? Nouvelles règles. On cherche une mère et sa fille pour s'empiffrer avant l'aube. J'ai des gâteaux au chocolat dans le congélateur et de la poudre de cacao. J'ai même des guimauves, dit Leah en s'essuyant les mains sur un linge imbibé de térébenthine.

Allie ne semblait pas suivre de régime, et Leah s'était efforcée de ne pas laisser entendre qu'elle le devrait. C'était la première fois qu'elle proposait une telle gâterie et elle le fit en souvenir des jours anciens où Allie était incapable de dormir et où elle s'arrêtait de peindre pour lui préparer du chocolat chaud.

Allie se détourna.

– Ça pue.

– La térébenthine ? J'aurais pensé que tu y étais habituée, depuis le temps. Veux-tu descendre avec moi ou que je monte notre festin ? Si tu te mettais au lit, alors nous briserions toutes les règles. Tu te rappelles les colères de grand-maman quand elle trouvait la moindre trace de nourriture à l'étage?

– Mon Dieu, oui! D'accord, allons-y. Mangeons au lit. De quoi faire piquer une crise à grand-maman.

– Aucun problème. Si elle sort de sa tombe pour venir nous morigéner, les gens du cimetière vont nous appeler. Ça fait partie du plan "payez maintenant, mourez plus tard" que ta grand-mère a acheté. Le cimetière s'engage à prévenir la famille si jamais le mort ressuscite par suite de la réapparition de Jésus.

Allie gloussa, ce qui encouragea Leah à poursuivre.

– Nous pouvons donc présumer aussi que, si un corps ressuscite en réaction à un effroyable accroc au décorum par des membres survivants de la famille, nous serons prévenues. C'est logique, tu ne trouves pas?

Je dois être à bout de nerfs, pensa-t-elle. Elle ne s'était jamais moquée ainsi du fondamentalisme d'Esther.

– J'ai froid. Je vais t'attendre dans le lit, à moins que tu ne veuilles de l'aide.

– Non, ma chérie. Couche-toi bien au chaud. Ça va me prendre seulement quelques secondes. Je vais faire mousser du lait pendant que je chaufferai les gâteaux au chocolat. Veux-tu autre chose? lança-t-elle du milieu de l'escalier. Je reviens tout de suite.

Elle regarda par-dessus son épaule. Allie entrait dans la chambre, leur chambre. Elle lui fit un petit signe de la main.

Après avoir mis deux guimauves dans le chocolat chaud d'Allie, Leah monta leurs tasses et les gâteaux au chocolat à l'étage, sur un plateau qu'elle avait acheté pour Esther. C'était avant qu'il soit évident que celle-ci ne mangerait plus jamais de solides. Allie était déjà dans le lit voisin de celui de Leah, et elle avait étendu le drap marine du dessus pour donner à l'ensemble l'apparence d'un seul lit. Leah lui tendit le plateau, puis ôta ses chaussettes et le sweat-shirt gris qu'elle avait enfilé par-dessus sa chemise de nuit quand elle s'était levée plus tôt.

Elle grimpa dans le lit à côté d'Allie, qui y avait déjà installé des oreillers pour qu'elle puisse s'appuyer.

« Merci à toi. Où as-tu trouvé les oreillers supplémentaires ?

– Non, merci à toi. Dans ton armoire.

– Non, merci à toi.

Une autre vieille blague du même genre que « juste comme ça ».

– Non, merci à toi.

– D'accord, tu gagnes, dit Leah.

– Maman !

Allie toucha le collier en argent autour du cou de Leah, le cadeau "juste comme ça" qu'elle avait offert à sa mère. Leah ne l'avait pas enlevé depuis qu'elle avait déballé la petite boîte cadeau et trouvé la délicate boucle de jade enfilée sur une chaînette en argent.

– Maman, tu ne peux pas porter de bijoux au lit !

– Veux-tu parier ?

Leah leva les poings – Allie sourit au souvenir d'un autre jeu – et posa ses gants de boxe imaginaires sur les joues de sa fille. Elle finit en lui caressant le menton.

– Aimes-tu ça ?

– J'adore ça.

Un moment fragile, trop tendre pour y couper court. Pendant un moment, elles sirotèrent leur chocolat chaud en silence. Allie essayait d'attraper les guimauves avec sa langue.

– Rien de meilleur qu'un bon chocolat chaud, pas vrai ? dit Leah. J'avais un peu froid, mais je ne voulais pas te réveiller en descendant pour régler le thermostat.

– Rien ne me réveille. Mais il y a quelque chose de meilleur. Sais-tu quoi ? demanda Allie. Du chocolat chaud *et* des gâteaux au chocolat, c'est encore meilleur. Ça, c'est un vrai repas. Je suis une cuisinière plutôt minable. Quand je peux, je mange à la cantine.

Leah songea à modifier le contenu de ses envois. Elle pourrait y inclure un livre de recettes faciles à faire et des ingrédients en conserve ou en boîtes pour les réaliser. Ce serait différent.

– Bon, bon, tu es une cuisinière minable. Moi aussi. Et après ? La seule bonne cuisinière dans notre famille, c'était ta grand-mère. Dis-moi maintenant ce qu'il y a de neuf et d'excitant dans ta vie. Tu ne m'en as pas vraiment parlé.

Allie lécha des miettes de chocolat sur ses doigts. Elle parut hésiter. Puis elle se rapprocha de Leah et posa la tête sur son épaule. Leah dégagea son bras et le passa autour des épaules d'Allie pour la serrer contre elle.

– Comment vont les choses, ma chouette ? As-tu une amie ? J'ai été surprise que Cindy et toi ne partagiez pas la même chambre cette année. S'est-il passé quelque chose ?

Leah sentit qu'Allie était sur le point de lui répondre. « Ne pose pas des tonnes de questions, lui avait conseillé Cory. Elles détestent se faire poser des questions. Tu n'apprendras jamais rien sur rien avec ce genre d'approche. »

– Non, pas avec Cindy.

– Que s'est-il passé alors ?

Voilà qu'elle recommençait. Encore des questions. Tirer quelque chose d'Allie était un exercice aussi pénible que l'extraction d'une dent.

– Je suis désolée, ma chérie. Je ne veux pas me mêler de ce qui ne me regarde pas. J'ai juste envie de t'entendre me parler de... de n'importe quoi en fait.

Allie se taisait. Elle enfouit son visage dans les seins de sa mère et ses cheveux se répandirent sur sa joue et son œil.

– J'ai accroché une autre copie de ton affiche de Mary Cassatt pour la voir en me réveillant, murmura presque Leah, sans mentionner qu'elle ne pouvait imaginer une de ces vedettes rock la regarder fixement avec son hostilité. Ça me fait toujours penser à toi. Oh! ma chérie. Puis-je te montrer quelque chose? Je vais te représenter dans un nouveau tableau. Ce n'est pas un portrait, mais l'expression de ce que je ressens pour toi, la souffrance de l'absence et le désir d'être près de toi. Je vais juste te montrer les esquisses, tu veux bien?

Leah dégagea son bras qui entourait Allie et sortit du lit.

– Ne bouge pas, je reviens tout de suite. »

En moins de dix secondes, elle revint avec trois esquisses : une main, l'angle d'un torse et une autre. Sur la dernière, Allie était reconnaissable par ses cheveux et par quelque chose de très subtil dans le profil de son visage, même si elle était en plan moyen, la tête tournée de côté. Leah savait qu'elle l'avait bien rendue et espérait réussir aussi bien avec le pinceau. Ce devait être Allie : ce tableau portait sur l'essence d'Allie, le sentiment d'intimité et de nostalgie qui pouvait s'interrompre au moindre battement de cœur. Leah avait représenté sa fille sans son excédent de poids pour qu'Allie sache qu'elle était toujours la même aux yeux de sa mère.

Leah tendit les esquisses à Allie en grimpant dans le lit. Elle tenta de remettre son bras autour des épaules de sa fille. Mais Allie s'était raidie. Elle étudiait les dessins.

« En fait, c'est celui du dessus qui est vraiment l'esquisse du tableau. Le plan moyen, dit Leah.

Allie étudiait le gros plan du torse.

– Ça ne me ressemble pas du tout.

– Chérie, regarde celle-là, vois-tu ? Elle est floue, et c'est intentionnel, mais ce profil, le mouvement des cheveux, c'est...

– Je dois aller dormir, l'interrompit Allie. Je suis épuisée.

– Très bien. Je vais aller me brosser les dents et nous éteindrons.

Mais Allie sortit du lit.

– Ça va. De toute façon, je dors mieux en bas.

Et, aussitôt, elle sortit de la chambre, sa chemise de nuit flottant autour de ses pieds.

– Allie ! Chérie, je t'en prie, pourquoi ne restes-tu pas avec moi ? »

La voix de Leah devint inaudible. Elle était frustrée. Qu'avait-elle fait de mal ? Était-elle encore en train d'essayer de retenir ce qu'elle devait laisser aller.

À son retour de l'aéroport, après avoir reconduit une Allie trop silencieuse, Leah monta à son studio. Elle espérait s'étourdir en plongeant dans la réalisation de son nouveau tableau. Elle avait encore essayé de parler à Allie dans la voiture, mais elle ne savait comment s'y prendre sans poser de questions. Elle avait encore raté son coup, tant pis. Au moins, Allie avait été un peu moins catégorique à propos de Noël, la seule fois où elles en avaient parlé, et Leah essaierait de la convaincre peu à peu.

Le soleil froid qui tombait par le puits de lumière éclaira un papier collé sur de la vieille peinture pas encore séchée sur sa palette. Le billet d'avion pour Noël était posé sur une feuille arrachée d'un cahier. L'écriture d'Allie était serrée, petite comme si elle avait craint de manquer d'espace. Ce qui n'était pas le cas, compte tenu de la brièveté du message.

> « Je ne peux vraiment pas venir pour Noël,
> et ça n'ira pas que tu viennes en Californie.
> Je suis désolée. Allie. »

Il y avait une tache d'huile sur la page.

Chapitre 7

Ce fut Howie qui finit par lui en parler, après les vacances de Noël. Pas Tricia, qui avait failli écraser Coffee au coin de Dwight et Etna, un jour où elle faisait du patin à roulettes. Ni Linnie, ce qui était étonnant puisqu'elles se croisaient souvent dans Wheeler Hall. Pas même Cindy, qui s'était efforcée, en vain, d'obtenir l'adresse d'Alyssa, dans Dwight Way, pour lui envoyer une carte d'anniversaire. Finalement, Marc Raymond s'était chargé de la livraison en lançant la carte dans l'allée centrale de l'auditorium de Tolman Hall, juste au moment où leur professeur d'introduction à la psychologie faisait une grande envolée sur le rôle des mécanismes de défense dans la culture populaire.

Un peu naïvement et un peu fraternellement, Howie lui en parla à la fin d'un repas au Burger King de Shattuck.

« Dis-moi, Alyssa. Tu as juste pris du poids? Ou bien es-tu... heu... enceinte?

Son ton n'était pas ironique. Elle savait qu'il ne se moquait pas d'elle. Elle lui chipa ses deux dernières frites et les trempa dans un reste de ketchup.

– Enceinte, c'est ça. Des sextuplés. Comme Bobbi McCaughey », dit-elle en adoptant le même ton léger que lui.

Après l'avoir dit tout haut à Howie, même s'il ne pouvait se douter que c'était la vérité, Alyssa trouva plus facile de ne plus y penser. C'était comme de la psychologie à l'envers. Elle devrait le dire à tout le monde, songeait-elle en terminant son mille-shake au chocolat. Si elle en parlait vraiment à tout le monde, y compris à Leah, tous feraient probablement ce que Howie venait de faire. Ramasser le papier qui enveloppait son hamburger, le rouler, essuyer la table avec la serviette en papier qui lui restait et jeter le tout – y compris la confession d'Allie – dans la poubelle du Burger King. C'était aussi simple que cela.

Depuis son retour de Philadelphie, après Thanksgiving, elle portait toujours un chemisier en flanelle couvert d'un immense sweat-shirt noir fermé par une fermeture Éclair. Alors que Missy, avec ses blouses de maternité à ruchés, avait l'air d'une élégante jeune femme enceinte, Alyssa croyait qu'elle avait simplement l'air grosse. Elle comptait sur le tact de ses connaissances, même de Clara, pour éviter le sujet de son gain de poids incontrôlable. Si Howie avait osé lui en parler, c'était à cause de ses synapses manquantes. Il oublierait sa réponse aussi facilement que les restes de son hamburger au fromage.

Même Tony ne s'en préoccupait plus. Elle l'avait rencontré, quelques semaines plus tôt, chez Togo. Il lui avait pris le bras pour l'entraîner dans une niche et l'avait cuisinée comme si elle avait commis un crime. Elle lui avait dit, du même ton désinvolte qu'avec Howie, qu'elle s'était occupée de tout.

« Mais... avait dit Tony en baissant les yeux.

– Merde ! Tony. Je suis juste grosse. Un point, c'est tout.

– Tu es...

Elle s'était levée. Le regard baissé vers lui, elle parla à voix basse, mais assez clairement et d'assez près pour qu'il l'entende malgré le vacarme du juke-box.

– À partir de maintenant, tu me laisses tranquille.

– Je...

– Il aurait mieux valu que tu me laisses tranquille dès le début. »

Donc, elle était grosse, rien d'autre. À quatre semaines d'une date que personne d'autre qu'elle n'avait calculée, elle raya de son esprit le fait qu'elle était enceinte. Elle était grosse. Tricia pouvait inscrire son nom sur toutes les listes qu'elle voulait, ou même accrocher une bannière au campanile, Alyssa s'en fichait. Mais elle était maintenant vraiment très grosse.

C'était injuste. Elle avait tout fait correctement la majeure partie de sa vie. Elle avait été une bonne étudiante. Jusqu'à l'été précédent, elle n'avait pas trop menti à sa mère. Sa peine à la mort de sa grand-mère avait été sincère. Elle s'était efforcée de ne pas la blâmer pour la décrépitude de son corps, avec les odeurs et les bruits qui s'infiltraient partout dans la maison de Philadelphie. Elle n'enviait pas Missy, peut-être simplement en raison du genre de mari et de père que Dennis était. Elle faisait elle-même ses recherches pour ses cours, même quand les cruches comme Tricia faisaient appel aux sites d'aide aux étudiants. Elle avait été une bonne employée chez Alfredo's. Tellement que, encore maintenant, quand elle entrait saluer Sal et l'équipe de la cuisine, elle ne repartait jamais sans une pizza végétarienne – « un cadeau du patron pour toi, ma beauté ». Elle donnait régulièrement de son sang, une fois par mois. Elle ramassait toujours les crottes de Coffee, même quand elle était très loin de la maison. Elle faisait le long trajet, avec Coffee qui la traînait au bout de sa laisse bleue, et les jetait dans la poubelle pour les déchets de jardin que Huddie rapportait chez lui, dans la colline, afin de la vider sur sa pile de compost.

Après avoir dressé ce bilan, elle trouvait injuste d'être devenue si lourde. Elle avait appris à détourner les yeux des miroirs et des vitrines. Quand elle passait devant les boutiques, dans Bancroft Way, pour aller à ses cours, elle se tournait vers Howie ou vers les rastas sur le trottoir d'en face. Elle se brossait les dents à l'évier de la cuisine pour éviter de voir son visage rouge et bouffi dans le miroir de la salle de bains. Elle s'habillait et se déshabillait dans le noir. Quand la lune était pleine ou que la lumière du balcon de Clara était allumée, elle gardait les yeux fermés le temps de changer de vêtements. Le courant d'air froid qui passait alors sur sa peau nue lui faisait prendre conscience de sa grossesse non désirée et du tendre gonflement de ses seins au-dessus de son ventre durci. Pas l'utérus. Elle n'aimait pas ce mot. De plus en plus souvent, elle ne prenait même plus la peine de changer de vêtements. Quelle importance si elle dormait habillée ? Y avait-il une loi qui obligeait les Américains adultes à porter un pyjama pour dormir ? Elle se laissait tomber à côté de Coffee sur son matelas, avec ses vêtements qui portaient des restes d'odeurs de Berkeley. Elle trouvait facilement le sommeil et sombrait vite dans le noir. Quel effet peut produire le refus de voir son propre reflet ? Quand on a appris à éviter de regarder son visage, il est facile de croire que ce qui se passe dans son corps est dû à des excès de nourriture et de sommeil.

Après la plaisanterie d'Alyssa sur les sextuplés McCaughey, Howie s'était lancé dans un long discours sur les défauts des lois de l'adoption en Californie.

« Regarde-moi ! Je serais bien mieux si j'avais été adopté. Hé ! Penses-tu que quelqu'un voudrait adopter ma mère et mon père ? »

Il avait développé le sujet pendant tout le trajet. Alyssa se contentait de lui faire des signes de tête affirmatifs et de marcher vite pour suivre ses longues enjambées.

Quelques jours plus tard, elle se réveilla avec une boule dans l'estomac. Allait-elle mourir d'un blocage intestinal comme celui qui avait terrassé son professeur de sixième année au beau milieu d'un cours sur le complément d'objet direct ? Son réveil marquait deux heures trente. Elle se rappela où elle était, en sécurité sur son matelas dans son appartement, et pas en enfer, auquel elle ne croyait pas mais qui l'inquiétait quand même un peu. Couché à côté d'elle, Coffee dormait profondément. Jalouse de son calme, elle lui en voulut de ne pas sentir sa détresse et de ne pas tourner autour d'elle en gémissant, comme Lassie l'aurait fait. Quand une seconde crampe la frappa durement au pelvis, elle se retourna et le chassa du matelas, rudement, avec un coup de l'arrière de la main. Du feu brûlait dans son ventre.

Puis, comme en réponse à ses vœux, le feu se retira comme une marée descendante. N'osant bouger, elle pressa les mains sur son abdomen. Coffee, ensommeillé et sans rancune, remonta en rampant sur le matelas et se blottit contre elle. Épuisée par sa maladie – elle ne trouvait pas d'autre mot –, elle se rendormit, malgré les signaux de détresse que lui envoyait son corps.

« Alyssa, es-tu là ?

La voix de Clara la tira du sommeil.

– Alyssa, ton chien est en train de devenir dingue. Alyssa ? »

Elle se leva du canapé au dossier brisé et ramassa sa crinière dans une main. Son pantalon était trempé. Avait-elle fait pipi ? Clouée au canapé, la colonne vertébrale tordue par la douleur, elle n'avait peut-être pas réussi à se rendre à la salle de bains. De l'eau, se dit-elle. De l'eau, pas de l'urine.

Elle fut prise de vertige. Attention ! Si elle se levait trop rapidement, elle serait étourdie. Attention ! Elle contourna Coffee, effectivement en train de devenir dingue, traversa la salle de séjour jonchée des morceaux de l'emballage de glace que Coffee avait déchiré et s'approcha de la porte. Elle mit le pied dans quelque chose. Mouillé et doux. Pas de la glace ; celle-ci avait fondu dans la moquette avant même que Coffee la mange, malgré tous ses efforts. Alyssa se rappela avoir observé le chien. Quand ? Hier ? Avant-hier ?

Des excréments de chien. Son appartement puait. Ce n'était pas la faute du pauvre Coffee. C'était la sienne. Trop malade pour bouger, elle ne l'avait pas sorti. Elle voulait crier à Clara de cesser de répéter son nom à tue-tête. « Alyssa, Alyssa. » Merde ! Elle savait quand même qui elle était. Mais elle avait la bouche sèche et des croûtes aux commissures de ses lèvres gercées. Elle s'essuya la bouche avec un pan de sa chemise en flanelle.

« Qu'y a-t-il, Clara ? réussit-elle à dire, pliée en deux par l'acuité de la douleur.

Elle n'ouvrit pas la porte. Mais elle appuya son front sur la serviette de plage qu'elle avait accrochée pour boucher la vitre. Une bonne idée. Ainsi, Clara ne pouvait pas la voir.

– Trésor, laisse-moi entrer.

– Non, je ne peux pas...

– Alyssa, mon trésor, tu me laisses entrer et je sors le chien. Le chien a besoin de courir, ma chérie. Tu es malade, je vais l'amener se promener.

– Je... j'allais justement le sortir. Vous n'avez pas besoin de le faire.

Alyssa crut sentir la main de Clara posée sur la vitre, de l'autre côté de l'endroit où son front était appuyé. Les merveilleuses mains de Clara, fortes et musclées. Juste de l'autre côté de la vitre, à quelques millimètres de sa peau.

– Trésor, ouvre-moi. Tu as besoin d'aide.

Alyssa leva son pied souillé par les excréments. Où pourrait-elle ?... Sur la jambe de son pantalon. Elle s'essuya sur le tissu noir. Mais elle eut l'impression que ce n'était pas son pied, tellement la douleur dans son corps était forte. Était-ce bien son corps ?

– Trésor, je vais chercher ma clé.

Alyssa attendit que Clara s'éloigne. Elle la sentait là, bien déterminée à attendre.

– Clara ?

– Trésor ?

– J'ai... j'ai juste été malade.

– Ouvre, trésor.

– Je ne peux pas.

– C'est juste Clara. Ouvre pour Clara.

– Je... j'allais prendre une douche.

– Ouvre. Je vais prendre le chien. Après tu iras sous la douche.

Debout sur ses pattes de derrière, Coffee gémissait. Il grattait la porte. De grosses traces de griffes. Huddie n'aimerait pas ça. Encore quelqu'un qu'elle décevrait.

– Tenez. Je vais le laisser sortir.

Alyssa déverrouilla la porte.

– Clara ?

– Je suis là, trésor.

– Ne regardez pas dans l'appartement. Ne me regardez pas. Prenez juste le chien.

– Trésor...

Coffee se faufila par la porte entrouverte. Alyssa claqua la porte derrière lui.

– Trésor, tu...

– Laissez-moi tranquille, Clara. Je suis sérieuse. Allez-vous-en.

Elle sentit Clara s'éloigner de la porte et l'entendit siffler pour rappeler Coffee dans le parking.

– Allez-vous-en, murmura-t-elle en remettant le verrou. Allez-vous-en tous. »

Par la fente entre les rideaux, Alyssa regarda Clara partir. Coffee s'éloignait en flèche, puis revenait sauter sur elle. Quand elle les eut perdus de vue, elle se reprocha son manque de politesse, sa négligence envers son chien si gentil et l'horrible odeur qui régnait dans l'appartement. Entre ses spasmes, elle s'obligea à bouger, pour tenter de se racheter. Il lui fallut tout un rouleau d'essuie-tout pour ramasser la nourriture renversée et les excréments du chien. Elle enferma les essuie-tout souillés et son pantalon trempé dans un sac à déchets de cuisine. Sur le plancher de l'armoire de la chambre, à côté d'une paire de sandales brisées, elle trouva la boîte fleurie contenant le cadeau d'anniversaire de Dennis et Missy. Elle n'avait pas encore touché au flacon de parfum Giorgio. Elle s'en servit pour parfumer l'air, le plancher, la moquette et les murs jusqu'à ce que l'odeur devienne étouffante.

Elle prit le téléphone une seule fois, soi-disant pour remettre le combiné en place. Mais elle ressentit ensuite le besoin impérieux d'appeler sa mère. Peut-être pour lui demander de recommencer ses envois de nourriture. Les biscuits et les gâteaux au chocolat de sa mère lui manquaient. Si elle lui avait demandé de cesser ses envois, c'était seulement parce qu'elle ne voulait pas partager avec les autres filles de la résidence, l'année précédente. Comment dire une telle chose à sa mère, qui attendait toujours la perfection ? La perfection, était-ce aussi ne jamais avoir à demander pardon ?

Puis elle fit ce qui lui paraissait la dernière chose importante. Elle alla dans la salle de bains et se déshabilla. Sous la douche, elle se savonna longuement, se fit un shampooing et se frotta les pieds jusqu'à ce que l'eau coule froide. Elle en sortit trempée, frissonnante, lourde et propre. Elle s'habilla. Les chaussettes et les souliers. Prête.

En partant, elle entendit Coffee et Clara dans l'appartement voisin. Il y avait de la musique à la radio. De la guitare acoustique et de l'harmonica, lui sembla-t-il. Coffee était en sécurité. Si elle tardait à revenir, Clara s'occuperait de lui. Alyssa ne savait pas quel jour c'était. Elle trouva plus facile de descendre la colline que de la remonter. Ses pas suivaient le rythme des spasmes de douleur qui lui déchiraient le dos. Elle marchait la tête basse et ses cheveux mouillés cachaient son visage. Ils tombaient jusqu'à ses mains pendantes. Une poignée de mauvaises herbes noirâtres. Voilà qu'elle manquait de respect même envers les morts : elle violait l'interdiction de sa grand-mère de sortir les cheveux mouillés. Tant pis. De toute façon, il tombait du crachin. Elle avait pensé à prendre son sac à dos bien plein, mais pas un parapluie ou un imperméable. Une autre erreur.

Dans Telegraph Avenue, en soirée, il y avait si peu de voitures que ce devait être un dimanche. Oui, c'était bien ça. Clara ne travaillait pas le dimanche. Quand Alyssa arriva à Shattuck Avenue et tourna à gauche, le crachin s'était transformé en pluie violente. Prendrait-elle le métro vers l'est ou vers l'ouest? Il lui fallait bouger sans s'arrêter. Seul le mouvement l'empêchait de se casser en deux. Elle trébucha, au sommet de l'escalier menant au métro, et s'accrocha à la rampe pour ne pas tomber la tête la première dans le tunnel.

« Es-tu soûle?

La femme était petite, pas assez pour être une naine, mais trop pour les soixante ou soixante-dix ans qu'elle devait avoir. Comme si elle avait voulu devenir naine, sans réussir complètement.

– Quoi? dit Alyssa en reprenant son équilibre.

Elle regarda le visage ratatiné et les rares mèches de cheveux blancs qui sortaient du bonnet en laine rose.

– Ronde comme une barrique. On s'en tire jamais. Quand on a bu tout l'argent pour la nourriture, on le regrette. Whisky, gin, même du porto s'il le faut.

– Excusez-moi, dit Alyssa en descendant pesamment une marche.

Les cuisses lui brûlaient. Elle ne pourrait plus rester debout encore bien longtemps.

– Laissez-moi passer.

– Laissez-la passer ! gloussa la naine. Passer, passer ! Elle court sans détour.

Elle s'arrêta de jacasser et remonta les marches pour avoir la tête au niveau de celle d'Alyssa. Elle allongea le bras vers les cheveux d'Alyssa et les peigna de la main.

– Fais pas de désordre dans ma cuisine, ma fille. Laisse-la aussi propre que tu l'as trouvée. »

Les toilettes n'étaient pas propres, mais elles étaient vides. Le contraire n'aurait fait aucune différence. *Il fallait qu'elle s'étende.* Elle ferma la porte du compartiment et se laissa glisser sur le carrelage. Il était vraiment curieux qu'une grande partie de sa vie récente se soit passée à se cacher dans des salles de bains. Encore un peu de temps, et elle n'aurait plus rien à cacher. Dès qu'elle sortirait la serviette brun foncé de son sac à dos et l'étendrait sous elle pour que sa peau, nue et propre, ne touche pas le carrelage encrassé. Qu'elle appuierait les genoux sur la cloison en métal et laisserait ses muscles meurtris s'enfoncer dans la douleur. Qu'elle prendrait son couteau suisse – un cadeau de son père : « tu es une bonne campeuse, Alyssa ! » – un couteau rouge, un cordon rouge, couper, c'est tout. Qu'elle réussirait à se relever et à essuyer la chose caoutchouteuse et gluante qu'elle avait entre les jambes, d'abord avec du papier hygiénique puis, quand il n'y en aurait plus, avec le papier raide des couvre-sièges du cabinet.

Voilà. Une dernière chose. Elle prit la serviette propre, la verte qu'elle avait enfouie au fond de son sac à dos, en plus de la brune qui était maintenant trempée. Elle en plia les coins comme pour fabriquer une enveloppe. C'était cela : une enveloppe dans laquelle elle mit le petit paquet. Comme il bougeait, elle prit soin de ne pas fermer l'enveloppe trop serrée. Pas trop serrée. Et elle ne couvrit pas l'endroit d'où sortaient des sons, cela ne lui semblait pas correct non plus. Elle le prit – un pain ? une poupée en porcelaine ? – et l'appuya contre sa poitrine, juste le temps d'ouvrir la porte du compartiment de l'autre main. À côté des lavabos, il y avait une grosse poubelle, presque pleine de serviettes de papier usagées. Elle installa soigneusement le paquet bien enveloppé sur une épaisseur de serviettes sales. Le distributeur de serviettes en papier était vide – probablement la naine qui nettoyait sa cuisine –, alors elle dut tirer des serviettes sales de sous le paquet pour former un creux en forme de panier, comme un bol ou un nid. Plus de sons. C'était mieux ainsi.

Elle dut s'asseoir encore, cette fois sur le siège du cabinet. Elle baissa la tête vers ses genoux en essayant de ne pas sentir les odeurs. Elle retint son souffle, comme elle le faisait quand elle devait utiliser les toilettes chez quelqu'un d'autre. Elle synchronisait le son de l'urine qui tombait avec celui de la chasse d'eau, pour que personne n'entende ses bruits corporels. Si elle avait d'autres besoins, elle n'y allait pas. Jamais elle n'empuantirait l'air dans la maison d'un étranger, qui n'a pas l'indulgence liée aux liens du sang. Elle écouta la chasse d'eau une, deux, trois et quatre fois, jusqu'à ce que l'eau tourbillonnant dans le bol soit aussi claire que de l'eau de pluie.

Elle se permit enfin de se regarder dans le miroir, en se rinçant longtemps les mains. Elle repoussa ses cheveux vers l'arrière pour asperger son visage d'eau froide. Elle appuya les mains sur le lavabo et s'approcha du miroir. Peau blême. Visage rond. Yeux noirs. Lèvres de Cupidon, disait sa mère, mais actuellement blanches, presque grises. Elle avait l'air un peu malade, mais elle se reconnaissait.

Alyssa Pacey Staton. Admise à l'université avec distinction. Inscrite en histoire. Premier rang, second siège à partir de la gauche au séminaire de madame Miller. Donneuse de sang. Bénévole pour le programme d'alphabétisation de la bibliothèque. Locataire au 2787, Dwight Way, appartement 2B.

Avant de sortir, elle revint vers la poubelle. Dans les compartiments des toilettes, juste au-dessus des cabinets, des boîtes étaient remplies de gaines plastique qui servaient à recouvrir la lunette. Un à la fois, comme des pétales, elle les prit et les installa sous le petit paquet dans la poubelle. Puis elle froissa ceux qui restaient pour former une couette, comme pour une poupée, et la borda autour du paquet enveloppé dans une serviette.

Alyssa Pacey Staton. La fille de sa mère.

LIVRE II

Chapitre 8

Leah mit les boucles d'oreilles longues qu'Allie avait laissées sur leur commode. Maintenant qu'elle travaillait toujours à la maison, elle faisait rarement des frais de toilette. D'ailleurs, même quand elle allait au bureau, elle ne portait pas de jupe longue en laine, des bottes noires à talons hauts et un corsage décolleté de couleur écrue. Elle avait un rendez-vous. Après avoir peint toute la journée, elle s'était nettoyé les mains avec de la térébenthine, avait pris un bain parfumé et avait même mis du vernis sur ses ongles. Un verre à vin, rempli de rosé, était posé sur la table de toilette. Après avoir écouté un concerto de Vivaldi dans son bain, elle passa au bulletin d'informations. La Bourse était en baisse, mais le chômage aussi. Ken Starr avait dégoté une autre nymphette et il y avait eu une arrestation dans le plus récent cas de meurtre néonatal, Saddam Hussein avait encore gâché la journée des inspecteurs de l'ONU. Leah écoutait, sans se sentir trop concernée par ces nouvelles. Elle prit le temps d'appliquer de l'ombre à paupières brun pâle, une touche de khôl, du rimmel, du fard à joues et un rouge à lèvres discret. C'était beaucoup de couleurs pour elle. Mais elle se sentait bien, gaie, légère et séduisante.

« Leah en extase », l'appelait Cory quand elle n'arrivait pas à cacher son bonheur devant la tournure que sa vie avait prise.

C'était évidemment Cory qui lui avait arrangé ce rendez-vous. Avec un homme seul, un veuf dont les enfants étaient à l'université, récemment déplacé à Philadelphie par son employeur. Cory l'avait rencontré parce qu'il se cherchait une maison. Leah ne tenait plus le compte du nombre de fois où elle avait déjà refusé ce genre de rendez-vous. « Non merci, je suis prise. Je dois rester avec ma fille. Non merci, ma mère est très malade et je suis seule à m'occuper d'elle le soir. » Parfois c'était la vérité, parfois une excuse. Pourquoi entreprendre une relation qu'elle ne pourrait pas poursuivre, dans l'hypothèse peu vraisemblable où son rendez-vous arrangé tournerait bien ?

« Pourquoi au juste ? lui avait demandé Cory, exaspérée par la réponse apathique de Leah, mille fois rabâchée depuis la mort de sa mère, "Merci quand même, mais je ne peux vraiment pas."

Pourquoi au juste ? Surprise, Leah se mit à y réfléchir.

– Tu n'as pas de raison valable, pas vrai ? poursuivit Cory. Tu as tellement l'habitude de refuser que tu ne prends même plus le temps de réfléchir avant de répondre. C'est un homme charmant, et il possède des tableaux. Je le sais parce qu'il m'en a parlé pendant la visite d'une maison dans le nord de la ville. Les grands murs de la salle de séjour l'intéressaient, m'a-t-il dit, parce qu'il pourrait y accrocher ses tableaux. Donc, il doit aimer l'art.

– Il a peut-être simplement des peintures encadrées avec une licorne de couleur phosphorescente sur fond de velours noir.

– Arrête un peu. Il les a peut-être achetées dans un endroit tout à fait comme il faut. Au centre commercial, il y avait d'adorables reproductions en solde la semaine dernière... Si tu penses que je vais te laisser te cloîtrer...

– Vraiment, l'interrompit Leah, tu es encore pire que ma mère.

Mais elle ressassait l'idée. Pourquoi pas ?

– Si j'essaie cette fois, vas-tu me ficher la paix ensuite ? »

À sa grande surprise, elle avait attendu le rendez-vous avec plaisir, tout en reprenant le tableau qu'elle avait imaginé pendant le séjour d'Allie. À cause de la réaction négative de sa fille devant les esquisses, elle l'avait abandonné un temps. Elle avait cru qu'Allie aimerait une version antérieure, plus légère, d'elle-même, mais elle comprit finalement qu'elle devait faire une interprétation plus en profondeur de sa fille. Elle devait la représenter avec les kilos en plus, mais avec une silhouette toujours belle, pour traduire la présence insaisissable d'Allie et son ambiguïté à elle, qui voulait tout à la fois la garder et la laisser aller.

Leah avait abandonné le tableau inachevé, face contre le mur, entre Thanksgiving et Noël. Tout en réfléchissant à la façon de terminer la toile, elle avait travaillé à autre chose. En fin de compte, elle décida de tout recommencer. Elle prépara une toile neuve, plus grande, et la couvrit de plâtre. Elle afficha sur le panneau en liège les deux esquisses qui lui semblaient le mieux représenter Allie.

Le vague souvenir de Missy, marchant sur le trottoir devant la maison, aida Leah à saisir l'équilibre du corps. Chez les gens qui prennent beaucoup de poids, le centre de gravité se déplace rapidement. L'angle de leur dos se modifie, ce qui leur donne l'aspect d'être mal à l'aise dans leur corps. C'était pourquoi elle n'avait pas réussi ses premières esquisses. Mais elle ne voulait pas non plus qu'une impression de malaise se dégage de son tableau. Elle voulait traduire l'aspect poignant et insaisissable d'Allie et la souffrance qu'elle-même ressentait à l'égard de sa fille, qui lui échappait toujours. Leah avait décidé de peindre Allie dans le petit parc qu'elle aimait, à la lumière de cet extraordinaire crépuscule doré. Elle la représenterait comme elle l'imaginait dans l'avenir : encore renfermée, mais plus sereine et en paix avec le monde qu'elle était en train de se bâtir. Avec son excès de poids, mais en mouvement, agile et souple. Elle ferait peu d'esquisses préliminaires. La difficulté qu'elle éprouvait à traduire ces sentiments contradictoires devait transparaître dans l'œuvre terminée, comme une composante de sa totalité. Leah se voyait offrir le tableau à Allie, à sa remise de diplômes, à son mariage ou quand elle aurait elle-même une fille. Mais il était certain qu'elle ne le vendrait jamais. Cette toile allait lui permette de faire la paix avec Allie, sa fille lointaine et énigmatique, qui venait d'accéder au rang des adultes et qui l'avait clairement exprimé à sa mère en ne venant pas la voir à Noël. *D'accord, Alyssa,* songeait Leah, *je vais te montrer que j'ai compris.*

Enfin, Leah eut l'impression d'avoir réussi à rendre ses émotions par les quelques traits qu'elle avait tracés directement sur la toile. Elle avait créé une palette avec les fameuses huiles Winsor & Newton, qu'elle utilisait toujours depuis qu'elle avait les moyens de se les offrir. En voyant ce qui émergeait sur la toile, elle avait été galvanisée. Elle ne ressentait pas son habituel manque de confiance en elle, même si elle avait dû retourner souvent dans le parc, en fin d'après-midi, pour s'imprégner du dialogue entre la lumière et les couleurs et du silence des ombres. Le travail occupait tout son esprit, sauf lorsqu'elle songeait à Allie qui ne la rappelait pas quand elle lui laissait des messages.

Depuis Thanksgiving, Leah n'avait pratiquement pas réussi à parler à Allie. Tous ses messages sur le répondeur – « rappelle-moi, je vais payer la communication, ma chérie » – restaient sans réponse. Il avait dû se passer quelque chose entre Dennis et Allie la dernière fois qu'ils s'étaient vus. Ce n'était pas le genre d'Allie de se faire belle pour plaire à son père ni de téléphoner à la dernière minute pour annoncer qu'elle passerait la nuit chez lui, et encore moins d'appeler Leah tard le soir pour lui demander de venir la chercher. Tout cela était incompréhensible. « Que peux-tu faire ? lui disait Cory. C'est une adulte, comme toi. Quand on n'a plus la moindre prise, Leah, mieux vaut ne pas s'accrocher, tu comprends ? »

Leah comprenait. Du moins, elle essayait. Elle ne pensait plus continuellement à sa fille, même si elle ne passait pas une journée sans s'en inquiéter ni une semaine sans s'en préoccuper sérieusement une ou deux fois. Elle apprenait à accepter la réalité, malgré les messages plaintifs qu'elle laissait sur le répondeur d'Allie. « Appelle-moi, je t'en prie. Si je ne suis pas là, laisse simplement un message sur le répondeur, Allie. J'ai besoin de savoir que tu vas bien. »

Quand elle entendit sonner à la porte, Leah était prête. Cory lui avait dit que Bob était grand, bien bâti et moustachu. De plus, avait-elle ajouté, le fait qu'il avait encore des cheveux, même s'ils étaient blonds, représentait un avantage de plus.

« Il est charmant et drôle, mais je sens qu'il pourrait avoir un penchant pour la morosité, alors fais attention. Et appelle-moi demain », avaient été ses dernières paroles sur le sujet.

Leah vida son verre de vin, lissa sa jupe, vérifia la propreté de ses dents dans le miroir et descendit ouvrir.

La description de Cory correspondait à la réalité, constata aussitôt Leah, sauf pour les cheveux de Bob, qui étaient brun pâle cendré. Il avait un sourire chaleureux et des manières engageantes. Il se présenta et lui dit combien il avait attendu cette soirée avec impatience.

« Voulez-vous prendre un verre ici avant que nous partions ? lui offrit Leah.

– J'ai fait des réservations chez Nichting's, dit-il. J'avais pensé que nous pourrions passer au bar avant le dîner. Mais j'aimerais beaucoup rester ici. Je souhaiterais tellement voir vos œuvres. Cory m'a dit que vous étiez peintre.

– Donnez-moi votre manteau, dit Leah en l'invitant à passer dans la salle de séjour où trois de ses toiles étaient accrochées. Si cela vous intéresse vraiment... »

Trois quarts d'heure plus tard, ils étaient en pleine discussion sur David Hockney, dont Bob appréciait beaucoup les acryliques, mais auxquels Leah trouvait une apparence de plastique.

« C'est vrai qu'il est anglais, mais ses œuvres me semblent plutôt caractéristiques du style californien. C'est là qu'il vit à présent, vous savez, dit Leah en se félicitant de sa décision de sortir avec Bob. »

Cory avait encore une fois raison. Leah devrait le lui avouer.

Bob jeta un coup d'œil à sa montre.

« Nous allons perdre nos réservations si nous ne partons pas, dit-il.

Il aidait Leah à enfiler son manteau quand le téléphone sonna.

– Je vais le prendre, dit Leah. J'ai laissé des messages à ma fille. Je vais faire vite, mais ce pourrait être Allie...

Elle se précipita dans la cuisine et s'empara du téléphone.

– Allô ?

– Madame Staton ?

Une voix de femme.

– Non, je suis Leah Pacey, mais... qui êtes-vous ?

– Je croyais avoir fait le bon numéro. J'ai peut-être mal lu.

– Ma fille s'appelle Staton. Est-ce elle que vous cherchez ?

– Est-ce la maison d'Alyssa Staton ?

– Oui, oui. Je suis la mère d'Alyssa. Qui êtes-vous ? Qu'est-ce qui ne va pas ?

Leah entendait son cœur battre dans son oreille collée au téléphone.

– Je m'appelle Clara Edwards. Je vis dans l'appartement en face de celui de votre fille, Alyssa. »

Chapitre 9

Alyssa pensa d'abord à Caleb. De l'autre côté de la porte, son petit frère Caleb pleurait pour qu'elle le laisse entrer. Elle imaginait ses menottes qui frottaient ses yeux pleins de larmes, l'éclat de sa douce joue ronde, ses cheveux fins et blonds, emmêlés par un sommeil agité, un cauchemar ou un mal de ventre.

Mais c'était impossible. Missy et Dennis ne laisseraient jamais Caleb attendre aussi longtemps et trépigner ainsi de l'autre côté du mur comme s'il piquait une crise de colère. Caleb était à Princeton, bien en sécurité dans sa chambre, à l'étage de la grande maison où il attendait un petit frère. Il en avait parlé à Alyssa, assis sur ses genoux, pendant que Missy commandait une deuxième glace dans le café à New York. Non, Caleb n'était pas à l'origine de tout ce boucan, qui la ramena à la triste réalité de la chambre minable qu'elle avait louée, de la douleur qu'elle ressentait dans la poitrine – le cœur ? – et des draps gris et rudes sous elle, trempés de son sang.

Elle se redressa pour serrer son sweat-shirt autour de ses seins. Bandage ? Était-ce le mot utilisé en anthropologie, le bandage des seins ? Ils étaient douloureux, durs et enflés sous son chemisier en flanelle trempé. Trop gros pour être les siens. Une punition pour une faute qu'elle ne se rappelait pas avoir commise, mais une punition qu'elle méritait quand même. À cause de ses crimes, la chair de sa chair s'était développée en elle. Elle se retrouvait maintenant dans un cagibi dégueulasse et ne réussissait même pas à dormir en ce petit matin triste dont la lumière blafarde entrait par l'unique fenêtre.

Tout ce qu'elle savait, c'était qu'elle était à San Francisco, dans le quartier de Tenderloin. Mais elle avait oublié le nom de la rue et celui de l'hôtel, avec salle de bains sur le palier. Pouvait-on parler vraiment d'un hôtel ? Quand elle était sortie, titubante, de la station de métro du Civic Center, elle avait cherché un endroit pour s'étendre et dormir. Elle n'avait pas réfléchi au besoin impérieux qu'elle avait d'une salle de bains. Un endroit bien à elle, avec de l'eau et des serviettes, où se nettoyer et arrêter le sang qui coulait entre ses jambes à chaque pas. Au quatrième coin de rue, le tee-shirt qu'elle avait plié dans sa culotte en partant de la station de Berkeley était complètement trempé. L'enseigne lumineuse au néon violet, « CHAMBRES À LA JOURNÉE OU À LA SEMAINE », lui était apparue comme une planche de salut. Pourtant, dans le hall, elle avait dû se frayer un chemin parmi des gens qui, en d'autres lieux et en d'autres temps, l'auraient glacée d'effroi.

La nuit précédente, elle avait trouvé des toilettes au bout du couloir, qu'elle avait utilisées parce qu'elle n'avait pas le choix. Probablement celles des hommes. Elles empestaient. Collé à l'intérieur de la cuvette, il y avait un préservatif aplati, enroulé contre la porcelaine tachée comme l'énorme coquille d'un mollusque de grand fond. Elle avait nettoyé ses propres souillures avec des serviettes en papier rude posées sur le réservoir des toilettes et bordées de traces d'eau sale ou de rouille. Elle n'aurait pas voulu les glisser dans sa dernière culotte propre qu'elle venait de tirer de son sac à dos, mais elle n'avait pas eu le choix, avec le sang qui coulait toujours entre ses jambes. Un bandage, songea-t-elle en empilant les serviettes qu'elle pliait en trois. Les bandages sont pour les blessures. Elle jeta son pantalon molletonné irrécupérable dans la poubelle rouillée et s'aspergea le visage et les jambes d'eau. Quand sa grand-mère, après avoir lavé la vaisselle, la taquinait avec de la mousse de savon, elle appelait cela une toilette de chat. Après avoir épuisé la provision de serviettes en papier, en frissonnant elle attendit d'être sèche. Puis, elle enfila péniblement le jean délavé qu'elle avait trouvé bien roulé au fond de son sac à dos. Elle renonça à le boutonner, replia la taille et cacha le tout avec son long chemisier en flanelle. Ensuite, la porte fragile de son cagibi bien verrouillée et sa peau la démangeant d'une contamination imaginaire, elle rendit quand même grâce au ciel.

Elle s'allongea de nouveau, étourdie par l'effort qu'elle mettait à se rappeler précisément les événements de la veille. Les cris et les pleurs en provenance de la chambre voisine se turent, mais elle eut l'impression que le mur haletait et exhalait une odeur nauséabonde. Le jean qu'elle avait eu tant de difficulté à enfiler dans les horribles toilettes collait à sa peau et aux draps du lit. Comme elle ne l'avait pas boutonné, il avait glissé plus bas que sa taille pendant son sommeil et avait laissé des marques bleues sur la peau blanche et flasque de son ventre. Encore trop grosse. Si elle voulait sortir pour se procurer ce dont elle avait besoin, des tampons, des vêtements neufs et quelque chose à boire, elle devait être propre et présentable. La première tâche à accomplir était donc de se laver. Donc, retourner dans les toilettes dégueulasses.

Elle se leva du lit et, en voulant allumer, se blessa au doigt sur l'interrupteur cassé. Encore du sang. Elle eut un frisson à l'idée que cette chambre avait dû voir des substances plus rebutantes que son sang. Elle prit son sac à dos et ouvrit la porte qui donnait sur le couloir humide, faiblement éclairé par une seule ampoule jaune.

« Salut, miss America.

Les mots avaient été bredouillés. Il fallut un moment à Alyssa pour apercevoir la personne qui lui avait parlé. Une femme, apparemment, appuyée contre le mur deux portes plus loin. Maigre comme un clou, elle avait un visage livide, encadré par des boucles noir jais. Son manteau en faux léopard pendait de ses épaules. Pendant qu'Alyssa l'observait, elle se laissa mollement tomber sur la moquette élimée.

– Aide-moi, chérie.

– Pardon ?

– Les toilettes, ma poupée. Aide-moi à me rendre aux toilettes. »

Des jambes maigres sortaient de son manteau de léopard. Elle ne portait ni soulier ni bas. Elle était couverte d'ecchymoses des jarrets aux cuisses, et sans doute plus haut, sous le bord de son manteau.

Que faire quand quelqu'un en détresse vous demande de l'aide au moment même où vous êtes vous-même au creux du désespoir ? L'aider, Alyssa le savait. Elle glissa sa clé dans la serrure de sa porte, comme s'il y avait quelque chose à voler dans cette chambre ensanglantée. *Commence par verrouiller ta porte, puis aide-la.*

« Heureuse de faire ta connaissance, dit la femme au léopard en tendant les bras à Alyssa.

En fait, elle ne bredouillait pas, mais elle avait l'accent traînant du sud.

– Emmène-moi aux toilettes. Avant qu'il se réveille.

Alyssa s'appuya contre le mur en vacillant. La femme au léopard s'empara de son bras et tenta de se hisser, menaçant de leur faire perdre l'équilibre à toutes les deux.

– Appuyez-vous sur moi, dit Alyssa en prenant le manteau de léopard à pleines mains et en le serrant autour de la femme.

– Tu as tes propres problèmes, hein, trésor?

– Êtes-vous ivre?

Cela lui avait échappé. Dans n'importe quelle autre circonstance, cela aurait été impoli, mais pas ici.

– Je suis pas ivre.

Elle ne sentait pas l'alcool. Alyssa la crut.

– Je me retrouve... temporairement impuissante.

Elle s'appuya lourdement sur Alyssa, comme si tout son poids était dans ses os plutôt que dans sa chair.

La porte des toilettes était verrouillée.

– C'est fermé. C'est fermé! s'exclama Alyssa qui se sentait elle-même impuissante.

– On va attendre, dit la femme au léopard en lui faisant un clin d'œil.

Quelqu'un tira la chasse d'eau, grogna et entrouvrit la porte. Un petit homme brun, à l'allure de rat, sortit précipitamment des toilettes, les yeux baissés.

Alyssa empêcha la porte de se refermer.

– Voulez-vous... que je... que j'entre... avec vous?

– Si tu veux bien, ma fille. Je me sens un peu faible. »

Elles se serrèrent un moment l'une contre l'autre, couple grotesque, et se glissèrent ensemble dans les toilettes. Alyssa verrouilla la porte derrière elle et laissa tomber son sac à dos sur le coin du linoléum décoloré le plus propre qu'elle put trouver. Elle se sentit trop malade pour attendre la fin des ablutions de la femme au léopard. L'air renfermé et la puanteur laissée par l'homme-rat eurent raison d'elle. Le motif du linoléum vert se brouilla. Elle tenta de s'accrocher au bord du lavabo en porcelaine et sentit une croûte grumeleuse sous sa main.

« Il n'y pas de toilettes pour femmes ici ?

Ses mots se bloquèrent dans sa gorge et lui donnèrent la nausée.

– Ça devrait, mais il y en a pas... Doucement, ma poupée, assois-toi, doucement.

Comme si la faiblesse d'Alyssa lui avait redonné des forces, la femme au léopard humecta quelques serviettes en papier – dont la provision avait été renouvelée, Dieu merci – et les passa sur le visage d'Alyssa.

– Doux Jésus ! Tu vas avoir besoin d'un lavage plus gros que ça, trésor.

– Oui, oui. »

Pendant un instant, dans un havre de grâce, sous les mains de la femme au léopard, elle se languit de sa mère. La serviette froide pour guérir fièvres et migraines, les mains fraîches et délicates de peintre – *maman* – qui avaient mouillé et tordu des serviettes pour son bébé, puis pour sa mère, dans un mélange de devoir et d'amour.

« On fait une belle paire, dit la femme au léopard en lissant les cheveux d'Alyssa.

– Ça va mieux ?

– Ça va aller, dans une minute.

Elle fouilla dans la poche de son manteau. Elle en sortit une petite fiole, semblable aux bouteilles ambre d'anciennes prescriptions que Clara collectionnait.

– Vas-y et fais ce que tu as à faire, dit-elle en poussant Alyssa vers les toilettes. »

Devant les murs jaunes des misérables chiottes, constellés de taches assorties aux ecchymoses de la femme au léopard, et devant la pourriture qui tournait en spirale dans le lavabo à moitié bouché, Alyssa décida que rien ne pouvait l'embarrasser, ici du moins, où il n'y avait aucune raison d'avoir honte, elle descendit son jean raidi et s'assit. Les serviettes de papier imbibées de sang tombèrent de sa culotte, mais la femme au léopard n'en vit rien. Elle se brossait les dents... Non. Après l'avoir fait tomber de la fiole dans sa main, comme si elle mesurait des pétales d'or, elle frottait du bicarbonate de soude sur ses gencives. En l'observant – de la cocaïne ! – Alyssa se demanda si, en frottant la même poudre blanche sur ses gencives, elle souffrirait moins des crampes qui expulsaient des caillots de sang de la grosseur d'un poing dans la cuvette, avec les préservatifs et les excréments de l'homme-rat.

« Avez-vous de l'aspirine ?

La femme au léopard mouilla son doigt, qu'elle utilisa pour nettoyer l'intérieur de la fiole. Elle s'appuya contre le lavabo. Elle semblait se concentrer pour comprendre.

– Non, pas maintenant... Peut-être Lenny... je pourrais peut-être te trouver du Percocet[1].

Alyssa prit une pile de serviettes en papier qu'elle glissa dans son jean.

1. Analgésique opiacé. *(N.D.T.)*

– D'accord.

Assez. Il lui fallait prendre soin d'elle-même. La survie des plus forts. Elle tira la chasse d'eau, deux fois de suite pour tout vider.

– Attends-moi une minute et je vais t'aider, chérie.

Toujours la voix traînante du sud. Alyssa n'était pas certaine de saisir ce qu'elle disait.

– Il y a une pharmacie dans Market Street. À trois coins de rue d'ici. »

Alyssa referma le couvercle du cabinet. La femme au léopard s'y assit, la tête entre les genoux. Le manteau glissa de ses épaules et tomba sur le plancher comme un trophée de chasse venant d'un autre continent. Ses bras nus présentaient un labyrinthe d'ecchymoses. Le jaune des plus anciennes se mêlait aux couleurs plus vives des nouvelles comme des pétales s'épanouissant sur un fond pâle.

« Prends-la.

– Quoi ?

– Ma fourrure. Prends-la et mets-la pour aller à la pharmacie, puis... si tu me retrouves pas, laisse-la à Lenny à la réception en bas.

– Je...

– Tu feras pas un coin de rue avec l'allure que t'as, chérie. Mais rapporte-la. »

Elle se pencha et caressa son manteau, surtout les revers, plus épais. Alyssa pensa à Coffee avec nostalgie – non, elle lui avait laissé beaucoup de nourriture et d'eau et Clara ne le laisserait pas...

« Je sais que t'es le genre de fille qui me volera pas, s'pas ?

– Non, je ne vous volerai pas.

– Vas-y alors. Ferme la porte derrière toi. Dis à Lenny que je suis ici, veux-tu, chérie ?

– Je vais le lui dire.

– Ma fille ? Je sais pas ce que t'as fait pour te retrouver ici, mais tu devrais pas y être. T'as pas d'affaire ici, chère. Tu ferais mieux de partir... avant de plus pouvoir.

Un loup sous la dépouille d'un mouton, ainsi s'imaginait Alyssa. Elle attendait devant la porte de la pharmacie, Market Street, protégée par une grille. OUVERTURE À 9 HEURES, pouvait-on lire sur la pancarte qui pendait à hauteur des yeux à l'intérieur de la porte vitrée. Le manteau cachait son jean souillé. Si des gens la fixaient du regard, c'était pour la peau de léopard, pas pour elle. Si personne ne la fixait, c'était qu'elle réussissait à se mêler aux gens de la rue et qu'elle pourrait facilement devenir l'une des leurs. Du moins, personne ne lui demandait l'aumône, mais comment quémander de l'argent à qui semble encore plus démuni que vous ? Voilà ce à quoi elle ressemblait : une fille dépourvue de tout, sans avenir et sans domicile. Elle observa son reflet dans la vitre derrière la grille de la pharmacie. Il était partagé en quatre comme un portrait de Picasso, un démembrement misogyne. Elle reconnut ses cheveux, plats et sales, qui lui tombaient aux coudes. Ses yeux noirs étaient enfoncés dans son visage qui semblait sculpté dans de l'os blanchi. Son cou blanc disparaissait dans le col en léopard, boutonné jusqu'en haut. Son reflet aurait fourni une bonne cible aux militants pour les droits des animaux. En effet, le chatoiement artificiel de la fausse fourrure en polyvinyle n'y était pas apparent, comme dans un cliché surexposé qui ne rend pas la réalité. Ils la lapideraient à cause de la fourrure et pour ce qu'ils la soupçonneraient d'être. Ils se tromperaient.

Derrière la grille, une femme au scalp partiellement rasé sur lequel poussaient des mèches de cheveux ressemblant aux serpents de la Méduse secoua un trousseau de clés aussi gros que celui d'une prison, comme pour attaquer Alyssa. La porte vitrée s'ouvrit. L'employée déverrouilla la grille de la devanture du magasin et la poussa de côté contre les murs de l'entrée. Sans un mot, elle fit entrer Alyssa dans l'éclairage fluorescent de la pharmacie. Il faisait si chaud à l'intérieur qu'Alyssa eut la tentation de ramper derrière le comptoir et de s'y cacher pour dormir.

Mais elle avança machinalement un pied après l'autre, sur ses jambes douloureuses, et trouva l'allée des serviettes hygiéniques où elle glissa deux boîtes bleues de serviettes superabsorbantes sous son bras libre. Elle passa à côté d'un autre employé, à genoux, qui remplissait les tablettes de médicaments contre la toux et trouva les analgésiques. Le dernier tube d'aspirines extra-fortes sur la tablette semblait l'attendre. Elle s'en empara. Elle retourna vers la Méduse, les serviettes et les aspirines à la main comme une offrande – *regardez ! Je ne suis pas une voleuse à l'étalage.*

« Vendez-vous... des culottes pour femmes ?

L'employée regarda ses jambes en hochant la tête. Un moment, Alyssa crut qu'elle voulait dire non, pas de culottes. Mais elle était seulement grincheuse, peu accommodante ou soupçonneuse devant une fille blanche qui se présentait à l'ouverture du magasin un lundi matin et qui cherchait des culottes. Une grosse fille blanche.

– À côté des biberons. »

En traversant le hall exigu du Bay Breeze Hotel – elle avait vu l'affiche, cette fois, en revenant de la pharmacie – elle dut s'appuyer contre le mur en contreplaqué qui délimitait la loge du réceptionniste. Elle tenta de se retenir avant de tomber, de s'écrouler ou de s'affaisser sur le plancher, quel que soit le verbe qui décrirait le mieux la fatigue qui l'attirait vers le sol, comme une gravité deux fois plus forte. Comme elle ne voyait pas la femme au léopard et qu'elle se demandait même si elle aurait la force de monter à sa chambre, elle posa le sac de la pharmacie, retira le manteau et le roula, la doublure à l'extérieur, comme sa grand-mère lui avait appris à le faire pour un manteau de qualité.

« C'est...

– Le manteau de Dara.

Lenny, grand et pansu comme le Lenny du roman de John Steinbeck, mais bien réel, prit le manteau et le fit passer au-dessus du comptoir du côté de sa loge.

– Son costume de dalmatien... Hé ! Est-ce que ça va ? »

Elle s'affaissa sur le plancher. Pendant dix minutes, lui raconta Lenny par la suite, elle avait perdu le fil de l'histoire dont elle était l'héroïne, cet affreux complot dont elle était la victime.

Avec de l'eau, elle se sentit un peu mieux. Lenny l'avait traînée jusqu'aux chaises en bois dur alignées au fond du hall. On peut s'évanouir par déshydratation, songea-t-elle. Elle ne se rappelait pas la dernière fois qu'elle avait bu quelque chose. À l'appartement, avant de remplir un grand bol d'eau pour Coffee ? Avait-elle jeté le sachet de thé utilisé à deux reprises et rincé la tasse jaune ? Avait-elle avalé un peu d'eau ? Elle était certaine de ne pas avoir bu d'eau dans les toilettes du Bay

Breeze. La porcelaine du lavabo, tachée et écaillée, et les odeurs qui montaient du siphon bouché lui avaient coupé l'envie de boire dans ses mains. Son père lui avait appris à le faire quand elle n'avait pas de tasse, mais seulement si elle était certaine que l'eau était potable. Lenny lui apporta un demi-litre d'eau en bouteille, l'ouvrit et la porta à ses lèvres. Tout à coup, la femme au léopard apparut et ordonna à Lenny de monter la fille dans sa chambre. Alyssa se retrouva dans son lit dont les draps avaient été changés. Deux sandwiches à la dinde, enveloppés dans de la cellophane, étaient posés sur l'oreiller, comme des animaux en peluche. Sur celui-ci, comme des menthes dans les hôtels chic où Dennis et Missy devaient descendre, il y avait sept pilules rouges et blanches. *Enseigne de barbier,* songea Alyssa, juste avant que Lenny les ramasse dans sa grande main et la dépose sur le lit.

Alors, la femme au léopard – Alyssa avait appris qu'elle s'appelait Dara –, vêtue d'un ensemble de jogging rose, chassa Lenny de la chambre. Elle aida Alyssa à se rendre aux toilettes, l'installa dans le lit aux draps passablement propres, lui donna du Percocet et lui fit encore boire de l'eau. Alyssa sentit de nouveau une serviette humide et fraîche sur son front. Cette partie de l'histoire lui semblait naturelle : un imbécile lourdaud l'avait montée dans sa chambre et une camée à la cocaïne la soignait.

Pourtant, même si elle se sentait relativement en sécurité, protégée et soignée, elle soupçonnait que quelque chose n'allait pas du tout. Juste avant de sombrer dans le sommeil, elle crut entendre la voix de Dara.

« Pars d'ici. Avant de ne plus pouvoir... »

Elle pensa ensuite à des biberons. Pourquoi l'employée de la pharmacie lui avait-elle parlé de biberons ? Elle n'avait pas demandé de biberons. Puis, pendant une éternité, elle perdit conscience.

Le coup de fil de Clara Edwards avait coupé court à sa soirée avec Bob. La terreur avait aussitôt remplacé le plaisir qu'elle commençait à éprouver.

« Ma fille semble avoir... disparu, lui dit Leah en essayant de contrôler sa voix. C'était une de ses voisines. Elle dit qu'Allie est partie depuis hier. Qu'elle a abandonné son chien. Ça ne lui ressemble pas.

– Mon Dieu ! murmura-t-il en posant la main sur son épaule. Que puis-je faire ?

– Je crois... je suis désolée, mais je ne peux pas sortir ce soir. Peut-être une autre...

– Bien sûr. Vous devez rester ici.

– Je suis désolée. J'aurais aimé y aller.

– Attendez, dit Bob à Leah qui allait lui chercher son manteau. Pas question de vous laisser toute seule. Écoutez, j'ai des enfants, je vous comprends. Je vais vous aider. Devriez-vous appeler son père ? »

L'inquiétude se lisait sur son visage.

Il retira son veston et desserra sa cravate, signe qu'il n'avait pas l'intention de partir. Leah aurait été mal à l'aise de recevoir une telle offre par pure gentillesse, mais elle fut reconnaissante à Bob de son aplomb. Comme si elle avait été malade, il la ramena vers le canapé dans la salle de séjour et s'assit à côté d'elle. Son calme rappela à Leah le beau bleu qu'elle avait mélangé l'après-midi. Une planche de salut.

Leah respira profondément et essaya de chasser les horreurs qui se pressaient dans son esprit.

« Ce n'est probablement pas grave. Je ne connais pas cette femme. C'est une adulte, pas une étudiante ou une étourdie, mais elle est peut-être alarmiste. Elle s'est déjà occupée du chien. Probablement qu'Allie est seulement... allée passer la nuit chez une amie. C'est irresponsable, mais elle a tendance à être irresponsable ces temps-ci.

– Les enfants le sont tous un peu, dit Bob en se lissant la moustache. Ils ne comprennent pas à quel point ils peuvent nous inquiéter. Êtes-vous proche de votre fille?

Leah hésita en replaçant derrière son oreille une mèche qui était tombée dans son visage.

– Pas tellement. Je ne sais pas. Elle s'est éloignée de moi. J'ai gardé ici ma mère malade jusqu'à sa mort et je crois qu'Allie n'était pas d'accord.

– Ils s'éloignent tous, dit alors Bob. C'est normal. »

Il était sorti chercher des plats chinois dans des boîtes en carton blanc et avait fouillé dans les armoires de Leah pour trouver des assiettes pendant qu'elle attendait désespérément la sonnerie du téléphone. Clara lui avait promis de la rappeler si Allie rentrait. De son côté, Leah avait appelé chez Allie, exigeant sèchement qu'elle la rappelle immédiatement cette fois. C'était bien différent de ses messages habituels, volontairement désinvoltes et débités d'une voix chaleureuse. Mais le téléphone resta obstinément silencieux toute la soirée, pendant que Bob essayait de la distraire avec des histoires drôles, même s'ils savaient fort bien tous les deux que l'attention de Leah était ailleurs. Malgré tout, sa présence la réconfortait, et elle se demandait pourquoi. Comme quelque chose qui ne modifie pas votre douleur, mais que vous appréciez quand même. Du bouillon de poulet quand vous avez la grippe. Exactement ce qu'il vous faut quand vous vivez un deuil, et elle paniqua alors, craignant que cette pensée soit un présage.

« Qu'est-ce que Clara a dit exactement ? demanda Bob en desservant les assiettes.

Leah avait à peine mangé.

– Elle a juste dit qu'Allie n'était pas rentrée la nuit dernière, sans l'avoir avisée. Ça ne l'ennuie pas de s'occuper du chien, mais elle voulait savoir si Allie m'avait dit où elle allait ou quand elle rentrerait. Elle affirme que c'est la première fois qu'Allie fait cela et... elle a ensuite dit qu'elle était désolée de m'inquiéter. Elle était allée faire une promenade avec le chien pour rendre service à Allie, qui ne se sentait pas bien, et Allie n'était plus là à son retour. Elle est peut-être simplement allée chez une amie, qui sait ? Elle a laissé des tonnes de nourriture et de grands bols d'eau pour le chien. Allie semble donc avoir prévu son absence.

– Comment Clara a-t-elle obtenu votre numéro ? demanda Bob dont la chemise blanche était maintenant froissée.

Il avait l'air de partager totalement son inquiétude.

– Je ne sais pas. Elle a peut-être une clé de l'appartement d'Allie... peut-être mon numéro est-il enregistré sur le téléphone d'Allie. Je ne sais vraiment pas. »

Encore une chose qu'elle ignorait.

Il demanda à voir une photo d'Allie. Leah le fit monter dans son studio et lui montra les esquisses pour le tableau d'Allie, encore en évolution. Quand avait-elle déjà montré à un homme, ou à n'importe qui d'autre, les secrets de son cœur ?

Après le départ de Bob, à minuit, elle dormit d'un sommeil agité. Le lendemain matin, elle essaya de peindre. Elle ne téléphona pas à Cory de crainte que Clara ou Allie ne puissent la joindre. Elle n'appela pas George à propos du contrat Bradshaw. Quand le téléphone sonna enfin à midi, c'était la chaude voix de baryton de Bob.

« Avez-vous des nouvelles ?

– Non, je dois...

– Oui, je comprends, vous devez laisser la ligne libre. Voulez-vous me rappeler quand vous aurez du nouveau ? »

Un homme bon. *Tu vois, Leah ?* entendit-elle Cory lui dire. *Il y a encore des hommes bons.*

Tout à coup, elle sentit qu'elle était en colère, dans un registre voisin mais distinct de celui où régnait la terreur. Combien de fois cela était-il arrivé ? Allie semblait parfois être dotée d'un radar intérieur qui la prévenait quand sa mère était sur le point d'être heureuse. Elle créait alors un état de crise, qui signifiait pour Leah, *Pas question. N'y songe même pas. N'ose surtout pas avoir une vie à toi.* Actuellement, Leah travaillait à un tableau pour la fondation Bradshaw, une commande importante, et payante, même si George lui avait rappelé que c'était l'endroit où l'œuvre serait accrochée qui comptait. Elle avait fait la connaissance d'un homme avec lequel elle avait osé accepter un rendez-vous et, après seulement une heure, avait compris qu'elle souhaitait le revoir. Elle ne savait comment, mais Allie, à l'autre bout du pays, l'avait senti. *Non, non, non. Ma mère est heureuse. Je ne peux pas accepter cela. Je dois m'en occuper. Je pense que je vais disparaître. Comme ça elle va en ramer un coup. Ça va lui donner une bonne leçon.*

Une nouvelle vague de panique. Elle serait punie pour sa colère dans le grand livre de la maternité, celui qui disait : bien sûr, cette affaire va jouer dans tes émotions, mais tu dois t'assurer de ne pas être égoïste. Aime, tout simplement, donne, *aime, donne.*

Aime, donne. Donne. Aime.

Quand le téléphone sonna à seize heures, elle sursauta et se précipita pour y répondre. Elle se sentit coupable d'avoir somnolé, devant l'écran blanc de ses paupières alourdies.

Un télévendeur. Pas Allie. Pas Clara pour dire qu'Allie était rentrée, sans problème et sans mal.

À dix-huit heures, Leah, l'estomac vide, prit un verre de vin et appela les renseignements de Berkeley pour demander une Clara Edwards, à la même adresse que celle d'Allie, Dwight Way. Clara répondit au second coup, presque comme si elle attendait aussi un appel. Leah reconnut sa voix d'alto, onctueuse et pleine.

« C'est Leah Pacey, Clara. Je suis désolée de vous déranger. Je me demandais si Allie était...

– Non. Je lui ai pas vu le bout du nez. M'dame Pacey, vous devez être inquiète ?

– Oui, dit-elle en tordant le fil du téléphone, consciente que Clara ne lui disait pas tout. Vous m'avez dit qu'elle ne se sentait pas bien, mais pourrait-elle être allée chez des amis ? Elle m'a parlé d'un garçon qui s'appelle Howie... peut-être est-il devenu son petit ami ?

– Un garçon grand et maigre ? Avec une grosse bagnole blanche ? Une fois, dans le stationnement, j'ai vu un garçon la déposer.

La pointe de jalousie que ressentait Leah se dissipa. Au moins, elle connaissait le nom de Howie, elle. Cette Clara ne le saurait peut-être pas si Allie avait déjà découché une autre fois. Allie avait pu demander à quelqu'un d'autre de s'occuper de son chien. Ou l'avait emmené avec elle.

– Mais elle va pas bien du tout. Et elle a l'air... poursuivit Clara.

Leah se frotta le front. Il était huileux. Elle ne s'était même pas lavé le visage le matin. Elle avait bu du café toute la journée et mangé un sandwich sur le coin de la table à midi. Après quoi elle avait continué à travailler. Elle avait au coin des yeux de petits grains qu'elle essuya en parlant, la voix de plus en plus anxieuse.

– Croyez-vous que je devrais venir? Je pourrais. Si elle est malade.

Leah ne voulait pas s'avouer à quel point elle espérait que Clara lui dise non, que ce n'était pas nécessaire, Alyssa devrait rentrer sous peu.

– Oui, ce serait probablement une bonne idée. Venez, dit Clara en rompant un trop long silence. »

Aussitôt, Leah commença à dresser dans sa tête une liste des tâches à effectuer. Appeler George, pour retarder la livraison du tableau à la fondation Bradshaw. Appeler Bob, afin de le remercier de s'être inquiété pour elle, un pur étranger après tout. Ne pas appeler Dennis, un étranger depuis tellement d'années. Appeler Cory, parce qu'elle avait besoin de l'aide de quelqu'un qui ne soit pas un étranger. Aussi parce qu'elle n'avait pas reconnu son reflet dans le miroir de la salle de bains quand elle avait fini par laver son visage à l'eau froide. Téléphoner à la compagnie aérienne. Les bagages? Un jean, un pantalon noir, un pull-over noir, un pull-over rouge, un chemisier blanc et un sarrau de peintre, sans raison. Un bloc à dessins, toujours. Une veste de laine. Quel temps fait-il en Californie au mois de février? Une chemise de nuit, du shampooing, du dentifrice et une brosse à dents. Laisser une note à Dave Allen pour lui demander de ramasser son courrier et de surveiller la maison.

Cory insista pour l'accompagner à l'aéroport et Leah prit le vol de six heures trente pour l'aéroport international d'Oakland, à peine douze heures après que Clara lui eut dit « oui, ce serait probablement une bonne idée. Venez ». Une autre journée se levait à l'horizon et se préparait à éclairer un autre monde.

Quand elle frappa à la porte, Leah entendit aussitôt des aboiements frénétiques. Après avoir fait taire le chien, une grande femme noire entrouvrit la porte pour voir de qui il s'agissait, puis l'ouvrit toute grande pour Leah, qu'elle ne connaissait pourtant pas. Ou bien Clara ne la trouvait pas menaçante ou bien elle croyait que le gros chien noir debout sur ses pattes de derrière, à peine retenu par sa main sur son collier, représentait une protection suffisante.

« Clara Edwards ? demanda Leah même si elle en était déjà certaine.

– Entrez. Vous êtes la maman d'Alyssa.

Son front était large et luisant. Elle avait des épaules larges, une poitrine opulente, et paraissait sans âge. Par habitude, Leah regarda ses mains et vit qu'elle était plus vieille qu'elle.

– Coffee, tu te calmes. Descends.

– C'est... ?

– C'est bien lui, dit Clara en souriant et en tapotant la tête du chien qui reniflait les jambes de Leah. Le chien d'Alyssa.

– Je suis désolée qu'elle vous l'ait laissé pour que vous vous en occupiez... sans vous le demander auparavant, je veux dire.

Leah s'était embrouillée dès le début de ses excuses, qui lui semblaient pourtant obligatoires. Elle était vraiment mal à l'aise.

– Je ne peux imaginer ce qui... mais avez-vous de ses nouvelles ?

Elle voulait se convaincre que son voyage s'avérerait inutile. Mais elle en profiterait pour rester un peu avec sa fille et pour mieux connaître la vie d'Allie.

– Pas du tout.

La confiance de Leah s'évanouit.

– Venez vous asseoir une minute, dit Clara. Voulez-vous boire quelque chose ? » ajouta-t-elle en lui indiquant la cuisine.

Leah suivit son geste des yeux et regarda dans la pièce voisine en hochant la tête. L'appartement ressemblait à une petite maison, bien installée, habitée depuis longtemps et meublée à l'ancienne. Tout était peut-être un peu usé, mais surtout démodé. Un rond de dentelle sur le dossier d'un fauteuil trop rembourré. Un vieil exemplaire du *Hammond Atlas* sur la table devant le canapé. Des sous-verres. Des carpettes tressées. Leah vit des photos encadrées de filles et de garçons noirs, à différents âges, et un portrait coloré à la main d'une vieille femme noire. L'appartement inspirait la sérénité. Leah saisit ce qui attirait Allie dans cet endroit sans prétention et comprit son échec à elle. Toujours tournée vers l'avenir, elle n'avait pas donné assez de stabilité à Allie.

« Non, rien. Non merci, dit Leah qui avait pourtant déjà senti son estomac commencer à se plaindre dans le taxi.

Mais elle ne demanda pas tout de suite la clé de l'appartement d'Alyssa et ne fit pas mine de partir.

Clara le remarqua.

– Asseyez-vous une minute, voulez-vous ? Je vais vous dire ce que je sais.

Leah acquiesça. Sans rien demander de plus, Clara fit les quelques pas qui la séparaient de la porte de la cuisine.

– Si ça vous dérange pas, je vais juste nous faire une tasse de thé. J'ai besoin de quelque chose. Vous venez avec moi ? »

Leah la suivit, hébétée et reconnaissante. Elle ôta sa veste et la plia sur le dossier du canapé en tweed vert. Elle avait mauvaise haleine, et son chemisier de soie avait besoin d'un lavage. Elle aussi avait besoin d'un lavage ; son visage était huileux, ses dents étaient sales et son déodorant n'avait plus la moindre efficacité. Elle ramassa ses lourdes boucles noires dans une seule main et posa la queue de cheval ainsi formée sur sa nuque un instant, comme si elle croyait qu'elle resterait en place, ce qui ne fut évidemment pas le cas.

À cinq pas d'elle, Clara alluma la cuisinière et lui offrit une chaise de cuisine.

« Je me suis sentie mal de vous avoir appelée. Si j'avais pas cru que c'était nécessaire, je l'aurais pas fait.

Elle ouvrit la porte du réfrigérateur et commença à en sortir de petits paquets. L'eau dans la bouilloire commençait à frémir. Coffee, qui avait fini de renifler partout et de suivre Clara dans tous ses déplacements, se laissa tomber pour les observer.

– Je devrais peut-être appeler la police, dit Leah en espérant que Clara l'en dissuade.

Clara lui fit signe que non, ce qui réconforta Leah, mais seulement pour un instant.

– Ça vaut rien. On sait jamais ce que la police va faire aux gens. Mon fils... il... heu... Et même mon mari qui est mort, une fois... »

Leah l'écoutait, confuse, et soudain si épuisée qu'elle était incapable de formuler la moindre phrase cohérente. Les deux femmes restèrent un moment en silence. Les mains de Clara... magnifiques, remarqua Leah, des doigts longs et habiles, qui travaillaient. À quelques reprises, elle entendit le bruit d'un couteau sur une planche à découper en bois. Puis, alors qu'elle fermait les yeux pour les reposer, ce fut le son de papier sulfurisé qu'on froisse. Clara posa une assiette entre la place de Leah et celle qui serait la sienne. Leah ne pouvait tout de même pas reprocher à cette femme de se nourrir. Elle jeta un coup d'œil sur les petits cubes de jambon et de fromage, les biscuits salés et les marinades douces.

« J'ai un peu faim, dit Clara. Vous ne voulez pas manger un morceau avec moi ? »

Leah comprit que Clara avait lu en elle comme dans un livre ouvert. Elle passa outre à sa gêne d'avoir été si transparente et au grognement de son estomac pour en revenir à Allie qui était, après tout, la raison de sa présence.

« Vous ne semblez pas avoir confiance en la police. Mais Allie ? Je veux dire qu'ils aideraient peut-être Allie. »

Une fille blanche, voulait-elle dire.

Le silence de Clara, le dos tourné pendant qu'elle sortait les sachets de thé et les tasses, était troublant. Elle se retourna enfin et s'approcha de Leah, une tasse dans une main et la bouilloire dans l'autre.

« Elle est pas tout à fait bouillante, mais elle devrait être assez chaude, dit-elle. Vous faites comme vous voulez avec la police, ajouta-t-elle en faisant sonner le mot comme « peau lisse ». Mais moi, je les appellerai pas, sinon je l'aurais déjà fait. »

Leah était partagée entre le désir de relever l'insulte et sa reconnaissance pour le conseil. Trop fatiguée pour décider, elle prit un autre biscuit et empila du fromage et du jambon dessus.

« Merci, murmura-t-elle. Vous aviez raison, j'avais faim. J'ai faim.

– Allez vous reposer. Il sera assez tôt demain pour entreprendre des démarches.

Clara sirotait son thé. Elle ne donna pas d'autres explications. Elle plaça l'assiette plus près de Leah. Coffee s'avança et posa la tête sur les genoux de Leah, dans l'espoir d'avoir quelque chose à manger.

Leah s'éveilla à la lumière du jour dans le lit de sa fille, un matelas sur le plancher. De fait, elle avait dormi sur le couvre-lit. Dessous, le drap était raide, comme si Allie avait renversé du coca et l'y avait laissé sécher. Quand Clara lui avait ouvert la porte de l'appartement, sa fatigue avait triomphé de sa curiosité pour l'endroit où vivait sa fille. Elle s'était lavé rapidement le visage à l'eau chaude, s'était brossé les dents et avait quitté ses vêtements sales pour les remplacer par un immense tee-shirt sur ses seins nus et une culotte. C'était tout ce qu'elle avait fait entre son entrée dans l'appartement et sa chute dans un profond sommeil.

Leah resta un moment allongée. L'environnement lui était si peu familier qu'elle fut d'abord incapable de se rappeler où elle était. Puis, elle entendit un jappement sur le palier et le bruit d'une porte qui se ferme. Coffee. Clara avait insisté pour le garder une autre nuit.

« Vous connaissez pas le quartier, où le faire courir, et ce chien ici présent veut sortir à la première lueur de l'aube, avait-elle dit. Je vais le garder cette nuit. Prenez le temps de vous installer. »

« De toute façon, j'espère qu'Allie va revenir, avait alors dit Leah. Je ne peux absolument pas imaginer... mais je me répète toujours qu'il n'y a aucune raison de croire qu'il lui est arrivé un malheur. Après tout, elle n'est pas obligée de se rapporter continuellement à sa mère. Il y a un an et demi qu'elle vit seule ici. »

Sans dire un mot, Clara avait simplement ouvert la porte d'Allie et tendu la clé à sa mère.

Leah s'assit et observa les détails de la petite chambre que lui révélait la lumière grise. Quand elle vit l'installation de fortune d'Allie, elle se sentit coupable, comme si elle ne lui avait rien montré de la façon de tenir une maison. Tout était nu. Aucune touche personnelle, rien de joli, pas de tableaux pour faire une tache de couleur ou rappeler des souvenirs. À la fenêtre, un store vénitien, même pas égayé par des rideaux. Mais beaucoup de plantes. C'était peut-être un effort de décoration. Un bas de jogging sortait à moitié d'un tiroir ouvert de la seule petite commode. La porte entrouverte de l'armoire laissait voir un amoncellement sur le plancher : des souliers de sport, des chaussettes sales, un soutien-gorge jaune, un cahier de notes et un tee-shirt à l'envers. Une veste, pendue à côté des robes d'été que Leah lui avait envoyées au printemps. Rien d'autre.

Elle avait tellement faim qu'elle se sentit étourdie. Dans le réfrigérateur, elle ne trouva que de la moutarde, du ketchup, des marinades, un morceau de pizza emballé et des bagels rassis. Il y avait bien un quart de litre de lait, mais il avait suri et, de toute façon, il n'y avait pas de céréales. C'était étrange parce qu'Allie adorait le muesli avec des raisins et des bananes, même pour le déjeuner ou le dîner. Par contre, Coffee aurait pu se sustenter le reste de ses jours avec la provision de nourriture pour chien qu'Allie avait posée à côté d'un bol à mélanger et d'une cocotte, tous deux remplis d'eau. Il était évident qu'Allie savait qu'elle partait pour quelque temps. Peut-être même avait-elle laissé sur la porte de sa voisine une note qui était tombée sans que Clara s'en aperçoive, une note qui lui demandait de sortir le chien et qui expliquait tout.

Leah entendit Clara sur le palier, mais elle fut gênée d'ouvrir la porte avant d'effacer le désordre qui régnait dans la salle de séjour. L'obscurité et sa fatigue l'avaient empêchée de le constater la veille. Comme si Clara n'avait pas déjà vu l'état dans lequel Allie avait laissé l'appartement ! Mais elle aurait pu avoir l'air d'attendre autre chose de Clara, peut-être de lui demander de la nourrir encore. Pourtant, elle devrait se décider à aller chercher le chien chez Clara. Elle devait se reprendre en main et décider ce qu'elle ferait.

Elle se sentit de nouveau étourdie. Très bien. Elle irait chercher le chien et quelque chose à manger. Il devait bien y avoir une petite épicerie de quartier non loin d'ici. Peut-être même un supermarché. Elle verrait bien. Et elle pourrait commencer à chercher Allie. Voilà. Voilà ce qu'elle ferait. Elle parlerait aux gens du quartier, leur montrerait la photo d'Allie. Sa fille devait avoir d'autres amies que Clara... des filles de son âge. Elle ne pouvait évidemment pas se confier à quelqu'un d'aussi vieux.

Elle prit une douche rapide. Allie avait laissé sur le carrelage des serviettes qui sentaient le moisi. Il y avait bien une armoire à linge, mais elle ne contenait ni serviettes ni draps propres, seulement des produits de nettoyage qui, à voir l'apparence de l'appartement, représentaient des dépenses en pure perte. Allie avait du shampooing et de l'après-shampooing dans la douche, dont se servit Leah. Des cheveux noirs de sa fille ralentissaient l'écoulement de l'eau, comme quand elle habitait à la maison. Leah se rappela le jour où Allie avait pris des ciseaux et coupé les tresses qui lui pendaient dans le dos à la base de son cou. « Pourquoi Allie ? » lui avait-elle demandé sans fin, dans l'espoir d'obtenir une réponse logique. « Pourquoi as-tu coupé tes magnifiques cheveux ? » Quand elle se retrouva debout et nue, elle s'essuya le corps et s'épongea les cheveux de son mieux avec des essuie-mains. Elle se retrouva soudain plongée dans ses souvenirs, la peur et les larmes. *Dis-moi seulement pourquoi.*

En entendant frapper à la porte de l'appartement, Leah s'empressa d'enfiler sa culotte et un jean en criant qu'elle arrivait. Elle eut plus de difficulté à mettre son chemisier blanc sur sa poitrine humide et sans soutien-gorge. Elle finit de se couvrir à la hâte en traversant la salle de séjour.

C'était Clara, qui tenait une grande tasse de café noir

et une assiettée de pain de maïs odorant, avec du beurre fondant dessus et un couteau posé à côté.

« Oh ! Clara, que vous êtes gentille. C'est adorable. Je vous remercie infiniment, dit-elle.

Clara lui sourit.

– Ce n'est rien. J'ai pensé que vous auriez faim. Comme Alyssa aime mon pain au maïs, j'ai pensé que sa maman aussi l'aimerait peut-être. »

Leah essaya de se rappeler si elle avait déjà fait du pain au maïs à Alyssa. Peut-être que non. Mais elle faisait quand même de bonnes choses, qu'Allie aimait, n'est-ce pas ? C'était à la demande de sa fille qu'elle avait cessé ses envois de nourriture. Sinon, elle lui en aurait toujours envoyé et Alyssa n'aurait pas été obligée d'aller quêter des plats maison dans les cuisines d'étrangers. *Voilà que je deviens mesquine,* pensa Leah.

« Entrez, je vous en prie. C'est un peu ridicule à dire, mais pourquoi n'apportez-vous pas votre café ici ? Allie ne semble pas en avoir, mais, pour être honnête, je n'ai pas cherché beaucoup. J'ai juste eu le temps de me lever et de prendre une douche. »

Elle haussa les épaules d'un air embarrassé.

Clara portait une robe simple, longue, dans un imprimé qui paraissait africain. Ses cheveux étaient longs, pas afro mais pas raides non plus. Elle avait aux oreilles de longues boucles pendantes en argent. Leah, qui ne se préoccupait pourtant presque jamais de son apparence, se sentit tout à coup négligée. Elle tenta d'enrouler la petite serviette qu'elle avait à la main autour de sa tête, ce qui ne fit qu'empirer la situation.

« Je peux le faire si vous voulez quelques minutes de compagnie.

– Et pourquoi n'en profitez-vous pas pour emmener

Coffee – le chien, je veux dire[1] – en même temps que votre café ? J'avais pensé sortir pour me mettre à la recherche d'Allie et l'emmener avec moi.

Il lui semblait poli d'inviter Clara à entrer, même si elle avait hâte de se mettre à la tâche pour retrouver Allie.

– Bien sûr. Je vous l'amène, dit Clara après une courte hésitation. »

À son retour, le chien gambadait impatiemment autour d'elle. Elle avait une autre tasse de café dans la main et un journal sous le bras, qu'elle déposa sur ce qui servait de table basse dans la salle de séjour d'Allie. Sur cinq colonnes à la une, il était question de Monica Lewinsky et de la recherche de la mère du nouveau-né trouvé mort dans une station de métro.

« J'ai pensé que vous aimeriez aussi regarder le journal, dit Clara. Vous pouvez le garder, j'en ai fini.

– Merci. Comment cette fille a-t-elle pu ne pas voir dans quelle galère elle s'embarquait ?

Leah s'assit en face de Clara et lui indiqua le journal avec sa brosse à cheveux. Elle pouvait au moins se brosser les cheveux et mettre ses souliers tout en prenant son café.

– Personne sait ce qui se passe dans la vie des gens, je suppose. C'est probablement juste une jeune fille qui sait pas où aller, quoi faire.

– Elle travaillait quand même à la Maison-Blanche. Elle est diplômée d'université. Je ne veux pas la blâmer, mais je trouve qu'elle aurait pu y penser à deux fois avant de s'engager dans cette situation.

1. Café se dit « coffee » en anglais. *(N.D.T.)*

– Oh ! Vous voulez parler de... je parlais de la mère du bébé, dit Clara. La station de métro, elle est près d'ici, alors j'y songe. Quel drame.

– Oh ! Je parlais de l'affaire Clinton.

Clara regarda Leah un instant, puis se détourna.

– Comment je peux vous aider ? demanda-t-elle.

– Pouvez-vous m'indiquer comment me rendre sur le campus ? J'ai pensé interroger les gens au hasard. J'ai une photo de ma fille.

– C'est terriblement grand, lui objecta Clara. J'ai travaillé là-bas dix-sept ans. J'ai même jamais essayé d'apprendre le nom de chaque édifice.

– Il faut bien que je commence quelque part.

Clara posa de nouveau un regard scrutateur sur Leah, qui ne sut pas comment l'interpréter, mais enregistra l'expression. Impénétrable. Elle pourrait la peindre.

Clara entraîna Leah vers la fenêtre, du côté de la maison qui donnait vers la baie, et lui montra le début du trajet jusqu'au campus, par Dwight Way, Telegraph Avenue et Sather Gate. Elles regardaient vers l'ouest.

– On peut pas la voir, dit Clara, mais le soleil va nous débarrasser de ce brouillard. Dans les collines, vous allez voir la baie. On la sent partout où on est. Toute la ville a l'air de glisser dedans.

Leah l'écoutait, une tranche de pain au maïs dans une main et son café dans l'autre.

– Vous regardez toujours où est la baie, poursuivit Clara. C'est toujours l'ouest. Pour revenir, vous montez la colline, et la baie doit toujours être dans votre dos. Ça va être une belle journée, mais vous allez avoir besoin d'une veste. En avez-vous une ? Le gros manteau que vous aviez hier est bien trop lourd.

– J'ai apporté un sweat-shirt et une veste. Je vous remercie beaucoup, Clara. Vraiment. Ce petit déjeuner est délicieux, et j'apprécie tout ce que vous avez fait. Pour Allie, je veux dire. Et pour moi maintenant.

Elle avait honte des mouvements de jalousie qui couvaient en elle.

– C'est rien, trésor. Il faut s'aider les uns les autres, dit Clara.

Elle jeta un coup d'œil sur le journal et hocha la tête.

– Je m'en vais, à présent. Vous feriez mieux de garder Coffee en laisse. Vous connaissez les chiens ?

– Non, je n'ai jamais vraiment pu en avoir.

Quelle chose stupide à dire. Ici, Allie en gardait un dans un appartement.

– Mais ça va aller. Nous allons bien nous entendre. J'aime les chiens. »

Comme pour prouver sa sincérité, elle se pencha pour caresser Coffee qui avait suivi Clara sur les talons jusqu'à la fenêtre.

Une fois sur le campus, dans les restes du brouillard matinal, Leah comprit ce que Clara voulait dire. Elle avait été bien folle de croire qu'elle pourrait retrouver Allie dans ce campus tentaculaire. Après une heure, Leah cessa de s'approcher des jeunes filles avec la photo d'Allie, prise lors de la remise des diplômes au collège, et commença à rechercher celles qui avaient la taille d'Allie et des cheveux de la même couleur. Elle arpenta le campus d'un bout à l'autre, des immeubles dans le style de l'Antiquité grecque à ceux qui reproduisaient les premières missions en Californie. Plus tard, à l'extérieur du campus, elle observa les hippies qui avaient installé des tables sur les trottoirs de Telegraph Avenue, où ils vendaient bijoux, objets en cuir, tee-shirts en batik et encens. C'était probablement là qu'Allie avait acheté le collier qu'elle lui avait offert. Leah vit la même association de l'argent et du jade, mais aucun bijou n'était exactement semblable au sien, ce qui la réjouit. Elle porta la main à son cou pour faire rouler le jade entre ses doigts. Allie. *Allie, ma chérie, reviens tout de suite à la maison.* Quand Allie était petite, elle répondait rapidement à l'appel de sa mère. Le soleil fit lever le brouillard, qui se réfugia derrière elle, dans les collines. Elle avait maintenant compris qu'il était vain de montrer la photo d'Allie, même à ceux qui portaient l'uniforme des étudiants, jean et sac à dos noir bien plein. *Une aiguille dans une botte de foin, Leah.* Clara avait été trop délicate pour lui dire que son idée était stupide. Coffee tirait sur sa laisse. Un chat roux passa insolemment devant lui en prenant tout son temps.

Dans une épicerie, Leah acheta tout ce qu'elle crut pouvoir rapporter à l'appartement sans perdre le contrôle du chien. Quand elle sortit, la laisse attachée à un parc-mètre était enroulée autour de l'une des pattes postérieure de Coffee, qui aboyait frénétiquement.

« C'était pas une bonne idée, hein, mon garçon ? » dit-elle en le libérant.

Ça n'allait pas. Peut-être devrait-elle appeler Dennis.

De retour à l'appartement, elle rangea le pain, les bananes, le muesli, le jambon de dinde, les sachets de thé, le café moulu et deux repas congelés au poulet qu'elle avait achetés. Quand elle ouvrit la nouvelle boîte de biscuits pour chien, Coffee s'assit aussitôt en gémissant d'impatience. Elle devait réfléchir. Mieux s'organiser. Pourquoi ne pas en avoir profité pour poser des affiches photocopiées, « Personne disparue », pendant qu'elle se promenait partout comme une idiote ?

Elle pourrait appeler au bureau du registraire et demander si Allie assistait à ses cours. Fouiller l'appartement pour trouver les noms des amis de sa fille. *Sois méthodique,* se dit Leah. *Méthodique et calme.*

Elle commença par nettoyer l'appartement et à y mettre de l'ordre. Une excuse pour examiner toutes les armoires et tous les tiroirs qu'elle eut l'occasion d'ouvrir. Elle arrosa les plantes sur l'étagère sous la grande fenêtre, sans avoir l'impression de fouiner. Allie avait le pouce vert, c'était évident. Le lierre et les fougères étaient luxuriants, même s'il s'agissait de plantes difficiles à garder. Il y avait aussi un orpin, un aloès et une plante grimpante que Leah ne put identifier. Un jeune ficus était couvert de nouvelles pousses tournées vers le soleil. Leah aurait été bien incapable de dire combien de ces plantes elle avait fait mourir elle-même.

Il y avait des factures sur le bureau d'Allie, sous la fenêtre qui donnait sur la rue. Leah n'en vit aucune en souffrance. Elle les attacha ensemble avec un trombone et ouvrit le tiroir du haut du bureau où des papiers étaient empilés selon un ordre qui n'était pas manifeste. Des écritures d'enfants : hésitantes et colorées, illustrées avec des personnages formés de bâtonnets et des arbres ressemblant à des sucettes. Des lettres adressées à Allie et un certificat de Reconnaissance pour le travail d'Alyssa Staton au sein du programme d'alphabétisation de la bibliothèque. *Je t'aime*, disaient deux lettres de petites filles, Lashonda et Tiara. Dans une autre pile, des papiers relatifs à des dons de sang, des remerciements et les heures et les endroits des cliniques de don du sang. Une carte mentionnait Alyssa comme un donneur de type B positif. Pas le type le plus rare, comme une orchidée exotique, mais pas non plus le type bien courant de Leah, avec son A positif.

Elle jeta des sacs vides qui traînaient et ramassa les vêtements sur le canapé et le plancher. Elle réussit à reconstituer une paire de chaussures, dont l'une était sous le fauteuil rembourré et l'autre sous la table dans la cuisine. Tout en se sentant coupable, elle fit l'inventaire des déchets avant de les sortir, puis elle épousseta minutieusement la salle de séjour. Elle trouva un vieil aspirateur au fond d'une armoire. Elle le passa partout sur la moquette, toute feutrée et élimée, qui ne semblait pas avoir été nettoyée depuis des semaines, peut-être même des mois.

Elle lava la vaisselle qui traînait, dont des verres avec des résidus très difficiles à faire disparaître. En rangeant le tout, elle eut l'occasion d'ouvrir toutes les armoires de cuisine, mais leur contenu ne lui donna aucun indice.

Leah apporta dans la chambre les vêtements qu'elle avait ramassés et pliés. Évidemment, elle aurait pu les empiler sur le dessus de la commode, ce qui aurait signifié, aussi clairement qu'une note écrite, *Je ne veux pas m'immiscer dans ton intimité*. Mais elle ouvrit les tiroirs, un à la fois. Elle tenta de deviner ce qui allait dans chacun et y répartit les vêtements, sauf ceux qui étaient visiblement sales. Ce faisant, elle sortait d'abord tout ce qui était froissé et le repliait soigneusement. Ainsi, elle atteignit le fond de chaque tiroir pour voir si Allie, à la façon de toutes les femmes, n'y avait pas caché des souvenirs, rappels de souvenirs heureux ou honteux.

Apparemment non. Jusqu'au tiroir du bas. Là, consciencieusement empilés, Leah trouva quelques photos et papiers. Une photo de Dennis sur un bateau à voile, quand il avait encore les cheveux noirs. Une photo d'Allie et de sa mère. Leah s'en souvenait. Elle avait été prise à l'extérieur par Esther, le dimanche de Pâques de l'année des neuf ans d'Allie, la bonne année. Les bras d'Allie entouraient la taille de Leah, qui la serrait contre elle. Elles avaient toutes les deux tourné le visage de côté pour sourire à l'appareil photo. Leurs cheveux brillaient. Toute la photo respirait le bonheur. Une carte d'anniversaire, venant de chez un fleuriste et signée *Howie,* se trouvait avec les photos. Il y avait aussi quelques-unes des lettres que sa mère avait écrites à Allie au cours de l'année, mais Leah n'y trouva pas de signification particulière, ni d'indice sur la raison qui avait amené sa fille à conserver celles-là. Elles contenaient seulement des nouvelles de la vie quotidienne et se terminaient en disant à quel point Leah s'ennuyait de sa fille. Rien de spécial.

Derrière tout cela, à l'arrière du tiroir, un paquet était enveloppé dans des feuilles de papier de soie que Leah prit bien soin de ne pas déchirer ou froisser. Une toute petite paire de mocassins perlés blancs, miniatures, apparut sous six ou sept couches de papier.

Plus tard, en se souvenant de ce moment, Leah penserait que, si elle s'était frappé le front ou si elle avait dessiné une ampoule au-dessus de sa tête, la scène aurait été presque drôle. Elle n'y avait jamais songé ! Et Clara ?

Les mocassins de bébé dans une main, elle alla frapper à sa porte. Des coups forts, presque accusateurs. Quand Clara ouvrit, Leah lui tendit les petits souliers dans sa paume. Oui. Elle était au courant. Leah vit le visage de Clara tressaillir avant même de réussir à formuler ses mots.

« Clara, Allie est-elle enceinte ?

– Ça se peut, répondit doucement Clara. Oui. Mais j'ai aucune raison de... entrez donc. On va réfléchir pour une solution.

– J'appelle la police, dit Leah.

Comment Clara avait-elle osé ne pas lui en parler dès le début ?

– Je vais leur dire qu'elle a disparu. J'aurais déjà dû le faire.

– M'dame Pacey, vous allez peut-être créer beaucoup d'ennuis à votre fille, dit Clara.

Coffee aboyait derrière la porte d'Allie.

– Si elle est enceinte, je vais l'aider. Ce n'est quand même pas illégal d'être enceinte ! »

Chapitre 10

Un matin, Alyssa se sentit assez bien pour se lever. Elle mit le pantalon neuf que Dara avait posé sur son sac à dos vide, avec la monnaie du billet de vingt dollars qu'Alyssa lui avait donné. Dara lui dit qu'on était jeudi.

« T'as dormi une éternité, ajouta-t-elle en la croisant dans le couloir.

Elle portait un sweat-shirt et un short en denim. Ses jambes maigres semblaient brillantes sous des bas bon marché. Triste imitation d'une mère de banlieue au bord de la crise de nerfs.

– Je t'ai apporté de l'eau, ma fille, comme tu m'as demandé.

– Quand je t'ai demandé ?

Elle avait un horrible goût métallique dans la bouche, comme si elle avait mâchouillé du papier aluminium. Elle avait hâte de se rincer les dents et de se brosser les cheveux.

– Percocet, Percocet, Percocet. Ça fait toujours ça. Mais tu te sens beaucoup mieux, pas vrai ?

– Pardon ?

– La douleur, petite. T'as pas les idées claires. Il t'en reste quatre ou cinq dans la tasse sur la commode. Un cadeau de Lenny. Une récompense pour avoir payé ta chambre une semaine d'avance.

– Je dois y aller, dit Alyssa en repoussant une mèche de cheveux, si sales que ses doigts étaient poisseux quand elle les retira de sa tignasse emmêlée et huileuse.

– Bien sûr que oui. T'as des choses à faire. Des endroits à visiter...

Alyssa serrait sa brosse à cheveux contre ses seins lourds. Son chemisier était trempé. Elle discernait sa propre odeur. Dara devait la sentir, elle aussi. Probablement qu'elle s'en fichait.

– Des gens à voir, chantonna Dara, comme s'il s'agissait d'un opéra, avec des gestes gracieux, vestiges d'un passé plus heureux.

Elle réussit à distraire Alyssa.

– Des choses à faire, répéta-t-elle en écho d'une voix éteinte.

– Alors, tu dois partir. Ramasse tes affaires et fiche le camp.

– Merci, Dara.

Alyssa se rappelait ses bonnes manières. « Peu importe à qui tu parles, Alyssa, disait sa grand-mère, n'oublie jamais tes bonnes manières. »

– Dieu te bénisse, petite, dit Dara en l'embrassant sur le front. »

Elle sentait la poussière. Ses bras maigres étaient perdus dans les larges manches de son sweat-shirt. Alyssa pensa un moment à une goule, mais se reprit aussitôt, honteuse. Dara et Lenny n'étaient pas si mauvais. Elle se souviendrait d'eux, reviendrait peut-être les voir. Selon Dara, les chambres du cinquième avaient une salle de bains privée. Ce n'était pas rien. Ça valait la peine d'y réfléchir.

Elle passa presque toute la journée assise dans le hall du terminus d'autobus, dans Mission Street. Pour passer inaperçue, comprit-elle, il suffisait de se tenir parmi des gens auxquels personne ne s'intéressait. Et d'observer leurs allées et venues, leurs grognements et leurs grattements. De tendre l'oreille vers un cri éventuel ou un accès de colère. Tout en observant, elle démêla ses cheveux sales avec ses doigts et se fit une tresse. Elle n'avait ni barrette ni élastique, mais la saleté rendait sa chevelure si lourde qu'elle tint par elle-même. À la tombée de la nuit, quelque part derrière l'horizon de la ville, elle se sentit prête à trouver un signe qui lui indiquerait précisément quoi faire.

Ce signe lui apparut sous la forme du chien d'un cul-de-jatte, un petit animal aux longs poils bouclés qui dansait sur ses pattes postérieures devant le McDonald's en face du terminus. Quand l'horloge au-dessus du guichet marqua dix-huit heures, elle pensa dîner d'un milk-shake au chocolat, pour avaler deux cachets de Percocet, pris dans la poignée que Dara avait glissée dans la poche de son sweat-shirt, en guise de cadeau d'adieu. Mais elle avait si mal aux jambes. Si elle allait baisser son pantalon dans les toilettes du terminus, violemment éclairées au néon, elle était certaine de les trouver couvertes d'ecchymoses, comme celles de Dara. Même si elle portait quatre tee-shirts sales l'un par-dessus l'autre sous son sweat-shirt, ses seins qui coulaient avaient tout trempé. Elle se retrouvait avec une armure raide et glacée. L'odeur du lait et l'humidité de ses vêtements ne la gênaient pas – elle se sentait maintenant chez elle dans le no man's land des clochards et des drogués –, mais ses seins lui faisaient mal. La douleur, constante, aiguë et poignante, lui semblait venir des organes internes de sa poitrine, le cœur et les poumons. Le Percocet réglerait ce problème. Dès le début, Dara lui avait promis que le Percocet serait un baume pour elle, et elle avait raison. Alyssa se leva du banc en plastique du terminus et traversa la rue pour commander un mille-shake, un moyen. Après avoir posé son sac à dos sur une table vide jonchée de papiers sales, elle tira deux comprimés de Percocet de sa poche et les avala avec le mélange sirupeux au chocolat. Quand elle sortit par les lourdes portes vitrées, son verre lui glissa des mains – de toute façon, elle n'en voulait plus, c'était trop sucré – et éclaboussa le cul-de-jatte sur sa petite table roulante. Mais le chien, tout heureux de l'aubaine, lui fit sa drôle de danse. Alors, déjà engourdie par les pilules, elle perçut un signe : elle devait rentrer à la maison pour voir comment allait Coffee.

Sans difficulté, elle acheta un billet aller-retour pour Berkeley et monta dans l'autobus avec un groupe de passagers aussi déguenillés qu'elle. Elle aurait aimé rester assise seule – l'odeur de lait suret – mais le conducteur s'éternisa à faire monter des gens âgés qui ressemblaient à des réfugiés d'une guerre urbaine avec leurs boîtes en carton ficelées et leurs sacs en papier tachés de graisse. Le chauffeur attendit que tous les sièges soient occupés pour consentir à faire démarrer son moteur et aller se placer à la file derrière les autres autobus en partance. Pendant le voyage aux nombreux arrêts le long de la baie jusqu'à Berkeley, elle partagea son siège avec une femme obèse, plus grosse qu'elle et peut-être un peu plus vieille. Ses inspirations sonores d'asthmatique étaient suivies d'expirations légères, ponctuées de « heu », aussi régulièrement que le tic-tac du métronome de sa grand-mère, dans l'étagère de la salle de séjour de leur petite maison.

En souvenir du piano droit qu'on n'avait pas réussi à caser.

Alyssa se réjouissait de l'obscurité. Dans sa chambre du Bay Breeze, sous les couvertures élimées, elle ne faisait pas de différence entre le jour et la nuit. Le sommeil était le même sous le soleil ou sous la lune. À Berkeley, avec les vieux immeubles peu éclairés de Shattuck Avenue, il faisait vraiment nuit noire. En remontant Dwight Way, elle traversa des portions de trottoir dans l'obscurité complète. Elle amènerait Coffee au campus de Clark Kerr et le laisserait courir sur la pelouse. Le soir, cela ne causait aucun problème. L'endroit était sûr, séparé de la rue par les vieux dortoirs de l'ancienne école pour aveugles. Elle pourrait le laisser s'ébattre sans s'inquiéter de se sentir si engourdie, un peu nauséeuse et migraineuse. Pourvu que Clara ne soit pas chez elle. Elle n'était pas encore prête à parler à Clara.

Ce fut seulement après avoir ouvert la porte qu'elle aperçut de la lumière dans la cuisine. L'impatience avec laquelle Coffee avait gratté le panneau lui avait fait craindre qu'il enfonce la porte avant qu'elle réussisse à la déverrouiller. Des ennuis à venir avec Huddie aussi. Coffee aboya, l'embrassa et se remit à aboyer. Elle laissa tomber son sac à dos et s'assit à terre à côté de lui. C'est ainsi qu'il lui fallut un certain temps pour s'apercevoir non seulement que la lumière était allumée dans la cuisine mais que... son appartement avait changé.

Coffee allait bien. Il sentait bon et ne semblait manquer de rien, pas de nourriture en tout cas. Ce fut la première chose qu'elle vit. La cocotte et les bols d'eau supplémentaires n'étaient plus sur le plancher de la cuisine, là où elle les avait laissés. Un bol d'eau et une casserole vidée à coups de langue étaient bien posés côte à côte près de l'évier, comme une paire de chaussures bien rangée dans une armoire. Et le plan de travail était dégagé, sauf pour un filtre à café posé sur une des tasses jaunes, achetées dans une brocante. *Boucle d'or,* songea-t-elle pendant que Coffee se frottait contre sa jambe pour se faire caresser. Elle ferma les yeux bien fort pour s'empêcher de crier. *Qui a dormi dans mon lit?*

Deux bananes dans un bol. Dans le réfrigérateur, du lait frais, des tranches de dinde, trois oranges, un bol à mélanger de Clara couvert de papier aluminium. Coffee se rapprocha, intéressé par la dinde.

« Non, Coffee. Non, mon garçon. »

Elle referma la porte du réfrigérateur. Elle se rappela alors que la lumière de la cuisine était allumée avant son entrée dans l'appartement. Dès qu'elle eut traversé la moquette bien propre de la salle de séjour pour entrer dans sa chambre, elle sut que c'était Leah. Son matelas était nu et elle vit une étiquette bleue à la place des oreillers où Lazzie était assis, le menton tombant tristement sur sa poitrine. Le sac de voyage souple de sa mère – celui qu'Allie prenait lorsqu'elle allait dormir chez son père – était posé, à moitié vide, sur la berceuse dans un coin.

Elle allait revenir.

Alyssa n'aurait pas le temps de prendre une douche, mais elle se dirigea néanmoins vers la salle de bains. Les serviettes qu'elle voulait prendre – celles qu'elle avait laissées sur le plancher – avaient disparu. Des serviettes hygiéniques alors. Elle pensait en avoir sous le lavabo, celles qui lui restaient d'avant. Mais non. Si elle louait une chambre du Bay Breeze avec salle de bains privée, au cinquième, il lui faudrait du savon. Elle prit la savonnette sur le lavabo : Dove, la marque de sa mère. Il lui faudrait aussi du shampooing. Elle prit la bouteille à moitié pleine dans la douche. Accroché au porte-savon sous les robinets, elle aperçut le collier en argent et en jade qu'elle avait offert à sa mère à Thanksgiving. « Je l'aime », avait dit Leah en serrant le jade entre ses doigts. Alyssa tendit la main vers le morceau de jade poli – « J'y vois un cœur, pas toi ? » – et décrocha la chaîne du porte-savon. Au bout de ses doigts, elle se balançait au rythme de son pouls, comme l'amulette d'un hypnotiseur. Elle l'enroula dans sa paume et la glissa dans la plus petite pochette à fermeture Éclair de son sac à dos.

Il ne lui restait pas beaucoup de temps.

Elle ne trouva son jogging gris ni dans son armoire ni dans sa commode. Mais son bleu marine, déchiré à la fourche, était soigneusement plié dans le tiroir du bas. Après avoir posé son sac à dos sur le matelas, elle y fourra le pantalon et deux chemisiers en flanelle. Puis le shampooing et la savonnette. Des culottes propres, une poignée. Un pot de beurre d'arachide dans l'armoire de la cuisine. Elle y ajouta une boîte de muesli neuve qui s'y trouvait aussi. Il restait juste assez de place pour Lazzie, sur le dessus du sac où, s'il voulait respirer, il pourrait passer la tête par l'ouverture.

Croyant sentir l'approche d'une promenade, Coffee jappait sans arrêt. Je n'en peux plus, lui disait-il. Je veux partir avec toi.

Elle l'emmènerait. Elle trouverait sa laisse, prendrait de la nourriture à chien dans un sac et partirait avec lui. D'abord trouver la laisse. *Pense comme Leah.* « Chaque chose à sa place, remets-la à sa place, pour la retrouver facilement. » Où Leah mettrait-elle une laisse ? Pas dans le tiroir à ustensiles, pas sur la table de la salle de séjour. Pas sur le plan de travail. *Réfléchis. Réfléchis.* Elle retourna dans la chambre et ouvrit l'armoire où elle remarqua une séparation bien nette entre ses vêtements, suspendus du côté gauche, et les quelques effets de sa mère à droite. Une veste en tricot, un pull-over noir, le sarrau de peintre de Leah avec les poignets retournés. La veste – elle pourrait être utile dans les rues venteuses de la ville. Alyssa la décrocha du cintre – *vite* – et l'enfila. Un cliquetis fit bondir Coffee sur elle.

« En bas ! En bas ! »

La laisse était dans la poche de la veste, la poignée en cuir enroulée autour de la chaîne.

Leah avait promené son chien. Non seulement l'avait-elle promené, mais elle l'avait laissé courir dans des endroits sûrs, près de la maison, peut-être, ou au cœur de la nuit, quand les voitures se font rares. Puis, elle avait glissé la laisse dans sa poche, sans la ranger, jusqu'à la prochaine promenade.

Leah avait nourri son chien. Si elle avait trouvé la brosse à chien sur le dessus du réfrigérateur, elle l'aurait aussi brossé. Alyssa pourrait-elle en faire autant pour lui, coincée dans sa petite chambre de Bay Breeze ? Les rues de Tenderloin lui seraient-elles aussi accueillantes que les curieux trottoirs pentus de Berkeley ? Où, à San Francisco, pourrait-il courir sans laisse comme à Clark Kerr et au People's Park ?

Coffee était plus en sécurité ici, avec Leah. Et Clara. Deux femmes qui savaient comment en prendre soin. Pour l'instant, elle était incapable d'en faire autant. Son chien serait mieux avec Leah. Il s'ennuierait d'elle, mais elle reviendrait bientôt et tout s'arrangerait. Pour l'instant, elle avait une vérification à faire et elle ne pouvait se permettre de voir sa mère. Trop de questions auxquelles elle ne pourrait répondre, pas tout de suite. Elle prendrait ses effets, dirait au revoir à Coffee et se glisserait hors de l'appartement avant que personne sache qu'elle y était venue.

Un biscuit empêcherait Coffee d'avoir le cœur brisé, songea-t-elle. Évidemment, il y avait une nouvelle boîte de biscuits dans l'armoire, à l'endroit même où la boîte vide était depuis des semaines. Elle en sortit deux. Coffee s'assit, sans qu'elle le lui demande, et attendit.

« Bon chien, dit-elle en approchant le biscuit de sa gueule. Tu grandis, Coffee.

Il était déjà prêt pour le deuxième. Elle s'accroupit et le serra dans ses bras. Elle l'entendit avaler goulûment tout en lui donnant des baisers mouillés sur le visage.

– Sois sage, Coffee. »

Mais, avant de sortir, elle fit l'erreur de se retourner vers la cuisine où il était sagement assis, dans l'espoir d'un troisième biscuit. Sur le plan de travail, à côté du téléphone que Leah avait déplacé, elle vit les mocassins de bébé. Ceux qu'elle avait achetés à la table de l'association pour la lutte contre le sida où, avec chaque vente, ils donnaient un dépliant sur la maladie. Elle croyait – elle n'était plus certaine de rien – les avoir cachés quelque part, sous des vêtements ou derrière des livres.

Elle traversa la salle de séjour pour aller les chercher et les regarda fixement en les balançant dans sa main. Si petits. Pour des petits pieds. Des pieds de bébé.

Des pieds de nouveau-né.

Leah était sortie seulement pour porter les draps et les serviettes à la laverie automatique, dans Haste Street. Combien de temps avait-elle été partie ? Une heure ? Une heure et demie ? Assise pendant le lavage, puis le séchage, elle avait dessiné le visage impénétrable de Clara, si plein de sagesse. Leah lui en voulait de ne pas lui faire entièrement confiance, mais comme l'inverse était vrai, ce n'était que justice. Malgré tout, elle s'était laissé convaincre par Clara de ne pas appeler la police tout de suite.

« Donnez-lui du temps, m'dame Pacey, avait-elle dit. Autant que je sache, elle a personne d'autre que vous, et peut-être ce grand garçon maigre...

Et moi, Clara, la femme qui a pris soin d'elle, s'était-elle abstenue de dire dans l'air lourd du palier, comme si elle ne voulait pas blesser Leah.

– Je pense qu'elle va revenir, quand... Je pense juste qu'elle va revenir toute seule. Pour le chien. Pour s'assurer qu'il va bien.

– Mais, l'avait interrompue Leah, il y a beaucoup plus que vingt-quatre heures qu'elle est partie. Presque quatre jours à présent. Le service des personnes disparues est là pour ça. Vous pouvez y appeler vingt-quatre heures après la disparition.

Je n'ai pas besoin de la permission de Clara pour le faire, s'était rappelé Leah, mais elle avait attendu sur le palier que Clara lui explique sa réticence.

– M'dame Pacey, mon fils a été arrêté pour commerce de drogue.

Clara avait l'air calme, mais la souffrance et la honte se lisaient sur ses traits.

– La police l'a chargé de sept chefs d'accusation pour obliger la défense à négocier. Comme ça, la police a obtenu le temps de prison qu'elle voulait pour lui. M'dame Pacey, je sais pour sûr que mon fils vendait des drogues. Mais je suis aussi certaine que cinq des sept charges ont été fabriquées, pour qu'il soit pas admissible au programme de désintoxication et qu'il se retrouve en prison. Ils ont dit que la désintoxication, c'était trop facile. Je l'aurais pas cru moi-même, si Eddie, mon mari, avait pas parlé à un officier noir – Eddie avait travaillé avec son père pendant des années. Ce garçon, il s'est informé pour Eddie et il lui a dit que notre garçon avait fait enrager les policiers, qu'ils avaient décidé de lui régler son compte et que le procureur les avait appuyés...

Leah avait voulu protester de nouveau. La situation d'Allie était complètement différente.

Clara hocha la tête.

– Quand ils ont quelque chose dans le crâne, poursuivit-elle d'une voix vibrante, m'dame Pacey, ils se fichent de qui a besoin de quoi ou même de ce qui est vrai et de ce qui l'est pas. Je vous dirais pas ça si c'était juste mon opinion. J'ai vécu ici toute ma vie et je l'ai entendu dire par bien des gens. Des Noirs pour la plupart, c'est vrai, mais vous savez pas dans quel pétrin se trouve Alyssa. Si c'était moi, je les aiderais pas à la trouver, juste au cas où.

– Appelez-moi Leah, je vous en prie, avait murmuré Leah, qui ne savait que répondre. Je ne sais pas, Clara, je me sens irresponsable de ne pas demander à des professionnels de la rechercher.

Clara avait alors battu en retraite.

– Vous faites ce que vous trouvez le mieux. Je vous parle juste comme une mère parlerait à une autre. »

Mais Leah restait indécise. Les deux fois où elle avait pris le téléphone pour rapporter la disparition d'Allie, elle avait fini par le reposer. La méfiance de Clara envers la police jurait avec sa modération habituelle. Au bureau du registraire de l'université, on lui avait dit ne pas savoir si on pourrait lui donner des renseignements sur la présence d'Allie à ses cours. Après tout, c'était une adulte.

On allait vérifier et on lui en donnerait des nouvelles. Encore un jour. Je vais attendre encore un jour.

Et elle avait passé la plus grande partie du jeudi à attendre, l'angoisse coulant des pores de sa peau comme de la sueur. Elle avait récuré le plancher de la cuisine à quatre pattes et les joints du carrelage de la salle de bains avec une brosse à dents et de l'eau de Javel. Elle avait lavé les fenêtres et l'intérieur du réfrigérateur. Enfin, à la tombée du jour, quand il fut trop tard pour recevoir un appel du bureau du registraire, elle avait défait le lit. Elle avait ramassé les essuie-mains qu'elle avait utilisés et les serviettes qu'Alyssa avait abandonnées sur le plancher de la salle de bains. Si elle avait laissé Coffee à la maison, c'était qu'elle avait besoin des deux mains pour transporter le panier à linge. Elle avait marché jusqu'à la laverie automatique, à deux coins de rue, et avait attendu la fin des cycles plutôt que de faire l'aller-retour. Elle avait besoin des serviettes et elle en avait assez de dormir sur le couvre-lit en coton parce que les draps raides étaient inconfortables et, pour dire vrai, un peu répugnants. Qui sait ce qu'Allie avait renversé ?

En montant l'escalier menant au palier commun de Clara et d'Allie, elle entendit Coffee aboyer. Comme elle avait utilisé de l'assouplissant au séchage, les serviettes et les draps, soigneusement pliés dans le panier à linge, avaient une odeur agréable. Ils dégageaient encore un peu de chaleur qui montait du milieu de la pile. Leah portait le panier devant elle, pour protéger son ventre et sa poitrine du vent d'hiver humide qui venait de la baie. Elle regrettait de ne pas avoir mis sa veste. Un peu essoufflée par cette posture inhabituelle et soulagée de rentrer enfin dans l'appartement, elle ne remarqua pas tout de suite l'armoire ouverte dans la cuisine. Maniaque de l'ordre comme elle l'était, elle ne l'aurait même pas laissée entrouverte. Elle pensa d'abord à Clara, peut-être venue emprunter quelque chose. Elle alla dans la cuisine pour fermer l'armoire. La boîte de muesli n'était plus là. C'était étrange, mais pas inquiétant. Clara avait une clé. Quand Allie lui avait dit que Clara et elle s'empruntaient des choses, elle avait songé que cet arrangement devait surtout profiter à Allie.

Mais en se dirigeant vers la chambre, elle remarqua de petites anomalies. Dans sa propre maison, elle aurait immédiatement vu ce qui avait été déplacé ou ce qui manquait. Dans l'appartement d'Allie, elle dut réfléchir, observer et se rappeler. Quand elle alla porter les serviettes dans la salle de bains, il lui fallut bien trois minutes pour se rendre compte que le shampooing avait disparu. Ainsi que la savonnette sur le bord du lavabo.

Dans la chambre, un tiroir était ouvert. Leah sut aussitôt ce qui manquait : un pantalon molletonné. Elle en était certaine parce qu'elle avait songé à le laver, mais elle avait décidé de ne pas le faire parce qu'il lui paraissait propre.

Leah hésitait à se rendre à l'évidence. Allie ne serait pas rentrée à la maison pour repartir aussi vite. Et elle ne se serait pas nécessairement aperçue que sa mère était là. Distraitement, Leah porta la main à son cou pour tripoter son collier en argent tout en réfléchissant. Il n'était pas là. Pendant une ou deux secondes, elle s'affola, refusant de croire qu'elle avait eu la malchance de le perdre. Elle se souvint tout à coup qu'il s'était mêlé à ses cheveux quand elle avait pris une douche le matin. Elle avait dû l'ôter pour le libérer et l'accrocher au porte-savon.

Mais il n'était pas dans la salle de bains non plus. Sa mémoire lui faisait-elle défaut ? Elle essaya de se rappeler où elle avait vu son collier la dernière fois. Il lui fallait absolument le retrouver, ce cadeau d'Allie d'où elle tirait son dernier espoir.

Les griffes de Coffee, qui la suivait vers la cuisine, cliquetaient comme des aiguilles à tricoter sur le plancher. Peut-être y avait-elle apporté son collier pour le débarrasser des cheveux qui s'y étaient emmêlés. Elle regarda sur le plan de travail. Il manquait autre chose. Elle ne trouva qu'au bout d'une longue minute : les mocassins. Les petits mocassins blancs pour bébé. Elle les avait laissés sur le plan de travail. Allie était venue. Elle avait pris les mocassins, et le collier aussi. Elle avait pris la savonnette, le muesli et le pantalon molletonné. Elle n'était pas perdue, blessée ou en train de se faire avorter. Elle savait que Leah était là et elle devait savoir que sa mère était dans tous ses états. Elle était venue, avait pris ces choses hétéroclites et elle était repartie, sans même écrire une note.

Plus tard, Leah se souviendrait que c'était la colère – comment Allie avait-elle pu se comporter ainsi envers elle – qui, combinée à l'appréhension et à l'angoisse, avait mis fin à son indécision.

« J'appelle pour vous informer de la disparition de ma fille. Elle est partie depuis dimanche. Je crois qu'elle est enceinte. »

Alyssa suivit d'abord Piedmont Street vers le sud. Elle voulait s'éloigner au plus vite de l'appartement où les aboiements intermittents de Coffee troublaient la nuit, comme s'il était une alarme antivol vivante à la recherche d'un criminel. Heureusement, elle n'avait pas vu de lumière aux fenêtres de Clara. Le poids de son sac à dos, qu'elle avait rempli de nouveau, lui faisait mal aux épaules. Elle mit les mains dans les poches de la veste de sa mère et avança contre le vent qui, venant de la baie, s'engouffrait dans la vallée urbaine créée par Parker Street. Au coin de Derby et de Piedmont, elle se pencha vers l'avant et, pour soulager ses épaules, souleva les courroies du sac. Son chemisier, qui s'était réchauffé pendant son court passage dans l'appartement, était redevenu froid. Son nouveau bas de jogging aussi était humide entre les jambes. Les serviettes hygiéniques... non, elle n'en avait pas trouvé. Et elle n'avait pas songé à mettre un tee-shirt ou un essuie-mains dans sa culotte, obsédée par les messages codés de Leah dans tous les coins et recoins de son espace intime : *Je suis là. Je te cherche.*

Le vent avait chassé de sa tête l'image de sa mère et défait des mèches de sa tresse nattée à la va-vite. La tête penchée, pas à pas, elle descendit Derby Street jusqu'à Shattuck Avenue. Elle devait trouver de l'eau pour les Percocet et elle... – quelle était son intention quand elle était partie de San Francisco ? – et elle s'assiérait dès qu'elle le pourrait, puis ôterait son sac pour soulager ses épaules. Elle croisa une bande de jeunes Noirs, qui se chamaillaient et qui occupaient toute la largeur du trottoir, épaules et hanches soudées. Ils brisèrent leur formation pour la laisser passer, puis se retournèrent.

« Putasse ! lui lancèrent-ils. T'es laide comme un pou, la fille ! Hou ! Hou ! »

Mais ce n'était pas elle qu'ils voyaient. Pour le moment, elle était invisible derrière la chose grosse, puante et dégoulinante qui mettait machinalement un pied devant l'autre et qui scindait les bandes de voyous mal intentionnés par son seul silence. Des voitures passaient, leurs phares à haute intensité aussitôt mis en veilleuse, comme si un seul regard sur elle suffisait aux conducteurs. Comme les jeunes Noirs, ils lui indiquaient de continuer, de poursuivre son chemin, de s'en aller. Ils voulaient la voir disparaître dans la lueur rouge de leurs feux arrière et chasser son image de leur mémoire dans les gaz d'échappement.

Sur Shattuck, essoufflée et croyant avoir faim, elle tourna dans Adeline. Elle se rappela une cuisine. Une cuisine qu'elle devait garder propre. Autre chose aussi, quelque chose à faire... à vérifier. L'eau pour Coffee? Arroser les géraniums de Clara? Non, c'était fait. Pas ça. Pas nécessaire. Pas ça. Elle était irritée de ne pas trouver ce qu'elle devait faire. Quand elle l'aurait trouvé, tout irait bien. Elle pourrait se reposer, manger et dormir dans un endroit tranquille, longtemps.

De nombreux couples bouchaient l'entrée du métro et lui barraient le passage. Les hommes, sombres et sérieux, portaient des costumes. Les visages des femmes – aux joues brillantes sous des cheveux courts et lisses, de l'or aux oreilles – se durcirent quand elle les contourna. Elle tenait maintenant son sac sur l'estomac et sa forme lui rappelait quelque chose, quelque chose. Les femmes s'écartèrent de son chemin, jambes minces sur des talons aiguilles, et serrèrent leurs manteaux autour du cou, comme pour se protéger d'un virus porté par le vent. Alyssa descendit lentement les marches une à une, un pied après l'autre. Elle s'arrêtait sur chaque marche, pour retrouver son équilibre en s'accrochant à la rampe, puis elle repartait. Sous terre, sans le vent, elle reprit conscience de sa personne : ses cheveux lourds sur ses épaules, son nez qui coulait et qu'elle essuyait avec une main, devenue une patte humide, et le sac à dos serré sur son ventre, comme une bouée de sauvetage. Les passagers d'une rame en direction de l'ouest descendirent. Elle se plaqua contre le mur du couloir pour les laisser monter vers leurs existences au-dessus du sol. Attirée par le souvenir et par le poids de son sac qui la tirait vers l'avant, elle se dirigea vers la porte des toilettes. Elle se rappela enfin ce qu'elle voulait faire. Elle devait vérifier quelque chose. Dans la cuisine.

La femme naine devant un lavabo ne lui était pas inconnue. Elle portait un manteau jaune, un bonnet en laine rose, des mi-bas marine et un pantalon tout neuf, vert pistache. Comme si c'était une enfant qui l'avait habillée, ou qui s'était habillée seule, songea Alyssa. La naine se détourna de son reflet dans le miroir et examina Alyssa. Elle en fit un examen rapide et détaillé, passant de son visage à son sac à dos, pour revenir à son visage, puis à ses mèches de cheveux sales qui lui tombaient jusqu'à la taille, sans jamais regarder l'ensemble.

« Ma cuisine est sale. Ma cuisine est sale. Ma cuisine est sale, psalmodia la naine, de plus en plus fort. Ma cuisine est sale. Merde, merde, merde, merde, merde, merde.

Alyssa laissa tomber son sac à dos à côté d'elle sur le plancher. Lazzie, les yeux tristes et le visage blanc, apparut par l'ouverture. Elle pêcha deux Percocet dans la poche humide de son pantalon. Du sang sur sa main. Un bain lui ferait du bien. D'abord boire de l'eau, de l'eau pour un bain, quelque part. Après qu'elle aurait trouvé...

– Interdit aux enfants. Interdit aux enfants, les petits bâtards, les petits mendiants.

La naine s'agenouilla – elle avait à peine la taille d'une enfant – à côté du sac à dos d'Alyssa. Elle poussa Lazzie du doigt.

– Les petits bâtards, dit-elle en se relevant et en poussant Alyssa contre la porte entrouverte d'un compartiment. Sors d'ici!

Alyssa tomba en arrière, sur les toilettes, et referma violemment la porte du pied. Elle poussa le verrou en métal et entendit la chasse d'eau dans le compartiment voisin du sien. Puis un froissement de papier et un « Papier de merde! Nom de Dieu » marmonné. Sous la porte, son sac apparut, glissé sur le ciment sale par les mains tachetées et calleuses de la naine.

Puis, la voix de la naine, plus rapide, parut venir de l'extérieur des toilettes.

– Interdit aux enfants! Ma cuisine est sale! Il faut couper ces cheveux dégoûtants, de toute façon. Coupez ces cheveux!

Elle criait maintenant, excitée. D'autres voix se mêlèrent à la sienne.

– Attention, Lee, elle est folle!

– Pourquoi on n'a pas pris l'auto?

– ... les horribles problèmes de stationnement la semaine dernière...

– Lee, non!

– ... appeler Harry Porter, tu sais, le directeur du refuge...

– On a vu un policier...

– Burton va y aller... »

Un Percocet se coinça dans sa gorge. Elle avait essayé de retenir sa salive, comme Sharon lui avait montré à le faire en huitième, mais elle ne réussit à avaler complètement qu'un seul cachet. Le deuxième se prit dans sa gorge, comme des mots qui veulent sortir et qui sont avalés par accident. Elle aurait pu ouvrir la porte et aller chercher de l'eau au lavabo, mais la naine pouvait revenir et recommencer à crier. Elle se souvenait maintenant d'avoir laissé quelque chose ici, mais la naine n'en avait pas pris soin – *quelle erreur !* – aussi bien qu'Alyssa prenait soin de Coffee. Elle allait donc reprendre ce qu'elle avait laissé et tout recommencer à neuf. Et, cette fois, elle avait les mocassins, elle avait un endroit secret où vivre et elle avait même Dara et Lenny.

Mais elle avait froid, avec ses chemisier et pantalon trempés. Dans le sac à dos, sous Lazzie, il y avait des chemisiers en flanelle. Elle en enfila un par-dessus les couches mouillées qui lui collaient à la peau comme un châtiment. Elle en sortit un autre et le lissa sur ses genoux. Si elle avait froid, la chose aussi devait avoir froid et la flanelle lui serait douce, une garantie de chaleur propre.

Le compartiment voisin était maintenant vide. L'eau du lavabo coulait, quelqu'un toussa. Au loin, elle entendit la voix de la naine, mais comme elle lui parvenait à peine, elle ne s'en inquiéta pas.

« ... bâtards... couper les cheveux... propre... propre...

Le Percocet descendait lentement dans sa gorge. Elle se rappela les cours de sciences à l'école primaire. La souris dans l'épi de maïs. La mâchoire du serpent qui se décroche pour avaler la souris qui se débat. La musculature qui ondule d'un seul côté sous la peau du serpent. Elle tira le chemisier en flanelle sur ses seins mouillés. *Où était-ce ?* À peu près de la grosseur de Lazzie, mais sans fourrure. *Pas un ours, imbécile !* Les mots de la naine parurent se rapprocher, de plus en plus, comme un vautour se rapproche de sa proie.

– Vous allez faire quoi, vous allez faire quoi, vous allez faire quoi...

– Ça suffit, Molly. Montre-moi, c'est tout.

Une voix de femme saine d'esprit, assurée. Professeur Miller ?

– Bâtards !

– Dans le compartiment ?

– Compartiment, compartiment, compartiment !

– Ils sont pris au piège, Mol.

Alyssa entendit gratter sur la porte du compartiment. Les murs en métal vibrèrent.

– Allô ? Je suis officier de police. Puis-je vous aider ?

Alyssa sortit Lazzie de son sac et l'étendit sur le chemisier en flanelle posé sur ses genoux.

– Mademoiselle ? Je voudrais vous aider... ces gens à l'extérieur sont inquiets pour vous.

Elle replia le chemisier sur la poitrine de Lazzie, confortablement, et rentra le pan sous ses pattes et derrière son torse.

– Mademoiselle ? Si vous vouliez simplement me parler. J'aimerais savoir si vous allez bien.

Dans la pochette de côté de son sac, elle trouva les mocassins. Elle en prit un dans chaque main et examina le travail des perles. Évidemment, ils n'iraient pas à Lazzie. C'était un ours en peluche. Les mocassins étaient pour un bébé. Où était le bébé de Lazzie ?

– Mademoiselle ?

La voix venait maintenant du compartiment voisin du sien. Elle sentit la cloison mitoyenne trembler. Puis la voix lui parvint d'en haut.

– Mademoiselle ? Avez-vous besoin d'aide ? S'il vous plaît, ouvrez la porte pour que je puisse vous aider.

La femme officier était jolie, blonde comme Sharon, à peine plus vieille qu'Alyssa. Les gars dans la résidence de Tony disaient que, parmi les femmes, seules les lesbiennes étaient intéressées par le droit criminel. Ce n'était pas vrai. Cette policière avait un visage doux, un visage amical. Enfin quelqu'un qui pourrait l'aider, qui l'écouterait.

Elle pencha la tête, écarta une mèche de cheveux de son visage, remit les mocassins dans son sac et rendit son sourire à l'officier. Elle l'entendit sortir de son compartiment. Alors, Alyssa se leva, Lazzie serré sur ses seins trempés, et défit le verrou. La porte s'ouvrit lentement, entraînée par son propre poids. La jolie policière était devant elle, toujours souriante.

– Mademoiselle? Il y a des gens là-haut dans la rue qui se sont inquiétés pour vous...

– Va au diable ! » cracha la naine.

Elle se promenait d'un lavabo à l'autre et ouvrait tous les robinets qu'elle laissait ensuite couler. Une rame gronda dans le tunnel, vers l'est, vers la vallée. Si elle continuait et s'il y avait un tunnel de métro sous le continent, elle finirait par arriver à Philadelphie et à Princeton Junction.

« Molly, veux-tu les fermer, s'il te plaît, dit la policière à la naine sans quitter Alyssa des yeux. Je n'ai pas le goût de rire, Molly.

Alyssa tendit les bras, si fatigués maintenant, et offrit Lazzie à l'officier.

– Tu as un bel ours en peluche, ma petite.

Elle prit Lazzie, en fixant toujours le visage d'Alyssa.

– Je ne pouvais pas... vous savez... en prendre soin, alors, je suis partie. Mais je suis revenue...

Les mots sortaient dru, malgré le cachet de Percocet coincé dans son œsophage.

– Quelqu'un vous a blessée, mademoiselle?

– Je suis revenue pour prendre le...

– Qui vous a fait mal? Vous pouvez me le dire. J'ai votre ours. Que vous est-il arrivé?

La policière baissa les yeux et remarqua les grandes taches d'humidité sur son pantalon et sa poitrine.

– Je suis revenue.

– Mademoiselle, est-ce du sang sur votre pantalon? dit l'officier en touchant Alyssa légèrement, sur la cuisse, et en regardant son pouce. Mademoiselle, vous saignez abondamment. Pouvez-vous me dire ce qui s'est passé?

– Mais quelqu'un l'a pris. Pas elle, dit-elle en jetant un regard de côté vers la naine. Elle n'est pas...

Alyssa chancela sur l'épaule de la policière. Une main solide lui prit le bras et l'empêcha de tomber.

– Vous devriez vous asseoir, mademoiselle. Doucement. Voilà.

La main sur l'épaule d'Alyssa, l'officier s'accroupit à côté d'elle. Elle regarda Alyssa bien en face. Elle avait une agréable odeur de propre. De beaux cheveux dorés, coupés au carré sous le menton.

– Il me faut votre nom et votre adresse, ma belle. Avez-vous des papiers? »

La belle acquiesça. À présent, tout serait facile. S'asseoir et appuyer son dos contre le mur, les mains libres parce que la policière tenait Lazzie, de la bonne façon, en retenant sa tête avec son bras. L'officier lui tendit son sac à dos et le posa à côté d'elle. Alyssa trouva son portefeuille et en sortit sa carte d'étudiante. La policière lui sourit de nouveau. *Comme c'est simple,* songeait Alyssa, *quand on vous appelle « ma belle » et qu'on vous pose des questions claires auxquelles vous n'avez qu'à répondre.*

« Tout va bien à présent, mademoiselle... Alyssa, c'est bien ça ? Je vais aller chercher quelqu'un pour vous aider. Ne bougez pas, d'accord ?

Elle n'avait même pas besoin de répondre, la policière la comprenait si bien. Deux femmes regardaient fixement la scène devant la porte des toilettes, le visage amorphe et massif. Elles ne manifestaient aucun respect envers autrui. Alyssa fut heureuse de voir la naine se précipiter sur elles, en battant les bras, et les chasser à l'extérieur. La policière et elle conversaient. Cela ne les regardait pas, ni elles ni personne.

– Ici Sanders, à la station de métro de Shattuck. J'ai ici une jeune fille égarée qui saigne abondamment, dit-elle en baissant la voix, les lèvres collées sur une boîte noire. Ça pourrait être un viol, j'imagine. Elle est incohérente... Je ne sais pas. Je ne vois pas de signes visibles... Mais elle a des papiers d'identité. Oui, une ambulance pour l'hôpital.

La policière écouta la réponse, puis se tourna vers Alyssa, la boîte dans une main, tout en retenant la tête de Lazzie au creux de son épaule avec l'autre.

– Je... commença Alyssa.

– Tu veux le reprendre ?

L'officier installa Lazzie sur les genoux d'Alyssa.

– Bien sûr. Quelqu'un va venir vous aider, mademoiselle, ajouta-t-elle en posant la main sur l'épaule d'Alyssa. Vous et votre bébé, tous les deux.

Alyssa regarda le doux visage qui ressemblait à celui de Sharon et sentit de la bonté dans la voix qui prononçait le mot « bébé » comme si c'était la chose la plus naturelle du monde.

– Mon bébé, dit-elle en prenant Lazzie contre elle. Mon bébé. »

Coffee leva brusquement la tête et ses oreilles se dressèrent de chaque côté de son front large. Quelques secondes plus tard, il se mit à aboyer, au moment où Leah entendait les voix de plusieurs personnes dans l'escalier. Le coup sec sur la porte de l'appartement la prit quand même par surprise. Les nouvelles de fin de soirée étaient terminées et Letterman avait commencé son monologue. Leah, les jambes pliées sur un coussin rempli avec une sorte de graines séchées, était prête à aller se coucher, dans un tee-shirt et un immense pantalon bouffant qu'elle avait pris dans un des tiroirs d'Allie.

Elle s'approcha de la porte.

« Qui est là ? lança-t-elle en s'efforçant de ne pas paraître effrayée.

Le vent soufflait comme s'il voulait transporter l'eau de la baie jusque dans les collines et arracher toutes les branches des arbres. Leah n'avait jamais beaucoup aimé le vent.

– Police, m'dame.

Quand Leah entrouvrit la porte, elle vit un portefeuille ouvert sur un insigne à la hauteur de ses yeux. Elle décrocha la chaîne.

– Je croyais qu'on m'appellerait demain matin, dit-elle à l'homme et à la femme debout sur le palier.

Ils n'étaient pas en uniforme, ni l'un ni l'autre.

– Désolé pour l'heure, m'dame. Êtes-vous Leah Pacey? dit l'homme. Je suis le détective Pat McNeill, poursuivit-il après qu'elle eut acquiescé. Et, il inclina la tête vers la femme à peine plus petite que lui, voici la détective Barbara Halsumae. Vous avez signalé la disparition de votre fille ?

Son veston sport, en tweed d'une couleur indéfinissable, semblait à la fois trop large aux épaules et trop étroit pour qu'il puisse le boutonner. Sa silhouette indiquait qu'il aimait prendre un bon dîner, et peut-être même deux le même soir. Un visage fatigué de policier – sous des cheveux bruns clairsemés – et un nez bulbeux. Un soupçon d'accent, probablement hérité de sa famille irlandaise. Sa voix n'était ni agressive ni très amicale.

– Mais on m'a dit...

Leah tenait le collier de Coffee, qui essayait de se dégager pour examiner les visiteurs de près.

– Pouvons-nous entrer, madame Pacey ? l'interrompit la femme, la voix aimable, apparemment instruite.

Elle était tirée à quatre épingles, impeccable, dans la cinquantaine. Un visage délicatement ciselé et des yeux bleus. Grande, elle avait la taille d'un ancien mannequin. Des cheveux ondulés poivre et sel coupés au rasoir comme ceux d'un homme. Leah pensa alors à ses cheveux de Méduse, à son allure ridicule, nu-pieds, avec un chien qu'elle réussissait à peine à retenir. Elle se sentit vieille et négligée devant cette femme qui portait un élégant tailleur-pantalon bleu. Leah, elle aussi, avait déjà eu le contrôle de sa vie. Un peu, du moins.

– Vous l'avez trouvée ? J'étais certaine qu'elle était venue ici ce soir.

– Parlons un peu, madame Pacey. Pouvez-vous nous montrer une photo de votre fille ?

Inquiète, Leah recula dans l'appartement en observant leurs visages dans l'espoir d'y déceler un indice. Une fois à l'intérieur, l'homme fit un signe vers le canapé et leva les sourcils pour demander l'autorisation de s'asseoir. Leah hocha la tête. Elle fouilla dans son sac et sortit de son portefeuille la photo d'Allie prise lors de la remise des diplômes au collège. La femme la saisit et la tendit sans un mot à l'homme.

– Elle date de presque deux ans, mais ma fille n'a pas beaucoup changé, dit Leah. Sauf qu'elle doit porter les cheveux sur les épaules. Je le leur ai dit au téléphone, ils sont très longs. Des cheveux qu'on ne peut pas ne pas remarquer.

Leah éteignit la télé et alluma la petite lampe sur le bureau, pas assez forte. Mais la lampe de lecture derrière le fauteuil d'Allie n'aurait éclairé que Leah. Ils se retrouvèrent tous à l'extérieur d'un cercle de lumière ambrée, les détectives côte à côte sur le canapé et Leah perchée sur le fauteuil à la trame élimée.

– L'avez-vous trouvée ? demanda-t-elle encore une fois.

– Vous avez mentionné que votre fille était venue ici, dit la femme, gentiment, apparemment heureuse de cette nouvelle.

– Mais je ne l'ai pas vue. Je suis inquiète parce que je suis pratiquement certaine qu'elle est enceinte. Ça ne lui ressemble pas du tout.

– Si elle est venue ici aujourd'hui, pourquoi avez-vous signalé sa disparition ? Combien de mois ?

La question marquait de l'intérêt, comme pour dire : nous sommes ici seulement pour vous aider.

– Je ne sais pas... je ne savais pas qu'elle était enceinte.

Un aveu.

– Pourquoi croyez-vous qu'elle l'est ? Lui avez-vous parlé ? demanda le détective McNeill.

Un ténor irlandais, songea Leah. La question lui parut accusatrice même si elle savait que c'était irrationnel de le croire.

La première question était trop difficile. Elle l'oublia.

– Je vous l'ai dit, je ne l'ai pas vue. J'étais à la laverie automatique. Mais je me suis aperçue qu'elle était venue ici.

– Comment?

– Elle a pris des choses, des choses à elle, je veux dire, elle n'a pas volé, précisa-t-elle en tentant d'adoucir son propre ton, sur la défensive. J'ai été tellement inquiète...

– Elle a pris quoi?

– Pas grand-chose. Du savon, une boîte de muesli... un pantalon... des sous-vêtements. Oh! une paire de mocassins pour bébé, aussi. C'est pourquoi j'ai cru qu'elle était enceinte. J'en ai parlé à sa voisine, qui m'a dit que c'était possible.

– Quand avez-vous vu votre fille pour la dernière fois? demanda-t-il.

– À Thanksgiving. Elle a passé presque une semaine à la maison, à Philadelphie.

– À ce moment-là, était-elle enceinte? demanda la détective Halsumae en se penchant vers elle.

Quel genre de mère pouvait ignorer la réponse à cette question?

– Elle n'en a rien dit. Elle avait pris du poids...

– Pourquoi avez-vous signalé sa disparition après son passage ici?

McNeill encore. Leah sentit qu'il cherchait quelque chose, comme Coffee quand il reniflait sous le canapé.

Elle réfléchit un instant. Elle songea à dire la vérité, qu'elle était en colère, mais elle en eut honte.

– Je... je ne sais pas... je veux dire, elle... elle ne se comporte pas rationnellement. Si elle est enceinte, elle va avoir besoin d'aide. Elle ne m'en a même pas parlé. J'étais tellement inquiète. J'ai pensé que c'était le rôle du service des personnes disparues.

Les détectives se regardèrent. Coffee alla renifler le pli du pantalon de l'homme. Leah sentit l'atmosphère s'alourdir, chargée d'un mystère qui restait en suspens, mais ce devait être ses nerfs.

– Nous n'appartenons pas à ce service, m'dame, dit McNeill. Nous nous intéressons à un autre cas.

– Quel cas ?

– Pouvons-nous y venir plus tard ?

La femme encore. Ils devaient parler intentionnellement chacun leur tour pour garder la tête de Leah en mouvement, comme une balle de tennis, de l'un à l'autre. Leah aurait bien voulu que la femme détective soit venue seule. Une femme, surtout une mère, l'aurait mieux comprise. Elle aurait dû préciser qu'elle voulait avoir affaire à une femme qui était aussi mère.

– Je ne comprends pas. De quel autre cas parlez-vous ? Quel rapport cela a-t-il avec Allie ?

– Nous y viendrons. »

Comme un rasoir bien affilé, la femme parla même si ce n'était pas son tour, pour couper court aux questions de Leah. Sa voix était douce comme de la mousse à raser. C'était le genre de femme qui devait se raser les jambes et les aisselles même en hiver. Pas comme Leah, avec ses ongles sales et du papier de toilette fourré dans sa culotte parce qu'elle avait commencé ses règles ce soir, sept semaines après sa dernière menstruation. Elle n'avait pas réussi à trouver une seule serviette hygiénique ni un seul tampon dans l'appartement d'Allie. Quand elle croisa les jambes, elle sentit monter son odeur féminine.

« Parlez-moi un peu d'Alyssa... que vous appelez Allie, je crois. Qui pourrait être le père de l'enfant ?

Une fois encore, quel genre de mère pouvait ignorer la réponse à cette question ?

– Je ne sais pas. Elle m'a parlé d'un garçon qui s'appelle Howie, c'est tout.

– Connaissez-vous son adresse ou son numéro de téléphone ?

– Non. J'ai cherché moi-même, ici, dit-elle avec un geste vague vers le bureau et la chambre.

– Qui est la voisine qui vous a dit qu'elle était enceinte ? intervint le détective McNeill, après avoir ouvert le calepin qu'il avait sorti de la poche de sa veste, prêt à prendre des notes.

– Non, elle a seulement dit que c'était possible, corrigea Leah, un peu sèchement. De l'autre côté du palier, Clara Edwards.

– Pouvons-nous faire le tour de l'appartement ?

Si la question lui avait été posée par la femme, Leah n'aurait peut-être pas entendu la voix de Clara. « Vous savez pas ce qu'ils peuvent faire aux gens. » Méfiante, elle hésita.

– Ce n'est pas mon appartement, dit-elle, c'est celui de ma fille. Je ne me sens pas le droit de vous donner l'autorisation de fouiller. J'aimerais mieux que vous vous en absteniez. Je voudrais savoir de quoi il retourne.

– À votre connaissance, Allie avait-elle des problèmes personnels ? La drogue ? L'alcool ?

Leah se sentit blessée par les questions de McNeill, mais elles faisaient probablement partie de la routine. *Ils veulent m'aider,* se rappela-t-elle.

– Non, non et non. C'est une excellente étudiante qui réussit avec distinction. Elle a un emploi, du moins elle en avait un avant la rentrée. Non, elle va bien.

– Pas de problèmes avec la justice ?

– Non !

Leah appuya sur le mot et s'avança sur le bout de son siège pour accentuer sa réponse.

– Donc, elle ne s'est pas confiée à vous ?

– Mais, bien sûr, elle se confie à...

– À propos de sa grossesse, dit-il.

Y avait-il une pointe de mépris dans la question ? Voulait-il retourner le couteau dans la plaie ?

– Je ne suis même pas certaine qu'elle soit enceinte. Ce que je sais, c'est qu'elle a disparu, que j'ai peur et que je voudrais connaître vos intentions. »

Leah gesticulait et elle changea de nouveau de position, brutalement.

Ce fut la femme qui répondit, en utilisant son prénom, comme seule une femme pouvait le faire.

« Leah, votre fille est en détention préventive. Une fille correspondant à la description que vous avez donnée au service des personnes disparues a été arrêtée à la station de métro de Shattuck plus tôt aujourd'hui. Sa carte d'identité est au nom d'Alyssa Staton. Je l'ai interrogée moi-même. Elle est au poste de police.

Leah se leva si brusquement qu'elle faillit trébucher. Elle réussit à reprendre son équilibre avant de piquer du nez.

– Mon Dieu ! Pourquoi ne pas me l'avoir dit plus tôt ?

Elle ramassa ses tennis blanches, les posa devant elle et se rassit pour les enfiler.

– Va-t-elle bien ? Je vais aller la chercher. Mais je n'ai pas de voiture... non, ça ne fait rien, je vais prendre un taxi.

Pat McNeill s'apprêtait à parler, mais la femme l'en empêcha en posant la main sur son bras.

– Attendez. Restez assise un moment, s'il vous plaît.

Le visage de Barbara Halsumae exprimait de la pitié.

– Qu'y a-t-il? demanda Leah, toujours debout, ignorant l'homme et regardant droit dans les yeux de la femme, des yeux noirs, impénétrables.

Alors, Barbara se leva, elle aussi, et avança d'un pas vers Leah, comme si elle allait la toucher.

– Nous croyons qu'elle a eu son bébé, Leah. Nous croyons qu'elle l'a eu dans la station de métro.

– C'est à ce moment-là que vous l'avez retrouvée?

Leah se sentait comme si la lumière avait été soit trop faible soit trop forte, comme si des ombres se déplaçaient dans son champ de vision périphérique.

– Non, nous croyons qu'elle a eu le bébé dimanche.

– Mais nous sommes...

– Jeudi soir, compléta Barbara dans un murmure.

– Où est le bébé?

– Elle l'a abandonné, Leah.

– Vous voulez dire... mais où est-il? Avec qui?

Une force invisible parut séparer Leah des détectives. Elle voyait bouger la bouche de la femme, mais un bourdonnement dans ses oreilles l'empêchait d'entendre ce que le détective disait.

Après quelques secondes, elle vit la bouche de la femme bouger de nouveau.

– Je suis terriblement désolée », fut tout ce que Leah réussit à saisir.

Dehors, le vent se leva de nouveau. Voilà sans doute ce qui empêchait Leah d'entendre les paroles de la détective. Le puissant souffle de Dieu.

Chapitre 11

Trahison.

La policière de la station de métro l'avait trahie. Cette grande pièce violemment éclairée, qui évoquait l'immense salle d'attente d'un bureau de dentiste, ne ressemblait pas à l'idée qu'Alyssa se faisait de l'aide. Elle était coincée entre les deux officiers qui l'avaient amenée du poste de police, des portes en verre épais verrouillées derrière elle, des portes identiques verrouillées devant elle. En attendant d'entrer, les officiers parlaient entre eux comme si elle était sourde et muette, comme si elle n'était même pas un être vivant. Dehors, il faisait encore noir. Le trottoir qu'ils avaient emprunté en sortant du parking était étoilé de gouttes de pluie.

« On peut pas dire qu'il choisit des beautés, Clinton, pour sûr, dit le Noir, les pouces à l'intérieur de sa ceinture et une liasse de papier sous le bras.

– Je la trouve bien mignonne, moi, Monica ! »

C'était le Blanc, celui qui avait retenu sa tête quand elle avait trébuché en montant dans la voiture, à cause de ses mains menottées devant elle. Après l'avoir fait sortir du poste de police, les agents l'avaient conduite ici, à la prison, derrière une grille sur le siège arrière, comme si elle était un chien atteint de la rage. Ce n'était pas juste. Coffee avait eu ses vaccins contre la rage, toute la série, bons pour deux ans. Elle s'en était occupée.

« J'irais bien faire un tour avec elle, moi aussi », poursuivit le Blanc.

Il portait le sac à dos d'Alyssa, dans lequel il avait fourré Lazzie, la tête en bas, et il l'avait tellement tassé qu'il avait réussi à faire glisser la fermeture Éclair. Il ne l'avait pas manipulé délicatement comme la policière blonde. Mais elle, elle s'était révélée une menteuse, comme tous les autres. Au poste de police, Alyssa avait décidé de ne plus parler quand la dame aux cheveux gris crépus avait commencé à lui poser des questions à propos de Lazzie et du bébé, en feignant de l'intérêt. Alyssa ne parlerait plus à aucun d'entre eux. Ils avaient tous aussi peu de bon sens que la naine, qui l'avait au moins remarquée avec ses yeux fuyants et avait manifesté qu'elle était consciente de sa présence, vivante et attentive. Sensible.

« Cette Tripp, c'est quelque chose.

– Il ne se l'est pas envoyée elle aussi ?

– Non, elle a tenu la chandelle.

Le Blanc éclata de rire et fit passer le sac d'Alyssa d'une de ses mains charnues à l'autre.

– Tu vois toujours Lupe ?

– Ça c'est une gentille fille.

– Elle doit être bien gentille si elle sort avec toi.

– T'as raison. »

Les portes en verre s'ouvrirent, par magie, et apparemment toutes seules. Les officiers lui prirent chacun un bras pour la mener à un comptoir, dans une autre salle d'attente. Derrière le comptoir, comme l'autel devant les bancs d'une église, trônait un grand écran de télé où un homme et une femme se disputaient. Le plan, qui passait d'un visage à l'autre, faisait doucement alterner l'ombre et la lumière. Dispersés dans les rangées de chaises en métal toutes semblables, des hommes et des femmes étaient assis. Ils rappelèrent à Alyssa la cargaison humaine de l'autobus qu'elle avait pris pour faire le tour de la baie. Des gens agités, dont la nervosité était calmée par le grand écran et la colère apaisée par les tensions vécues par les personnages à la télé. L'air sentait les sandwiches rassis, les pelures d'oranges et le lait suret, comme la salle de la bibliothèque à Berkeley, où elle travaillait pour le programme d'alphabétisation. Elle se souvint alors de sa deuxième année, de mademoiselle Wilson et de l'alphabet affiché, qui commençait par un A majuscule, comme son nom. Une téléspectatrice se détourna de l'écran et se tordit le cou pour la regarder sous tous les angles avant de lui faire un sourire grimaçant, troué çà et là par des dents manquantes.

« Elle est à vous, dit le Noir à un officier qui portait au-dessus de sa poche un écusson avec son nom, Hopkins, en caractères gras.

H comme dans habit, ce que vous portez sur vous. Le Noir tendit à Hopkins les papiers qu'il tenait sous son bras.

– Merci messieurs, dit Hopkins. De service jusqu'à six heures ?

– Eh ! oui, répondit le Blanc en laissant tomber le sac à dos d'Alyssa à ses pieds.

Lazzie ne peut pas respirer, songea-t-elle pendant qu'il lui enlevait ses menottes.

– Jusqu'à la première lueur de l'aube.

– Votre nom et votre adresse ? demanda Hopkins, les yeux sur une tablette à écrire qu'il avait prise sur le comptoir.

Il ne lui parlait pas à elle, n'est-ce pas?

– Celle-là, elle parle pas, Hop, dit le Noir en se retournant avant de sortir.

Les portes en verre commencèrent à s'ouvrir pour le relâcher sur le trottoir, dans le parking, puis dans la voiture qui le ramènerait à Berkeley avec le Blanc. *Emmenez-moi avec vous,* aurait voulu dire Alyssa, mais elle ne parlait pas, comme il l'avait précisé. Elle passa la langue sur ses lèvres sèches.

– Qu'est-ce qui lui arrive? demanda Hopkins.

Le Noir prit une grande inspiration, puis souffla en roulant les yeux.

– Le bébé du métro.

Hopkins pencha son visage gris et mince vers elle, comme si elle venait tout à coup de lui apparaître, en couleurs aussi vives que les images attirantes de la télé. *B comme dans bébé, qui dort dans le berceau.*

– Une de celles-là, dit-il doucement, pas à l'adresse des officiers maintenant disparus derrière les portes en verre, mais à elle. Que tu parles ou non, on va s'occuper de toi, jeune fille. »

Il déplia les papiers et commença à les copier, pas de l'écriture régulière et pleine de boucles de mademoiselle Wilson, mais avec des pattes de mouche. *V comme dans vache, et veule, et voiture.*

« Je n'ai rien à faire ici. Je vous en prie, dit-elle à Hopkins en touchant délicatement sa manche.

Elle regarda sa main tremblante, ses ongles rongés, la cicatrice qu'elle avait depuis toujours sur l'annulaire. Leah lui avait raconté que la porte de la voiture avait claqué trop vite et que sa grand-mère avait enveloppé sa main en sang dans des serviettes en papier pour l'emmener se faire faire des points de suture. *V comme dans voiture.*

– Je veux repartir avec eux.

Hopkins plissa les yeux pour mieux voir ce qu'il venait d'écrire.

– Personne n'a rien à faire ici. Du moins c'est ce qu'ils disent. Tu ferais mieux de t'y habituer, dit-il en remettant son stylo dans sa poche.

Il entraîna Alyssa devant une grande feuille blanche, accrochée au mur comme une carte géographique à l'école. Était-ce une image du monde ou, songea-t-elle avec une douleur dans la poitrine, une toile blanche dans l'atelier de sa mère ?

– Les orteils ici, dit Hopkins en évitant de regarder son visage et en lui indiquant une bande de ruban adhésif blanc sur le plancher en tuiles. C'est l'heure de la photo.

Elle hésita et, en se retournant, elle vit la femme au sourire édenté qui ressemblait à la fée Carabosse.

– Pour ta carte d'identité. Face à moi, s'il te plaît.

Il tapota la poche de sa chemise kaki.

– Tu la mettras là quand tu t'habilleras... et tu la porteras tout le temps.

Alyssa posa les orteils sur la bande de ruban adhésif.

– Tu as besoin de ta carte pour l'appel, pour aller au parloir, pour aller à la cour...

Elle fut éblouie par un flash. Hopkins lui fit ensuite signe de le suivre.

– ... ou en toute circonstance, à la demande d'un membre du personnel de la prison. »

Il retourna au comptoir et se remit à écrire sur sa tablette. À son sujet, sans doute. À propos de ce qu'ils la soupçonnaient d'avoir fait. Il revint ensuite derrière l'appareil photo – un Polaroïd haut de gamme, monté en permanence sur une base grise, arrondie pour s'assortir à la forme du bureau, des murs, des chaises et du comptoir. Le même modèle que chez Passport Photos, à Philadelphie, où elle était allée avec Leah avant leurs vacances à Cancun. Après avoir fait des grimaces, elles avaient essayé de prendre un air sérieux. Leah avait réussi à sourire au moment même où le flash s'était allumé. Pour sa photo, Alyssa avait gardé un visage plus sérieux, mais elle n'avait pu s'empêcher de rire à s'en étourdir pendant qu'elles se taquinaient en rentrant à la maison. Elles trouvaient qu'elles avaient l'air de criminelles sur leurs photos.

« Quel crime avez-vous commis ?

– Non ! Vous, quel crime avez-vous commis ? »

« Plus jamais », avait dit Leah après les deux semaines au Mexique, quand Alyssa et elle, souffrant d'un sérieux coup de soleil, avaient survolé le golfe. « Trop de touristes, avait-elle grommelé, le visage ressemblant à celui de sa photo de passeport, trop de soleil. » Une condamnation sans appel, deux semaines à Cancun. Pas de nuances, pas d'ombres.

Hopkins sortit le cliché du Polaroïd en tirant et l'agita pour le faire sécher. Il découpa ensuite son portrait et le colla sur une carte de la taille d'une carte de crédit, qu'il plastifia. Elle refusa de la prendre dans sa main ouverte. Elle n'en voulait pas. Une photo d'elle-même. Une carte d'identité.

« Ici, ça va aller beaucoup mieux pour toi si tu respectes simplement les règlements, dit-il doucement en la regardant bien en face pour la première fois depuis le départ des officiers qui l'avaient amenée. Ça ne sera pas facile pour toi, tu n'es jamais venue ici auparavant. Tu n'es pas obligée de me parler, mais tôt ou tard, dit-il en lui indiquant les gens assis devant l'écran de télé, tu devras parler à quelqu'un. Tu devras écouter. Simplement écouter et faire ce qu'on te dit de faire. »

Parce qu'il la regardait enfin et la traitait comme une vraie personne, elle accepta de prendre la carte d'identité qu'il lui tendait. Elle traversa ensuite la pièce avec lui, jusqu'à un long comptoir. Il prit ses doigts un à un pour les rouler sur un tampon d'encre, puis sur une fiche. Elle le regarda inscrire son nom et une série de chiffres – 7236 – le même numéro, son numéro, que sur la carte d'identité. Elle devrait la porter si elle voulait respecter le règlement. Quand il lui présenta un morceau de tissu en polyester orange vif et une paire de pantoufles bleues – comme celles que sa grand-mère portait à cause de ses cors – et lui dit de se déshabiller, elle fit exactement ce que Hopkins lui demandait.

« Là-dedans, lui dit-il en ouvrant une porte turquoise avec le chiffre 1, noir et un peu effacé. »

Elle s'efforça d'écouter, ne posa pas de questions et s'exécuta.

À l'intérieur, les quatre murs hermétiques évoquaient une salle d'essayage dans une grande surface. En s'imaginant dans un magasin, elle trouva moins difficile de retirer ses propres vêtements, sales et tachés, et de se retrouver nue dans un endroit inconnu. Comme si elle enlevait la pelure noircie d'une banane, elle se débarrassa d'une peau qu'elle ne voulait pas vraiment et dont elle n'avait pas besoin. Elle ne garda que sa culotte, la propre, celle qu'on lui avait permis de prendre dans son sac, après l'examen à l'hôpital. Elle voulait tellement se débarrasser d'eux et de leurs questions incessantes, fastidieuses et embrouillées, qu'elle avait accepté de signer tout ce qu'ils voulaient. Elle les avait laissés prendre de son sang, comme s'ils n'en avaient pas déjà assez avec celui qui trempait le pantalon noir qu'elle avait jeté dans la poubelle pour les déchets biologiques de la salle d'examen. Après, ils lui avaient donné des serviettes hygiéniques, la culotte et le pantalon marine qu'elle avait dans son sac à dos. C'était la dernière fois qu'elle avait vu la policière blonde. Elle avait alors décidé de garder le silence. Jusqu'à ce qu'une dame aux cheveux gris lui apporte un sandwich aux œufs et un coca au poste de police.

« Alyssa, il faut qu'on se parle », lui dit-elle, l'air sévère et sérieux comme un professeur ou une mère.

Mais c'était la dame aux cheveux gris et aux mains veinées – comme celles de Clara, qu'elle avait songé à photographier – qui avait parlé. Ses questions se transformaient en assertions et confondaient Alyssa. Elle ne savait plus exactement où elle était allée le dimanche soir. Dans quelle rue se trouvait le Bay Breeze Hotel. Quand elle avait pris l'autobus pour revenir à Berkeley. Pourquoi il y avait des mocassins avec Lazzie dans son sac à dos. Ce qu'elle avait fait au bébé. Au début, elle avait essayé de dire tout ce qu'elle pouvait à la dame grise. Avec de bonnes réponses, vous avez de bonnes notes. Leah cesse un moment de s'intéresser à sa toile pour s'intéresser à vous. C'était toujours le meilleur moyen d'obtenir qu'elle abandonne ses pinceaux et qu'elle vous serre dans ses bras parce que vous étiez une bonne fille si intelligente. Alyssa avait appris à attendre – avant d'en parler à sa mère – et à le faire au moment où elle pourrait se servir des bonnes nouvelles pour inciter Leah à quitter son atelier au sous-sol. Alors, elle avait essayé avec la dame grise aussi de retarder ce qu'elle espérait être les bonnes réponses. Mais la dame grise, qui devait bien être la mère de quelqu'un, avec ses cheveux de la couleur de l'acier et ses mains veinées comme celles d'un jardinier en prière, s'était impatientée. Et Alyssa avait abandonné. « N'écrivez pas tout de suite les réponses dont vous n'êtes pas sûrs. Si vous avez le temps, retournez-y et donnez la réponse qui vous semble la meilleure. »

Mais elle n'avait pas eu le temps. Le visage parfait de la dame grise s'était crispé d'exaspération quand Alyssa, après avoir mangé la moitié du sandwich, avait renversé son coca. Ses mains tremblaient tellement.

« Puisque c'est ainsi, nous allons te garder, Alyssa. Jusqu'à ce que tu nous dises ce que nous voulons savoir », avait-elle précisé.

Me garder, songea Alyssa en enfilant le pantalon orange et en passant le haut par-dessus sa tête. Ce n'était pas ainsi qu'on gardait quelqu'un. Le tissu du costume était froid sur sa peau et ses bras qui en sortaient, blancs et dodus, ressemblaient à des appendices obscènes. Il y avait une éternité qu'elle n'avait porté des manches courtes en public, depuis la liste des grassouillettes en première année à l'université. Heureusement, il n'y avait pas de miroir dans la cabine d'habillage. Elle ramassa les vêtements qu'elle avait ôtés, comme si elle allait faire une lessive, et ouvrit la porte.

Hopkins l'attendait.

« Tu as le droit de passer deux appels, lui dit-il en regardant les vêtements qu'elle serrait sur sa poitrine.

Il lui indiqua une série d'appareils sur un mur derrière l'estrade de l'appareil photo. Un homme était en train de se faire photographier : peau caramel, cou épais avec un tatouage de la couleur du sang qui coulait dans les veines des mains de la dame grise.

– En PCV. Compose d'abord le code régional.

Hopkins lui indiqua ses vêtements et son sac à dos qu'il avait gardé pendant qu'elle se changeait.

– Ensuite, nous ferons l'inventaire de tes effets personnels et tu seras prête pour l'admission. »

Il s'avança pour prendre les vêtements qu'elle tenait dans ses bras. Déconcertée, elle essaya de les retenir, liée à Hopkins par une bataille pour un paquet de tissus sales. Les coudes sortis, il fit un mouvement vers le comptoir pour lui montrer où les déposer. Quand elle laissa tomber ses vêtements en tas sur le comptoir, il leva le pouce, comme un auto-stoppeur, et lui signifia de traverser la pièce jusqu'aux téléphones.

Fais ce qu'ils te disent. Suis les règles. Une page photocopiée était affichée derrière le téléphone. LIBÉRATION SOUS CAUTION : TÉLÉPHONEZ-NOUS EN PCV, en grosses lettres noires. En plus petit, sur une feuille bleue, la liste des numéros de la cour de l'Alameda County. Collée au bas de la page bleue avec un bout de ruban adhésif, elle vit une carte écornée du bureau des avocats de la défense, avec des numéros de téléphone, de fax et une adresse de courrier électronique. La police lui avait déjà offert la même carte, plus propre, mais elle avait refusé, dans l'espoir qu'ils cessent, qu'ils cessent de parler de ce qu'ils avaient découvert dans la station de métro, sous des serviettes en papier.

Téléphoner. Elle savait par cœur le numéro de son père dans le New Jersey. Le numéro de Howie à Oakland. Son propre numéro à Philadelphie, évidemment. Le numéro de son appartement où Leah s'inquiétait d'elle. Et elle connaissait le numéro de l'appartement de Clara.

Son vieux téléphone de couleur crème était posé sur le gros annuaire d'Oakland dans la cuisine où, la plupart du temps, quelque chose qui sentait bon – pain de maïs ou rôti de porc – cuisait dans le four. Alyssa était la bienvenue en tout temps parce qu'une cuisinière se réjouit toujours de voir un enfant manger avec appétit. Elle décrocha le combiné. Ses mains, devant une tâche familière, tremblaient moins, et elle composa le numéro. Deux sonneries.

« Allô ?

C'était Clara, après deux sonneries, si proche du téléphone.

– Allô ?

Alyssa ouvrit la bouche. Un croassement sortit de ses lèvres sèches.

– Alyssa, mon trésor, c'est toi ? Ta mère...

Elle raccrocha d'une main tremblante et se tourna vers Hopkins.

– Personne à la maison, dit-elle en haussant les épaules.

– Tu as un autre appel à faire.

– Personne à la maison là non plus », répéta-t-elle.

Ils ne pouvaient pas l'obliger à téléphoner, n'est-ce pas, pas plus qu'ils ne pouvaient l'obliger à parler.

Hopkins soupira.

« D'accord, marmonna-t-il comme si elle était une ingrate, une folle et une menteuse invétérée. Ça ne s'améliore pas, la prévint-il pour la forme. Viens avec moi à présent. »

De retour au comptoir où il avait pris ses empreintes digitales, semblables aux dessins en spirales de Rorschach, mais des dessins qui lui appartenaient à elle, et à elle seulement, Hopkins lui demanda d'étaler ses vêtements sales. Elle aurait dû avoir honte de son chemisier taché et de son pantalon à la fourche déchirée. Leah avait pourtant glissé un ensemble à couture miniature dans un de ses envois, et Cindy s'était pâmée d'admiration devant les petites bobines de fils de toutes les couleurs. Mais Hopkins lui demanda simplement, de nouveau avec sa voix neutre de surveillant, de vider son sac à dos pour qu'il dresse l'inventaire de ses effets personnels sur une autre des innombrables pages de sa tablette. Il se comportait comme s'il ne voyait là rien d'inhabituel, aucun secret inavouable qui puisse l'étonner. Jusqu'à ce qu'elle pose Lazzie le dos sur le comptoir, à côté de la boîte de muesli pleine, toute cabossée.

« Ils ont pris ses mocassins, dit-elle, incitée à parler par un adoucissement des traits de Hopkins. Ils... les ont pris. »

Comme le pantalon trempé dans la poubelle à l'hôpital et les Percocet dans la poche de son sweat-shirt. « Des preuves. »

« Tu vas le ravoir, ton ours », dit Hopkins.

Il parut ensuite se reprendre et vouloir faire oublier son ton réconfortant.

« Tu peux le remettre à un tiers. Avec un avis de quarante-huit heures.

– Je vais le garder. Personne d'autre ne peut le faire.

– Tu n'écoutes pas. Tu ne peux pas le garder, ni rien d'autre. Tout cela va être emballé et entreposé. À moins que tu ne signes un formulaire de décharge. Veux-tu faire cela ?

– Quoi ?

La main toujours sur Lazzie, elle caressait sa fourrure miteuse.

– Aucun effet personnel à l'admission ni dans les cellules. Juste toi et les vêtements qu'on te donne. Tu comprends ?

– Je ne ferais rien...

– Ma belle, dit Hopkins qui semblait sur le point de pleurer. J'ai des filles, quatre. La vie ici n'est pas une partie de plaisir. Si tu marches droit, si tu fais ce qu'on te dit et que tu coopères avec les policiers, tu ne resteras pas ici longtemps.

Il fit une pause et frotta ses tempes avec ses mains. Il avait un anneau en or à l'annulaire. Comme un fil de fer oublié autour du tronc d'un arbre qui grandit, l'anneau s'était incrusté dans la peau. S'il voulait l'enlever un jour, quelqu'un devrait le couper avec une scie de bijoutier, elle le savait. Elle ne voulait pas le voir pleurer.

– Dois-je signer... la décharge... maintenant ?

Elle agita ses mains qui avaient recommencé à trembler. Elle ne se croyait pas capable de tenir un stylo.

– Non, quand tu voudras. Prévois un avis de quarante-huit heures, c'est tout. Quand tu attendras la visite de quelqu'un de spécial.

Il mit ses vêtements, avec la boîte de muesli et la savonnette Dove dans un grand sac à fermeture à glissière.

– Nous allons mettre le reste avec lui, ici, dit-il en ouvrant un second sac. Bien confortablement, comme ça. »

Il étendit Lazzie sur le sac à dos aplati et les fit glisser ensemble à l'intérieur du sac. Il n'avait pas vérifié la pochette qui contenait le collier, mais Alyssa pensa que cela n'avait pas d'importance. Il avait été gentil avec elle. Si les choses en venaient là, elle ne dirait pas qu'il avait oublié une ou deux choses dans son inventaire. Elle lui devait bien cela, briser juste une règle pour l'empêcher de pleurer.

Plus tard, même si elle ne le revit jamais après s'être retrouvée en cellule, Alyssa se ferait une idée plus claire de Hopkins. Sa gentillesse, penserait-elle, avait pour but de la prémunir contre la suite des choses. En lui offrant prudemment sa sympathie, il avait voulu lui faire comprendre que le plus dur était encore à venir. Elle ferait mieux de s'y préparer, comme on se raidit en s'apercevant, trop tard, qu'on est sur le point de tomber.

Alyssa savait – Hopkins le lui avait dit – qu'elle devrait attendre un bon moment, peut-être deux ou trois heures, avant qu'on vienne la chercher pour l'admission à la prison.

« L'admission ? » demanda-t-elle.

Son esprit vagabond passa du souffle à l'essoufflement, puis au cours de réanimation du samedi qu'elle avait suivi avec Howie. Ils avaient raté leurs exercices pratiques parce que le bouche-à-bouche ressemblait trop à un baiser et qu'ils se sentaient tous les deux gênés.

« Là où tu seras classée, dit Hopkins. Pour savoir dans quelle niche tu vas te retrouver.

Niche. Niche à chien, des gens dans des niches.

– Niche ? demanda-t-elle stupidement.

Hopkins était doux. Il devait l'être, n'est-ce pas, avec quatre filles dont aucune n'était en prison.

– Unité d'habitation. Ils vont décider si tu vas te retrouver avec les criminels ordinaires ou non. C'est tout, ajouta-t-il après une pause. D'après moi, tu vas te retrouver avec les criminels ordinaires.

Il la regarda, fatigué, impatient de terminer son travail de nuit.

– Une soixantaine de femmes, deux ou trois hommes – là avec les femmes parce que... tu sais. Tu n'as pas besoin de dire à aucun d'entre eux (il lui indiqua les gens qui regardaient la télé) ce qu'ils prétendent que tu as fait, tu ferais... tu ferais mieux de ne pas le faire. »

C'était parfait parce qu'elle ne savait pas encore exactement « ce qu'elle avait fait ». Le costume orange était trop léger. Elle commençait à frissonner. Elle rêva de la chaleur de la flanelle et de la veste de Leah, maintenant emballées et marquées à son nom, mais qui lui avaient peut-être été volées. Elle rêva aux Percocet de Dara, à son matelas et à Coffee blotti contre son dos, qui se calmait quand elle levait un bras endormi et le caressait pour l'apaiser après un cauchemar de chien.

Quand Hopkins la quitta pour s'occuper de la femme ivre qui soulevait constamment vers son visage sa robe tachée de boue, le temps s'éternisa douloureusement. Elle pressa le pouce sur la peau blanche à l'intérieur de son poignet, comme pour prendre son pouls qui battait sourdement. Elle pensa s'asseoir, serrer les bras autour de ses épaules et rester tranquille. Elle trouva une chaise dans la dernière rangée des téléspectateurs, le plus loin possible de la fée Carabosse. Elle n'avait rien à elle, sauf sa culotte et la serviette hygiénique détrempée qu'elle avait entre les jambes, pressée contre elle par le siège dur de la chaise grise. Comme elle n'avait plus rien, ni odeur ni tissu, pour se rappeler qui elle était, elle se mit à avoir froid de plus belle et à frissonner de la tête aux pieds, ses pieds chaussés de pantoufles en toile à semelle en caoutchouc. À la télé, les images des personnages firent place à une publicité. La femme ivre se débattait pour ne pas aller sur la chaise de contention et proférait un tissu d'insanités. Alyssa regarda Hopkins l'installer sur la chaise et l'attacher. Non, pensa tout à coup Alyssa, ça ne pouvait pas être une chaise électrique. Il fallait d'abord un procès. Puis l'épuisement s'abattit sur elle, comme l'engourdissement du Percocet qu'elle avait souhaité, comme une retombée radioactive silencieuse et invisible. Son attention faiblit. Assise, le menton sur la poitrine, le rideau de ses cheveux sales lui cachant le visage, les bras légèrement croisés sur le ventre, elle s'endormit. Quand une main, ni brusque ni douce, l'éveilla en lui secouant l'épaule, le jour se levait. Par les portes en verre de l'entrée de la prison, le ciel bas et implacable semblait presque pourpre, de la couleur des prunes du petit-déjeuner de sa grand-mère. Les yeux irrités, la bouche pâteuse, Alyssa se demanda comment diantre elle s'était retrouvée dans cet endroit où elle ne reconnaissait personne et où aucun visage étranger ne souriait.

« À l'accueil du secteur des femmes », lui répondit Solis quand Alyssa demanda où on l'amenait.

Solis était petite et noire, comme un beau chat. Ses lobes d'oreilles, percés à deux endroits, étaient nus, mais Alyssa les imaginait sertis de diamants quand Solis n'était pas de service. Quand elle dansait avec son petit ami, par exemple, comme elle le racontait à la policière qui l'accompagnait, en attendant que l'œil électronique s'aperçoive de leur présence. Solis appuya sur le bouton terni à côté d'un micro en métal décoloré.

« Une prisonnière, chantonna-t-elle.

La porte s'ouvrit lentement. Solis prit le bras d'Alyssa pour l'aider à passer le seuil.

– Attention à tes doigts par ici, lui dit-elle avec un signe de tête.

Alyssa crut voir scintiller des diamants imaginaires.

– Quoi qu'il t'arrive, ils ferment la porte. »

Un autre comptoir où brasser de la paperasse, près d'un mur dans une immense salle haute de deux étages et aussi grande que le gymnase du collège d'Alyssa à Philadelphie. *Le Colisée,* songea Alyssa en apercevant un balcon à mi-hauteur, avec des portes turquoise ornées de gros chiffres noirs sur des murs blancs. Comme un tableau surréaliste tricolore. Une moquette. Deux autres officiers et encore une cabine d'habillage minuscule. Mais, cette fois, ils la suivirent tous les deux à l'intérieur, derrière la porte fermée.

« Tu enlèves tout, lui dirent-ils en la fixant.

Comme elle hésitait, confuse – tout, est-ce que ça incluait la culotte, comme chez le médecin ? – l'homme officier le répéta.

– Tout veut dire tout, Staton.

Il se retourna pour observer la grande salle par la mince vitre verticale au milieu de la porte verrouillée. Alyssa se refusa à regarder l'écusson affichant son nom. Elle ne voulait pas connaître le nom de l'homme devant qui elle se déshabillerait.

– Mais je...

Elle agita une main. Devait-elle parler de règles, de menstruations ou de saignements à un homme qui l'appelait par son nom de famille, comme si elle était un chien ?

– Tout, dit la femme.

D'âge mûr, terne, elle avait les traits d'une serveuse de café fatiguée ou d'une employée de supermarché. Alyssa lut son nom, Ostrom, et leva les yeux jusqu'à son visage. Elle regarda fixement la grosse verrue sur sa joue, trop grosse pour être un grain de beauté.

– Mais je... vous savez, dit Alyssa en indiquant son bas-ventre du doigt.

Si elle réussissait à se faire comprendre, ils ne lui demanderaient pas de se déshabiller ainsi.

Ostrom hocha la tête. Sa queue de cheval haute et serrée se balança d'un mouvement juvénile, en contradiction avec l'âge apparent de son visage jaunâtre.

– On se déshabille chaque fois qu'on entre ou qu'on revient dans une unité, sermonna-t-elle. Quand on veut pas être traitée en criminelle, on s'arrange pour pas avoir d'ennuis. Ôte tes vêtements, ajouta-t-elle en regardant l'homme officier dans les yeux. Ce n'est pas si terrible. Elles finissent toutes par s'y habituer. »

S'ils l'avaient touchée, elle se serait brisée, tellement que même les baisers de sa mère n'auraient pu recoller les morceaux. Ils ne la touchèrent pas. Mais leurs ordres – comment se pencher, quoi étendre, quand tourner d'un côté puis de l'autre – ne valaient guère mieux que des doigts qui auraient fouillé et se seraient immiscés partout, dans tous les endroits privés qu'elle avait si bien réussi à cacher si longtemps. Elle pensa à un poulet à frire, écartelé sur une planche à découper dans la cuisine de Clara. Les mains fortes de Clara tiraient sur les ailes et les cuisses, puis elle fendait la poitrine avec son couteau au manche en bois. Alyssa vit ses propres aisselles, pas rasées depuis au moins deux semaines. *Dégoûtant.* Elle laissa tomber la serviette hygiénique souillée sur sa culotte sale et ils la firent se tourner et se retourner, de tous côtés. Elle aurait tout donné pour ne pas se retrouver dans cette pièce exiguë, si proche des officiers qu'elle sentait leur haleine de vieille viande et de laitues pourries. Alors, elle se mit à flotter de plus en plus haut, jusqu'à ce que ce ne soit plus elle qu'on examinait dans diverses poses que la vraie Alyssa n'aurait jamais prises, même tout habillée. Ils faisaient semblant de ne pas vraiment l'examiner en suivant de leurs yeux froids le sang qui coulait sur l'intérieur de sa cuisse. Ce qui incita Ostrom à lui expliquer le fonctionnement du service d'approvisionnement, mais elle devinait leurs pensées : *vilaine fille, même pas capable de rester habillée, elle ne mérite rien de mieux.* Ostrom parlait toujours. Elle disait à Alyssa qu'on lui donnerait certains effets, mais qu'elle devrait payer tout le reste avec l'argent qu'elle fournirait elle-même. Elle devait bien avoir de l'argent, n'est-ce pas, une étudiante à l'université comme elle ? *Petite maligne. Vilaine fille.*

Ils lui dirent de se rhabiller. Elle frissonnait et ses dents claquaient. Quand elle monta la bande élastique sur son estomac, qui semblait fondre, ses ongles cassés s'accrochèrent dans le tissu orange. Elle se desséchait, aurait-on dit, et se ratatinait, comme sa grand-mère mourante. Cela arrive à tous ceux qui meurent et les membres de leurs familles doivent s'occuper de tout, tout nettoyer, et prétendre qu'ils le font par amour. Comme s'ils n'avaient pas la nausée devant le miasme dégueulasse des cellules humaines qui apparaît à chaque hoquet, à chaque gémissement et à chaque grognement. Les officiers regardaient Alyssa mourir comme elle avait regardé sa grand-mère, sans lui dire ce qu'ils pensaient. *Dégoûtant.*

L'homme lui fit signe de sortir. Elle quitta cet autre monde où elle avait flotté, plus ou moins consciente de ce qui lui arrivait, écartelée comme une volaille sanguinolente sur une planche à découper. Quand elle vit Ostrom écrire des choses à son sujet, sur ses parties les plus intimes et sa honte, elle regretta d'être revenue. Les mots écrits la clouaient au sol, l'empêchaient de flotter.

Derrière le comptoir où était l'ordinateur, Ostrom lui donna une savonnette, une brosse à dents et une bouteille de shampooing pour bébé – *bébé* – et indiqua à Alyssa un endroit par-dessus sa tête.

« Tu utilises la douche numéro deux, en haut. Une bonne hygiène personnelle est obligatoire. Va te nettoyer et, après, je te conduirai à ta cellule et passerai le règlement en revue avec toi. »

Ostrom lui montra un groupe de femmes qui jouaient aux cartes à une table et qui se ressemblaient comme des sœurs dans leurs habits orange.

« Tu les vois à la table là-bas ? Ici, c'est un établissement à supervision directe, Staton. Ce qui veut dire que tu essaies de t'organiser le mieux possible toute seule. »

Elle se retourna vers l'écran de l'ordinateur et tapa quelque chose. Alyssa ne bougeait pas.

Ostrom cessa de taper.

« En haut ? C'est écrit sur la porte, Douche 2.

– Pourquoi m'avez-vous donné du shampooing pour bébé ?

Ostrom la regarda fixement, comme si elle l'évaluait de nouveau. Pas trop brillante cette étudiante de l'université, pas la petite maligne qu'elle avait cru.

– Pour tes cheveux, Staton. Tes cheveux puent et tu as besoin d'une douche. C'est un établissement propre ici. Tu comprends ?

Alyssa suivit la direction indiquée par Ostrom et passa à côté de la table des joueuses de cartes. Elles levèrent la tête et leurs regards passèrent à plusieurs reprises de sa carte d'identité à son visage. La seule blonde, parmi des noires et des brunes, une maigre aux cheveux courts, lui fit un clin d'œil et abattit une main de cartes sur la table.

– Regardez-moi ça, vous allez brailler, dit la blonde en s'éventant de la main.

– Voyons, Joey.

– Dis donc, t'as menti.

– Merde. Toi, la maligne, tu vas le regretter demain pour sûr. »

Alyssa monta l'escalier de métal jusqu'au balcon. *Une passerelle*, songea-t-elle en s'arrêtant devant la porte turquoise marquée Douche 2. Elle regarda les joueuses de cartes en bas. Joey – *Joséphine ? Jolène ?* – brassait les cartes, ses épaules maigres courbées. Elle rejeta la tête vers l'arrière et éclata de rire. Une pomme d'Adam proéminente et inattendue monta et descendit dans son cou blanc et mince. Sous son corsage orange, Joey portait un chemisier épais à manches longues. Si elle continuait à frissonner autant après la douche, Alyssa pourrait peut-être en demander un à Ostrom elle aussi. Peut-être Ostrom serait-elle plus accommodante quand Alyssa serait propre et qu'elle aurait retrouvé ses esprits.

Elle ouvrit le robinet dans la douche, toute carrelée de blanc, puis s'éloigna pour ôter son costume orange. Pas de rideau de douche, pas de porte, juste la douche violemment éclairée et l'eau qui tombait. Une buée montait, comme le brouillard de la baie. Ça ressemblait un peu à Griffiths Hall, mais ici, avec tous les murs sans fenêtres et les portes de cellules ouvertes, on pouvait tout surveiller. L'architecture elle-même disait aux détenues : « aucun endroit par où s'évader, aucun endroit pour se cacher ». Elle accrocha son costume orange à un crochet argent où il se balança comme un ballon dégonflé. C'était drôle. Elle, qui ne s'était jamais intéressée aux vêtements, venait de découvrir qu'elle détestait tellement le polyester qu'elle se sentait soulagée de se retrouver nue. Ses seins étaient froids. Encore lourds, encore trop durs sous sa peau tendue, mais ils ne coulaient plus. Elle se rappela que, la nuit précédente, la dame aux cheveux gris voulait absolument parler d'un bébé, un bébé, un bébé. Alyssa avait répliqué – avait-elle crié, avait-elle vraiment haussé le ton ? – « bon, bon, d'accord, un bébé ! » À peu près au même moment, elle avait senti à l'intérieur d'elle une petite main lui retourner le cœur et la débarrasser de la traction douloureuse et profonde qui faisait pleurer ses seins. Elle toucha ses seins raidis et secs, puis glissa la main dans le sillon entre les deux, avant de la faire descendre jusqu'à son ventre. Depuis combien de temps se refusait-elle ce plaisir ? Toucher son corps nu et en suivre les contours de la main. Depuis combien de temps personne – à part le médecin maussade à la queue de cheval qu'elle avait vu avec les policiers à l'hôpital, et ça ne comptait pas – depuis combien de temps personne ne l'avait caressée, n'avait posé la main sur sa nuque et ne l'avait apaisée, même si c'était une main étrangère ?

« Staton, voici ta literie et ta serviette. »

Ostrom était entrée dans la salle de douche et lui tendait, comme sur un plateau, des draps bleus et une serviette blanche.

Elle s'efforça de ne pas trembler, baissa la tête et laissa ses cheveux couvrir tout ce qu'ils pouvaient cacher d'elle. Que lui importait qu'Ostrom la voie nue ? pensa-t-elle pour se débarrasser de tout vestige de pudeur et de son besoin d'intimité. Ostrom avait déjà vu tout ce qu'il y avait à voir de la détenue 7236, de Joey en bas, et de toutes les joueuses de cartes, aussi. Elle avait tout vu et elle en avait probablement marre. Alyssa prit la pile de lingerie sans même essayer de cacher ses seins.

« Vérifie les draps pour voir s'ils sont pas déchirés, dit Ostrom en se retournant. Si tu dis rien, tu seras tenue responsable.

– Merci, dit Alyssa.

– Quand tu seras propre, je vais te montrer ta cellule. Quarante-deux. T'as qu'à suivre les chiffres.

– D'accord.

– Staton ? Pas besoin de laisser couler l'eau pour la réchauffer. Pas comme à la maison. Nous avons des chauffe-eau rapides ici. Un des avantages de la prison. De l'eau chaude vingt-quatre heures sur vingt-quatre. »

Ostrom avait raison. L'eau chaude, stable et continue, parut un cadeau à Alyssa. Sous la douche, elle baissa la tête et tourna encore sur elle-même. L'eau trempa ses cheveux et lui cacha la porte par laquelle Ostrom était sortie. Elle oublia tout ce qui existait à l'extérieur, dans le monde au-dessus duquel elle pouvait choisir de flotter quand les gens qui en faisaient partie dépassaient les limites. Elle ouvrit la bouteille de shampooing pour bébé – petite comme dans les hôtels, comme pour un bébé – et la vida sur sa tête. Elle le fit mousser d'abord sur son cuir chevelu, puis dans ses longs cheveux. Avec les mains, elle frotta ses boucles, puis les sépara pour les rincer sous le jet d'eau. Elle réussit à faire mousser le minuscule pain de savon Ivory et commença à se frotter, longtemps. Elle continua jusqu'à ce que le pain soit si mince qu'il se brisa. Elle plia les deux moitiés l'une sur l'autre et continua à frotter.

La serviette mince qu'Ostrom lui avait apportée devint rapidement humide, avant même qu'elle essaie de s'en servir pour assécher les pointes de ses cheveux. Sans après-shampooing, ils s'étaient emmêlés. Comme sa brosse était dans son sac à dos, confisqué par Hopkins, elle se peigna avec les doigts. Elle remit le costume orange, plia sa serviette en trois et ramassa le flacon vide et le reste du savon. Une seule fois, avant de quitter la salle de douche, elle toucha ses seins et son ventre. Sous sa paume, elle sentit qu'ils étaient transformés.

Sa cellule n'était qu'un cagibi. Un matelas mince et une tablette, en métal écaillé, en guise de table. Pas de lavabo ni de toilettes. Pas du tout comme ce qu'on voit dans les films, lui expliqua Ostrom, parce qu'il s'agissait de cellules sèches. Secs comme ses seins l'étaient devenus, comme la serviette hygiénique neuve qu'elle portait entre ses jambes, comme sa gorge. C'était comme si, ayant de l'eau à sa portée, elle avait oublié de boire, tellement absente qu'elle avait perdu la conscience des besoins de son propre corps. Les détenues partageaient des salles de bains communes, lui expliqua aussi Ostrom, comme dans les colonies de vacances. Elle était sûrement allée en colonie de vacances, une fille comme elle ? Mais pas de compagne de chambre, pas pour elle. Elle avait eu de la veine et avait été placée dans une cellule simple.

Debout dans la cellule, Ostrom lui donna ses directives, instructions et restrictions, comme un sergent instructeur s'adressant à une recrue d'intelligence moyenne.

« Tu es responsable de la propreté de ta chambre. Les murs et les grilles d'air doivent être gardés propres et libres de tout matériel. Tous les dommages et les manquements seront notés ici.

Ostrom brandit le livre du règlement au visage d'Alyssa. La reliure était orange, assortie à son costume.

– Si ta chambre est sale ou endommagée, tu peux être tenue criminellement responsable. »

Criminellement responsable. Pour une chambre sale. Alyssa se rappela la mère de Sharon, le visage écarlate, à bout de nerfs, qui engueulait sa fille devant Alyssa.

« C'est un vrai crime d'avoir une chambre dans un état pareil ! Je te défends de sortir ! »

La dame aux cheveux gris, impassible.

« Nous croyons que tu as commis un crime, Alyssa. »

Leah, les joues rouges, amoureuse de son enfant, réjouie par le rire de sa fille.

« Quel est ton crime ? Quel est ton crime ? »

Ostrom cessa sa litanie. Elle baissa le ton.

« Considère cette pièce comme ta maison, Staton. Prends-en soin comme tu prendrais soin de ta propre maison. »

Elle se retourna, sortit de la cellule et s'arrêta sur le balcon, la main sur la rampe de métal, semblable à celle qui empêche les enfants de s'approcher de la cage des lions au zoo de Philly. Les bras légèrement pliés, Ostrom observa la salle de séjour, en bas. Les joueuses de cartes quittaient leur table pour se diriger vers le téléviseur, en sifflant et en se bousculant. La tête blonde de Joey ressortait parmi les autres. Une odeur de viande bouillie semblait entrer dans la cellule par les bouches d'aération, ce qui n'était pas normal. Alyssa s'assit lourdement sur le matelas nu qui serait son lit.

Ostrom fit un signe de tête approbateur, satisfaite de son inspection.

« Ici, nous formons une grande famille heureuse, Staton.

Elle se frotta le nez, humaine pour la première fois, peut-être elle aussi une mère déçue par l'un de ses enfants.

– Une grande famille heureuse. »

Après le départ d'Ostrom, seule pour la première fois depuis des années, lui sembla-t-il, Alyssa songea avec bonheur à s'étendre sur le matelas et à enfoncer la tête dans l'oreiller plutôt plat. Il était couvert du tissu rayé que portaient, avait-elle toujours cru, les prisonniers. Jusqu'à aujourd'hui, jusqu'au costume orange qui lui glaçait la peau. Mais le matelas avait une odeur déplaisante. Une odeur de tabac froid, comme dans une chambre d'hôtel où quelqu'un aurait enfreint le règlement, se serait allumé une cigarette et se serait ensuite aperçu, trop tard, que les fenêtres ne s'ouvraient pas. Elle secoua les draps bleus et fit le lit. Elle glissa l'oreiller dans la taie, puis s'assit de nouveau. Sur le plancher, sous la tablette qui servait de table, elle vit un élastique. Elle se pencha pour le ramasser et se retrouva avec une boule de cheveux bruns, mêlés à de la poussière. Elle n'était pas responsable de cette saleté. Elle venait à peine d'arriver. Elle nettoya l'élastique et tira ses cheveux humides vers l'arrière. L'élastique ne faisait qu'un tour, à cause de l'épaisseur de ses boucles emmêlées, mais elle réussit à se faire une queue de cheval lâche. Si elle ne pouvait pas se brosser les cheveux, elle les garderait au moins attachés.

« Sois la bienvenue au Camp Alameda, domicile des braves sur la magnifique South Bay.

Joey se glissa par la porte, le poing devant la bouche, comme si elle tenait un micro.

– Nous ne formons qu'un, et un c'est moins que rien.

Joey lui tendit le micro et pencha la tête.

– Elle t'a fait le coup de la grande famille heureuse, petite ? murmura-t-elle.

Alyssa trouva tout naturel de parler dans le micro imaginaire que lui tendait Joey.

– Le coup de la famille ? Ça... le... ouais, elle l'a fait.

Joey prit sa réponse pour une offre d'amitié. Elle s'assit à côté d'Alyssa, son corps maigre électrisé.

– La première fois, hein ?

– Je n'ai pas vraiment...

– Allons donc.

Joey posa le doigt sur ses propres lèvres bordées, en haut et en bas, d'un duvet sombre.

– Ici, on dit pas non, on fait juste des affirmations.

Joey regarda la cellule nue, le lit bien fait, la queue de cheval en broussaille d'Alyssa.

– T'aurais vraiment besoin d'un peigne, tu sais. Tu peux en avoir à la réserve. Pour la jolie somme de trente-cinq cents, si tu les as.

– Ou je pourrais couper tout ça, comme toi, dit Alyssa, d'un ton de ventriloque.

Le visage de Joey s'assombrit.

– Je suis désolée, je ne voulais pas... je suis vraiment désolée.

Alyssa était vraiment désolée. Elle ne faisait pas que boucher les trous pour alimenter la conversation. Ce n'était pas la faute de Joey. Plein de mauvaises pensées lui attaquaient le cerveau comme des guêpes. Ce n'était pas la faute de Joey. Alyssa, flottant loin de ses sentiments, n'avait pas cru pouvoir blesser quelqu'un ici.

– Bien sûr, d'accord, je sais ce que c'est... la première fois, dit Joey en lui tendant la main. Joseph Michael Diehl. Et toi, comment tu t'appelles ? »

L'odeur de viande qui circulait dans les bouches d'aération annonçait le déjeuner, à une longue table mise et desservie par les détenues. Joey, Joseph – comment

Alyssa avait-elle pu ne pas s'en apercevoir plus tôt – s'assit à côté d'elle et la présenta aux autres comme si elle avait été une vedette. « Alyssa Staton du quarante-deux, récemment de Berkeley et auparavant de Philadelphie. » Ça leur plut, le fait qu'elle vienne de Philadelphie, et elles se lancèrent dans de longues descriptions des voyages qu'elles feraient dès leur sortie de prison. « Acapulco », dit une joueuse de cartes. « Non, non, non, New York pour moi », dit une autre. Joey ne parla pas, mais il toucha la main d'Alyssa quand une femme au bout de la table prit la parole.

« Pourquoi ils t'ont arrêtée, Staton ? » cria-t-elle.

Alors, Alyssa se remplit la bouche d'une grosse cuillerée de pommes de terre en purée et fit mine de ne pas avoir entendu. Le repas terminé, elle imita les autres et glissa des plateaux sur un chariot roulant, poussé et tiré par deux détenues qui disparurent avec lui derrière les portes de sécurité en métal.

« C'est ça que tout le monde veut être, dit Joey en regardant partir les plateaux dans un cliquetis.

– Quoi ?

Elle ne comprenait plus rien, elle si intelligente et si brillante dans une vie antérieure.

– Déléguée. Ils te nomment déléguée quand ils ont confiance en toi, dit Joey en riant.

– Qu'est-ce qui fait qu'ils te font confiance ? »

Alyssa essayait de comprendre. « La seule question stupide, c'est celle que tu ne poses pas, Alyssa. »

« Tout faire correctement. Suivre leurs directives. Faire son temps sans causer de problèmes.

– Et toi ? demanda-t-elle à Joey dont le visage était indéchiffrable. Fais-tu ton temps sans causer de problèmes ?

– Bien sûr. Chaque fois que je viens, dit Joey en se grattant la tête et en se tournant vers la télé. Mais ils veulent aussi que tu saches écrire.

Joey porta l'index à sa tempe, comme le font les enfants quand ils veulent dire que quelqu'un est fou.

– Je mêle les choses... poursuivit-il... ici, là-dedans. »

Il s'approcha de la télévision en lui faisant un signe de la main. Peut-être pensait-il lui en avoir trop dit. Après tout, il ne la connaissait pas. Et elle ne le connaissait pas, elle non plus.

Tant de gens étranges en si peu de temps, tant de mots pour rien, Alyssa était épuisée. Elle grimpa l'escalier jusqu'au balcon et retourna dans sa cellule en fermant la porte derrière elle. Elle s'étendit sur les draps bleus et se blottit contre l'oreiller plat, qui sentait la fumée. Le repas, qu'elle avait mangé sans appétit, lui remontait dans la gorge, menaçant. Sa joue, collée sur le matelas, lui parut humide. Elle pensa d'abord à ses cheveux, au temps qu'ils mettraient à sécher, attachés par cet élastique usagé. Sa seconde pensée, aussi inconcevable qu'une porte ouverte par un fantôme, fut qu'il s'agissait de larmes.

Sa joue était mouillée de larmes.

Chapitre 12

Leah entendit les détectives frapper chez Clara. Elle était peinée de l'avoir impliquée, mais pas assez pour attendre le départ des policiers afin d'aller s'excuser auprès d'elle. Elle enfila rapidement un pantalon noir, un blazer et des souliers plats, dans l'intention d'avoir l'air respectable. Elle n'était jamais entrée dans un poste de police de sa vie. Allie serait probablement assise, juste à côté de la porte, à l'attendre. Elle ou le moyen de locomotion qu'elle lui fournirait. Comme elle avait dû être – comme elle devait être ! – effrayée, songeait Leah. Elle marchait de long en large en regardant par la fenêtre qui donnait sur la rue pour voir apparaître le taxi jaune qui n'aurait pas dû tarder autant, vu qu'il était minuit passé. Il lui fallut pourtant attendre une demi-heure avant que le taxi s'arrête près du trottoir, avec un coup de klaxon discret. Le vent sévissait toujours.

Par comparaison avec les couleurs et l'animation qui y régnaient le jour, les rues paraissaient ternes. De grosses gouttes de pluie commençaient à tomber, et les rares passants se pressaient vers un abri. Ils détalaient comme des animaux dans l'obscurité.

À l'arrivée au poste de police, Leah tendit un billet de dix dollars au chauffeur et lui demanda de l'attendre. Ce serait beaucoup plus simple que d'avoir à faire venir un autre taxi. Elle entrerait, devrait peut-être signer quelque chose et ramènerait Allie à l'appartement, saine et sauve. Pendant le trajet, elle s'était bien préparée. Pas de questions, pas de récriminations, pas maintenant. Ce qu'Allie avait fait était mal, c'était évident. Mais la serrer dans ses bras, lui offrir une tasse de thé, et peut-être du pain grillé, avec un calme plein de compréhension et d'acceptation, tout cela créerait une atmosphère favorable aux confidences. Et si Allie était trop épuisée pour s'expliquer ce soir, bien, Leah attendrait demain matin. Elle découvrirait ce qui s'était vraiment passé, puis Allie et elle pourraient sortir de l'impasse. Elle laisserait sa fille comprendre qu'elle aurait pu, qu'elle aurait même dû, se confier à sa mère dès le début. Les enfants sont ainsi. Ils doivent toujours apprendre à la dure. Pourtant elle, Leah, n'avait pas l'impression d'avoir eu le loisir de se comporter stupidement.

Elle grimpa rapidement l'escalier brillamment éclairé qui menait à l'entrée du poste de police. Un officier en uniforme, l'air fatigué, presque chauve, se tenait à un comptoir, derrière une cloison en verre qui montait jusqu'au plafond. Leah lui parla à travers la vitre, en exagérant le mouvement de ses lèvres.

« Je suis venue chercher ma fille.

Le policier lui indiqua un petit microphone incrusté dans le verre, avec un haut-parleur de chaque côté. Il appuya sur un bouton et sa voix parvint à Leah.

– Dans le micro, s'il vous plaît, madame.

Leah avança et se plaça devant.

– Je suis venue chercher ma fille, Alyssa Staton.

Il consulta des papiers.

– Vous a-t-on appelée pour vous demander de venir la chercher ?

– Non, mais deux détectives sont venus à son appartement. Ils m'ont dit qu'elle était ici.

L'officier consulta d'autres papiers.

– Je ne vois pas son nom sur la liste. Je vais vérifier pour vous.

Il décrocha un téléphone, mais Leah ne put entendre ce qu'il disait. Quand il eut terminé, il ouvrit de nouveau les haut-parleurs et se retourna vers Leah.

– Madame, elle a été emmenée au comté. Vous pourrez la voir après quatorze heures demain... Je veux dire aujourd'hui, reprit-il après avoir consulté sa montre, cet après-midi.

– Le comté ? demanda Leah, un ton plus haut. Qu'est-ce que le comté ? Pourquoi n'est-elle pas ici ?

– Je vais demander à un détective de venir vous parler, madame. Je ne suis pas au courant du cas. Veuillez entrer.

Il appuya sur un autre bouton qui contrôlait l'ouverture d'une porte en verre d'un côté du petit hall.

Elle s'approcha du comptoir où se trouvait l'officier. Il était sur une plate-forme. Elle se sentit comme une enfant. Elle devait lever la tête pour implorer cet homme qui la regardait de haut.

– Qu'est-ce que le comté ? répéta-t-elle, énervée. Pourquoi ma fille n'est-elle pas ici ? Les détectives m'ont dit qu'elle était ici.

– C'est la prison du comté, madame.

– Quoi ?

Leah s'efforçait de faire fonctionner son esprit dans le brouillard d'un rêve surréaliste.

– La prison, madame, à Hayward... le détective va répondre à vos questions.

Il lui indiqua quelque chose derrière elle et, avant même de se retourner, elle put lire du soulagement sur son visage.

– Voici le détective Brynner, madame, dit-il.

Leah se retourna pendant que le policier parlait pardessus son épaule à l'homme grand, au visage plissé et boutonneux, qui approchait. Ses sourcils descendaient en ligne droite de son front à ses pommettes, qui semblaient en conséquence remonter, ce qui donnait la forme d'un losange à la partie supérieure de son visage.

– Hardy, voici madame Staton, dit l'officier au comptoir.

– Pacey. Leah Pacey. Je suis la mère d'Alyssa Staton. Où est-elle ?

– Madame Pacey, voulez-vous me suivre, s'il vous plaît ? Je vais vous mettre au courant.

Le détective Brynner fit un geste dans la direction d'où il était venu.

– Je... mon taxi attend. Je ne peux pas ramener Allie à la maison maintenant ?

– Je crains que non. Avez-vous déjà payé le chauffeur ?

Leah fit signe que oui.

Le détective Brynner s'adressa à l'officier derrière le comptoir.

– Joe, veux-tu renvoyer le taxi de madame Pacey ? Par ici, madame, dit-il en se retournant vers Leah et en lui indiquant un couloir.

Il l'amena dans une salle d'entrevue, pas dans le bureau qu'elle avait imaginé. Une table, quatre ou cinq chaises au dossier droit, une fenêtre obscurcie et des murs nus.

– Puis-je vous offrir une tasse de café ? demanda-t-il.

– Non merci, dit-elle avec un geste de la main. Je vous en prie, dites-moi ce qui se passe. Où est Allie ?

– Vous avez parlé avec les détectives McNeill et Halsumae, n'est-ce pas ?

– Oui, à mon... à l'appartement d'Allie. Ils m'ont dit qu'elle était ici.

– Ils ont dû vous expliquer que nous croyons qu'elle a accouché dimanche et qu'elle a abandonné le nouveau-né.

Le détective parlait sans émotion apparente.

– C'est une erreur, dit Leah. C'est tout simplement une erreur, répéta-t-elle. Elle est peut-être enceinte, mais l'idée que... non, c'est impossible.

Le détective semblait la jauger. Leah se demanda si elle avait l'air d'une folle. *Reste calme,* se dit-elle. Il devait la croire.

Il passa la main sur son crâne d'un geste las.

– C'est difficile à admettre, je sais bien. Elle a eu un bébé. Cela a été confirmé par un examen médical. Elle a été recueillie et amenée à l'hôpital parce qu'un officier qui faisait sa ronde a cru qu'elle avait été attaquée ou violée. Elle était désorientée et ensanglantée.

– Mais les autres détectives m'ont dit qu'elle allait bien. Va-t-elle bien ?

– Oui, madame. Ils l'ont nettoyée et lui ont donné son congé. Elle n'est pas blessée... les saignements étaient seulement... dus à son accouchement.

– Où est le bébé d'Allie ?

– Nous croyons que c'est le bébé qui a été trouvé dans une station de métro dimanche dernier. Quand elle a accepté d'être soignée à l'hôpital, elle a signé un consentement pour qu'on prenne de son sang et des échantillons de tissu. Ce que nous avons pu vérifier jusqu'à maintenant semble démontrer qu'elle est la mère de ce bébé. Son sang correspond à celui qui a été trouvé sur la scène du drame.

– Si vous vouliez seulement me laisser lui parler, je suis certaine que nous pourrions tirer cette affaire au clair. C'est une erreur.

Poussée de biais par le vent, la pluie se mit à tomber lourdement sur la fenêtre obscurcie.

– Elle est en détention préventive, madame. Elle n'est pas encore passée devant la cour, mais...

– Alors, vous devez la libérer.

La frustration et l'exténuation contribuaient à son désespoir.

– Je suis désolée, madame Pacey, mais la caution n'est pas fixée avant le passage devant le juge. Elle a été arrêtée pour avoir mis la vie d'un enfant en danger et pour possession illégale d'une substance toxique, mais je m'attends à ce qu'elle soit accusée au moins d'homicide involontaire. Peut-être de meurtre. Ce n'est pas à moi de décider. De toute façon, soupira-t-il, nous avons vraisemblablement une cause. Vous serez peut-être intéressée d'apprendre qu'elle a pris des drogues dures.

– Allie ne prend pas de drogues.

Leah rejeta ses cheveux en arrière en levant le menton. La drogue, voilà la preuve ultime ! Tout cela était une erreur. Allie était bien connue pour mépriser les drogués.

– Peut-être avez-vous... perdu un peu le contact avec elle. Ça arrive, madame.

– Je dois la voir. Je vais la voir tout de suite.

– Pas avant quatorze heures demain.

– Je ne peux pas la voir? demanda-t-elle d'un ton incrédule.

– Pas avant ce moment-là. Je vais vous donner une brochure avec la politique et le règlement de la prison. Pour les détenus à l'accueil, il n'y a pas de visites avant quatorze heures.

Leah se leva. Elle avait envie de lui sauter au visage, de crier son indignation. Quand elle la repoussa, sa chaise en métal fit un grand vacarme et faillit tomber. Elle la rattrapa.

– Tout cela n'est certainement pas légal, dit-elle en prenant son sac. C'est impossible. Où est votre brochure?

– Avant de partir, vous pourriez peut-être nous éclairer sur un point. Voulez-vous attendre un instant?

Tout en parlant, le détective Brynner se leva, repoussa délicatement sa chaise et sortit. Elle l'entendit parler à quelqu'un dans le couloir, sans comprendre ce qu'il disait.

Il revint avec un sac en plastique bleu opaque. Il le posa sur la table et en sortit une serviette aux bords effilochés, tachée de sang.

– La reconnaissez-vous? demanda-t-il. Il y a un monogramme, ajouta-t-il.

Il déplia la serviette pour trouver l'endroit. ERP, proclamait la broderie en losange. En losange, comme le visage du détective. Esther Rhee Pacey.

– Non, dit Leah.

Il la regarda par en dessous.

– Vous n'avez jamais vu cette serviette?

– Je ne la reconnais pas, dit Leah.

– Bien. Alors, je vais vous raccompagner et vous donner la brochure sur la prison au comptoir en passant.

Il ouvrit de nouveau la porte et l'invita à sortir la première.

– Euh... Madame Pacey, j'espère que vous allez convaincre votre fille de coopérer avec nous. C'est dans son intérêt. Autrement, nous ne pourrons pas l'aider.

– Si vous vouliez vraiment l'aider, elle serait déjà de retour à la maison. »

Leah aurait mieux aimé ne pas être raccompagnée par le détective, ne pas prendre la brochure qu'il lui tendait ni accepter qu'une de leurs voitures la ramène à la maison. Elle aurait mieux aimé n'en rien faire, mais elle le fit. En ravalant sa bile, elle monta dans la voiture. Si elle avait appelé un taxi, elle aurait dû se servir de leur téléphone et attendre son arrivée dans le poste. Elle n'aurait pas supporté d'y rester trente secondes de plus.

Elle ne pouvait rien faire de plus cette nuit. Tôt demain, elle aviserait. Maintenant, de retour à l'appartement, elle se dirigea vers la salle de bains et aspergea son visage d'eau froide. Il était trois heures passé. Encore onze heures d'attente. Elle se déshabilla et ne garda que sa culotte dans laquelle elle mit du papier hygiénique propre. Demain matin, elle irait s'acheter des tampons. Les yeux lui piquaient. Elle avait mal à la tête et au cou. Elle enfila le tee-shirt qu'elle portait pour dormir, ferma la lumière et se laissa tomber sur l'oreiller.

Quelque chose dans la chambre la tourmentait. Dans le brouillard entre la conscience et le sommeil, elle comprit tout à coup. Elle en fut si troublée qu'elle se redressa et ralluma. Oui. Elle avait raison. Lazzie – le consolateur d'Allie et le gardien de ses larmes – avait disparu.

À l'aube, la pluie avait cessé. Leah se réveilla, les idées embrouillées, les yeux irrités, troublée par des restes de mauvais rêves, dont elle ne se souvenait pas. Elle se leva et prit une douche, avec un sentiment d'urgence superflu. Elle saisit une serviette fraîchement lavée sur l'étagère, puis la remit précipitamment à sa place pour s'essuyer avec deux essuie-mains qui n'avaient pas de connotations familières. Tout en enfilant un jean et un chemisier, elle essaya de composer une courte liste – tampons, café, muesli encore – mais elle avait de la difficulté à se souvenir de ce qu'il lui fallait ou à estimer logiquement ce dont Allie et elle auraient besoin, quand Allie serait de retour.

Coffee gémissait et rôdait près de la porte. Elle avait oublié de le sortir.

« D'accord, mon garçon. Nous allons au Quick Shop. Peut-être que je me rappellerai ce dont j'ai besoin en le voyant. »

Elle devait rester calme et s'occuper jusqu'à l'heure où elle pourrait prendre un taxi pour se rendre à la prison, éclaircir toute l'affaire et ramener Allie avec elle. Elle avait envie de parler à quelqu'un, tout en le redoutant. Elle redoutait particulièrement de voir Clara, qui l'avait prévenue que les policiers étaient tout à fait capables de trafiquer la réalité pour arriver à leurs fins. Si Leah n'avait pas rapporté la disparition d'Allie, sa fille ne serait pas en prison maintenant. C'était aussi sa faute si les policiers étaient allés chez Clara la veille, malgré l'heure tardive. Pendant qu'elle téléphonait pour avoir un taxi, elle les avait entendus frapper. Le détective McNeill avait dit d'une voix forte : « Police ! », puis la porte de Clara s'était ouverte et refermée.

Ce que Leah voulait le moins au monde – un divorce, par exemple, soigner une mère invalide, voir sa fille en prison ou tomber sur Clara – était apparemment ce qui était le plus susceptible de lui arriver. Debout sur le palier, elle fermait doucement la porte derrière elle quand Coffee aperçut un écureuil. Un grognement digne d'une bête sauvage se transforma en aboiements aigus. S'il n'avait pas agité joyeusement la queue, il aurait vraiment ressemblé à un chien féroce.

Clara ouvrit sa porte. Elle portait un pantalon noir et une tunique rouge. Ses cheveux étaient soigneusement coiffés. Elle attendait que je sorte, pensa Leah, affolée.

« Bonjour, Clara. Coffee n'en peut plus... dit-elle en essayant de se diriger immédiatement vers l'escalier.

Elle pourrait au moins retarder leur rencontre.

– Madame Pacey, Leah, attendez un moment. Je vais le sortir avec vous, dit Clara.

Leah voulut protester, puis se résigna.

– Bien, dit-elle, mais je vais aussi au magasin. Je dois faire quelques achats pour Allie. »

En laissant la porte ouverte, Clara retourna un moment dans son appartement. Un manteau gris était plié sur le dossier d'une chaise. Ainsi, elle attendait vraiment Leah.

En silence, les deux femmes descendirent l'escalier. Coffee entraînait Leah en tirant sur sa laisse. Juste un peu derrière, Clara s'aidait de la rampe en métal.

Dans le parking, Leah tenta de clore l'affaire.

« Je suis désolée que les policiers soient allés chez vous hier soir. Je n'aurais jamais pensé qu'ils vous impliqueraient. Je n'ai fait que leur mentionner... de toute façon, je suis désolée.

– Ce n'est que le début de ses ennuis, dit Clara.

Leah se demanda ce qu'elle voulait dire.

Le matin était clair et frais. Un soleil faible tentait d'assécher les résidus humides de la veille et la brise était assez forte pour qu'il n'y ait pas de brouillard.

Leah inspira profondément sans avoir l'impression de suffoquer. Elle avait commencé à se sentir un peu mieux avant les dernières paroles de Clara.

– Je suis vraiment désolée, répéta-t-elle.

– C'est rien. Vous en faites pas pour ça.

Puis Clara se tut, comme si c'était à Leah de reprendre la parole.

– Ils disent qu'elle est à la prison. C'est une telle erreur. Ils m'ont dit que je pouvais y aller à quatorze heures, mais dès que j'aurai rapporté de la nourriture pour elle à l'appartement, je vais y aller. Je dois éclaircir l'affaire.

Coffee leva la patte près d'un jardinet clôturé où les restes séchés d'une plate-bande de zinnias jonchaient le sol. Un abandon, c'est tout. Avec de la persévérance, tout peut être nettoyé.

– Vous réussirez pas toute seule, dit Clara. Passez-le-moi une minute, ajouta-t-elle en s'emparant de la laisse et en tirant dessus d'un coup sec. Au pied, dit-elle d'un ton brusque.

Coffee cessa de tirer vers l'avant. Son souffle devint profond et rauque, étouffé par son collier.

– Il est encore jeune, mais vous feriez mieux de pas le laisser faire, sinon il va vous traîner jusque dans la baie.

Elle rendit la laisse à Leah.

– Que voulez-vous dire ? demanda Leah en tirant consciencieusement quelques coups sur la laisse de Coffee.

– Au sujet du chien ?

– Non, d'Allie. Qu'est-ce que je ne réussirai pas seule ?

– À régler cette affaire. Du temps, des avocats et plus de patience que la plupart des gens en ont, dit-elle. La première chose, s'occuper de la caution. Mais il faut attendre qu'elle passe devant le juge.

– La caution ? Non, Clara, c'est une erreur. Que vous ont-ils dit ?

– Le moins possible, comme toujours. J'ai juste compris dans quelle direction ça s'en allait.

– De toute façon, je dois d'abord savoir si Allie est enceinte. Ils disent qu'elle a eu un bébé et... elle ne ferait jamais cela, jamais.

– Ils en savent bien plus que ça. Ils le demanderaient pas s'ils le savaient pas déjà.

Un pigeon atterrit sur le trottoir, devant Coffee. Le chien bondit vers l'avant. Leah le ramena vers l'arrière brusquement et rapidement, comme Clara l'avait fait.

– Mais, Clara, s'ils ont inventé une histoire ? Vous m'avez dit vous-même qu'ils faisaient ce genre de chose. Ils ne connaissent pas ma fille, moi oui. Vous ne comprenez pas. Ils ne disent pas seulement qu'elle a eu un bébé, ils disent qu'elle l'a abandonné, qu'elle l'a laissé... vous savez, l'histoire dont les journaux ont parlé. C'est impossible.

– Je sais, dit doucement Clara en regardant droit devant elle. J'aime pas devoir vous dire ça, mais ça vaut mieux : je crois que c'est vrai. »

Étrange, songeait Leah, *que des choses connues puissent côtoyer celles que vous n'avez jamais vues ni imaginées.* Le long de la rue, il y avait des érables et des chênes, des arbres familiers de son coin de pays, dans l'est, parmi d'autres qu'elle était absolument incapable d'identifier.

Une serviette qui venait de chez elle, avec quelque chose dessus qu'elle n'aurait jamais pu imaginer.

« Comment pouvez-vous croire une chose pareille ? Elle n'a même jamais fait de mal à une mouche. D'ailleurs, quand elle était petite...

Clara ne l'interrompit pas, mais elle profita d'une pause de Leah pour trouver des exemples qui démontraient combien Allie avait toujours été sensible. Elle prit volontairement la parole et énuméra des idées, sans suite logique.

– Elle avait l'air si misérable. Les kilos, ses vêtements amples. Les derniers temps, elle m'évitait. Et dimanche dernier ? Quand j'ai sorti le chien ? Elle était vraiment malade. Peut-être elle savait pas c'est quoi le travail avant l'accouchement, peut-être que oui. De toute façon, elle avait vraiment peur. Pauvre enfant.

– Clara, elle m'aurait demandé de l'aide.

Leah était de nouveau sur la défensive et effrayée, elle aussi, mais différemment. Clara, qui n'était même pas au courant pour la serviette, croyait Allie coupable. Elles arrivaient dans un secteur plus commercial, il y avait plus de monde sur les trottoirs et Leah, consciemment, ne voulait pas qu'on les entende.

– J'en sais rien, dit Clara. Des fois, les gens ont trop peur, trop honte...

Leah se tut. Son esprit battait la campagne. Était-ce possible ? Non ! Un instant. Était-ce possible ? Elle tenta de revoir l'image d'Allie dans son pantalon de style harem et son long pull. Tout à coup elle se rappela sa difficulté, lors de Thanksgiving, à trouver le centre de gravité d'Allie pour la peinture qu'elle voulait en faire, le port différent, la marche différente. Possible ? Leah sentit ses joues brûler. Puis elle eut un étourdissement et la nausée.

– J'ai... besoin de m'asseoir, dit-elle à Clara.

– Ça va, nous allons trouver un endroit tout de suite.

Sans poser de questions, Clara prit la laisse des mains de Leah, fit passer le chien de l'autre côté et entoura Leah de son bras libre pour la soutenir. Leah sentit son aînée grande et solide, comme son père autrefois.

– Je connais une place tout près, dit Clara, où vous pourrez vous asseoir et reprendre votre souffle. »

Pendant que Clara ramenait Coffee à la maison, Leah fit rapidement le tour des allées du Quick Shop. Elle mit dans son panier quelques denrées essentielles et quelques-uns des mets préférés d'Allie. Au cas où il y aurait encore une mince possibilité que tout cela soit une erreur. Une demi-heure plus tôt, Leah, abasourdie mais les yeux secs, s'était retrouvée assise dans un petit café où Clara lui avait commandé d'abord un verre d'eau, puis un thé. Le raisonnement de Clara se tenait et il correspondait à son instinct, mais cela ne voulait pas dire pour autant qu'il était vrai. Leah devait encore garder de l'espoir.

Elle essayait, mais rien ne l'y encourageait.

Quand elle rentra avec son sac de provisions, il n'était pas encore dix heures. Elle frappa à la porte de Clara pour reprendre Coffee. Même si elle n'avait pas particulièrement le goût de parler, elle se sentait si seule qu'elle demanda à Clara de venir lui tenir compagnie pendant qu'elle rangeait ses achats et préparait du café.

Au fond, elle avait peut-être envie de parler. Elle commençait à tout moment des phrases qu'elle ne terminait pas, un peu comme Coffee quand il changeait de direction pour courir après quelque chose de nouveau.

– Que devrais-je faire ? demanda-t-elle enfin, sa fébrilité un peu calmée. Je devrais y aller tout de suite, n'est-ce pas ? »

Elle venait de verser une tasse de café à Clara, sur la petite table bancale dans la cuisine d'Allie. Leah s'y asseyait pour la première fois. Ce serait facile, pensa-t-elle, d'égayer la cuisine : une violette en fleur au centre de la table pour mettre de la couleur sur son dessus gris pâle, une série de paniers joliment accrochés au mur, un imprimé en bleu, lavande et vert près du réfrigérateur et une carpette sur le plancher devant l'évier. Oui, et une plante araignée dans la fenêtre au-dessus de l'évier. Elle ferait cela, et davantage, avant le retour d'Allie à la maison. Pour Allie. Mon Dieu ! Pas une plante araignée, qui ne cesse jamais de faire des bébés. Mon Dieu ! Mon Dieu !

« C'est inutile, trésor. Quand ils disent quatorze heures, ils veulent dire pas une minute avant, répondait Clara.

Leah avait-elle manqué quelque chose ?

– Mais je vais pouvoir la faire libérer sous caution, n'est-ce pas ? Ça coûte simplement de l'argent. J'ai de l'argent, ou je peux en trouver.

– Ça dépend, dit Clara. S'ils font comme pour mon fils et la plupart des autres, ils vont trouver plein d'accusations avant de l'amener devant le juge pour la caution. Jusque-là, tout ce que vous pouvez faire, c'est la visiter. Trois quarts d'heure, pas plus, même si vous arrivez tôt. Les premiers jours, une visite de trois quarts d'heure, entre quatorze et dix-sept heures. Quand elle aura été classée, vous pourrez y aller à partir de neuf heures... mais toujours pendant trois quarts d'heure seulement.

– Trois quarts d'heure, répéta Leah. Y a-t-il un moyen pour...

Clara hocha la tête.

– Et mieux vaut le savoir d'avance. Il y a seulement ce qu'ils appellent des visites sans contact. Avec une vitre entre elle et vous.

Les yeux de Leah se remplirent de larmes. Clara étira le bras et couvrit la main de Leah avec la sienne.

Leah essaya de se ressaisir.

– Je dois me contrôler, dit-elle.

– Selon mon expérience, vous feriez mieux », répondit Clara.

Calmement assise, elle paraissait plus vieille. Leah la connaissait juste assez pour ne pas paraître impolie en la regardant bien en face. Ses lèvres étaient plus minces que celles de la plupart des Noirs, et même que celles de Leah. Si Leah faisait un jour son portrait, elle se servirait de l'ombre pour rendre les rides qui allaient du nez à la bouche et qui formaient une parenthèse autour de ses lèvres immobiles, comme à présent.

« Êtes-vous fatiguée ce matin ?

Ce n'était pas juste de tout faire tourner autour d'Allie et d'elle.

– J'ai reçu un appel vers quatre heures, dit Clara, sans répondre directement à la question. J'ai l'impression que c'était peut-être Alyssa.

– Allie ? Qu'est-ce qu'elle a dit ? Pourquoi ne m'en avez-vous pas parlé ?

– La personne a pas dit un mot, juste une sorte de râle, puis elle a raccroché. J'ai pensé que c'était peut-être elle. À peu près au moment où ils leur laissent faire deux appels.

Leah fut piquée au vif. Puis elle pensa que sa fille ignorait sa présence à Berkeley. Et personne à la maison à Philadelphie. Aurait-elle appelé Dennis ?

– Je dois appeler chez moi, écouter les messages sur le répondeur. Mon Dieu, j'aurais dû faire cela régulièrement. Où ai-je la tête ? »

Mais, sur le répondeur, il y avait Cory, puis George (« Appelle-moi. J'ai une autre commandite en vue »), Cory encore, et enfin le signal de la fin des messages. Leah songea un moment à téléphoner à Dennis, mais rejeta aussitôt l'idée. Pourquoi l'inquiéter inutilement à leur sujet ? Elle attendrait de voir Allie, peut-être même de la ramener à la maison. Allie pourrait alors lui téléphoner elle-même.

Elle allait retourner s'asseoir en face de Clara quand on frappa à la porte. Elle regarda Clara, qui lui fit signe qu'elle n'avait aucune idée de qui il pouvait s'agir. D'un geste très gracieux, elle lui montra le blanc de ses paumes levé vers le haut, au bout de ses bras noirs.

« Qui est là ? demanda Leah en s'approchant de la porte.

– Police.

Leah ouvrit brusquement la porte. Deux policiers en uniforme étaient sur le palier. Un des deux tenait des papiers.

– Nous avons un mandat de perquisition, m'dame.

– Clara ? demanda Leah en se tournant vers elle.

Clara était déjà debout.

– Laisse-les entrer, trésor. »

Après le départ de la police, avec leur prise dérisoire, la serviette de bain que Leah n'avait pas utilisée, le téléphone sonna. Peut-être Allie avait-elle décidé d'utiliser son droit de passer un deuxième appel. Leah décrocha.

« Je suis bien chez les Staton ?

Une voix masculine, jeune. Howie ?

– Oui.

– Qui est à l'appareil ? demanda la voix un peu excitée.

– Je suis la mère d'Alyssa.

– Madame Staton, voudriez-vous me donner vos réactions à l'arrestation de votre fille ? Selon un tuyau que nous avons eu, elle serait la mère du bébé trouvé dans la station de métro. Pouvez-vous nous donner plus de renseignements à ce sujet ?

– C'est absolument faux », dit Leah.

Elle raccrocha. Elle fit les cent pas pendant quelques minutes, songea à louer une voiture, comme elle avait pensé à appeler Dennis, mais trouva les deux gestes injustifiés. Dans le taxi, elle rougit en donnant au chauffeur l'adresse de la prison. Elle devait voir Allie au plus tôt. Tout cela devait finir.

« L'édifice du comté là-bas, c'est ça ? dit le chauffeur en la regardant dans son rétroviseur.

– Oui », dit-elle.

Heureusement, il y avait peu de circulation sur l'autoroute.

La prison était grande et austère, à côté d'autres édifices identifiés comme ceux de l'administration, du shérif et du coroner. Le petit corps du bébé y était-il maintenant ? Des barbelés entouraient le complexe et la présence d'un mirador étonna Leah. Elle franchit les portes de verre et regarda autour d'elle. Des gens étaient assis, par petits groupes, dans le hall et quatre ou cinq petits enfants couraient l'un après l'autre, comme des chiots, en riant. Une des femmes se leva brusquement et attrapa un enfant d'environ cinq ans par le bras, lui donna une tape sur les fesses et l'assit brutalement sur une chaise en le grondant abondamment en espagnol.

Leah s'approcha d'une loge vitrée marquée « Accueil des visiteurs ».

« Donnez-moi votre carte d'identité, lui demanda un officier en uniforme.

À tout hasard, Leah prit dans son portefeuille son permis de conduire de Pennsylvanie et le déposa dans un petit tiroir en métal qui s'ouvrit devant elle.

– Il me faut aussi votre sac, dit l'officier.

Était-ce son imagination ? Leah crut voir un sourire de mépris sur ses lèvres pulpeuses. Il semblait avoir dans la vingtaine. Son visage était bouffi par les abus de sexe, d'alcool ou des deux.

– Êtes-vous déjà venue ici ? demanda-t-il.

– Non, dit-elle, la voix enrouée. Non, répéta-t-elle après s'être raclé la gorge.

– Bien. Alors, nous gardons votre sac pendant votre visite, madame. Si vous voulez bien me donner le nom du détenu que vous venez voir, je vais prévenir qu'on l'amène pendant que vous passerez les contrôles de sécurité.

Son ton n'était pas condescendant. Elle l'avait peut-être jugé un peu vite.

– Alyssa Staton.

– Voulez-vous signer, madame ? Voici le reçu pour votre sac. À quatorze heures, vous pourrez passer aux contrôles de sécurité, par là. Vous avez trois quarts d'heure.

Leah signa la liste des visiteurs, le visage écarlate quand elle dut écrire « mère » dans l'espace marqué « Lien avec le détenu ».

– Je sais, marmonna-t-elle.

– Voulez-vous déposer de l'argent pour elle aujourd'hui ?

– Je... je suis certaine qu'elle va revenir à la maison. Je dois d'abord lui parler.

– Très bien, alors. Veuillez vous asseoir. »

Il lui sourit. Pendleton, le nom sur son écusson. Il avait les dents mal alignées et en très mauvais état.

Il lui restait vingt minutes d'attente. Leah s'assit, les genoux serrés, le dos droit, et examina les peluches sur son pantalon noir. Elle avait remis son blazer. Elle portait les mêmes vêtements que la veille pour aller au poste de police, toujours dans l'intention d'avoir l'air respectable. Quelle foutaise ! Un costume respectable pour faire une visite dans une prison ! Comment Allie et elle en étaient-elles arrivées là ?

À quatorze heures pile, elle faisait la queue devant l'entrée des visiteurs. Un autre officier la fit passer au détecteur de métal.

« Quand vous serez dans le tube, asseyez-vous et attendez l'arrivée de votre détenu », dit-il.

Leah réussit à le remercier dans un souffle.

Le tube ? Elle avait si peur de voir sa voix lui manquer de nouveau. Au lieu de poser la question, elle traîna un peu, aussi évanescente qu'un fantôme, pour suivre un homme dans la soixantaine qui semblait savoir où il allait.

Son guide involontaire mena Leah à une série d'ascenseurs. Avec d'autres gens qu'elle avait vus dans la salle d'attente, ils montèrent au deuxième étage. Leah suivit son guide jusqu'à une série de cabines, séparées par une simple cloison, équipées chacune d'une chaise, d'un téléphone et d'une vitre.

Leah s'assit dans une cabine, en essayant de s'isoler en esprit des autres visiteurs qui choisissaient une cabine, comme elle. Cela ne ressemblait en rien à ce qu'elle avait pu imaginer. Elle avait pensé voir Allie, la toucher, pas à travers une vitre sombre, mais face à face. Elle se rappela les paroles d'Esther pendant son agonie. Elle était impuissante, dans un crépuscule irréel, où rien de ce qu'elle avait appris pendant cinquante ans ne lui était utile. Le tube. Même le nom incitait à la claustrophobie.

Une femme en uniforme, qui avait l'air d'une matrone, même si sa coiffure – une longue queue de cheval attachée sur le dessus de la tête – semblait indiquer qu'elle était encore jeune, apparut à l'entrée de la partie de la pièce réservée aux détenus. Une jeune femme aux cheveux noirs – Allie ? oui, c'était Allie – la suivait. Son costume orange attira l'attention de Leah. Allie fit un signe de tête négatif quand l'officier lui montra sa mère, mais l'officier la prit par le bras pour la conduire vers Leah. Comme elle avait perdu du poids ! Tout son corps avait changé, songea Leah, qui mourait d'envie de la serrer dans ses bras pour retrouver leur complicité – sa fille, la chair de sa chair. Elle ne réussissait pas à se faire à l'étrangeté de la situation et à la froideur d'Allie. Elle prit le téléphone dans sa cabine et la gardienne, de l'autre côté, indiqua le combiné à Allie.

Allie était assise, la tête basse, les mains sur les genoux, hors de la vue de Leah. Ses cheveux, brillants et abondants, ressemblaient à une rivière d'onyx. Ils étaient coiffés en queue de cheval, retenue par un élastique, mais assez lâche pour que les mèches de côté retombent un peu sur son visage. Un rappel du rideau derrière lequel Allie avait coutume de se cacher. Leah n'avait jamais vu de cheveux si riches, si... luxuriants fut le mot qui lui vint. Les larmes lui montèrent aux yeux. Elle frappa légèrement la vitre et indiqua le combiné à Allie. « Décroche », lui dit-elle en remuant les lèvres. « Décroche. » Elle le répéta quand elle vit qu'Allie ne bougeait pas. Elle frappa de nouveau la vitre avec l'ongle de son index, comme un petit oiseau qui donne des coups de bec.

Enfin, Allie redressa lentement le cou et leva les yeux. Puis, elle s'immobilisa de nouveau. Quand Leah lui indiqua encore le combiné, les yeux suppliants, Allie tendit la main et – dans un mouvement horriblement lent – le porta à son oreille.

« Allie, ma chérie, comment vas-tu ?

Pas de réponse. Un visage vide.

– Vas-tu bien ? Es-tu blessée ?

Un geste de tête à peine perceptible, non.

– Allie ! Parle-moi ! Il le faut ! Je dois savoir ce qui s'est passé pour que nous puissions régler cette affaire.

Leah se sentit étourdie. Elle changea le combiné d'oreille et essaya de respirer profondément.

– Maman.

La voix d'Allie semblait lui parvenir du fond d'un puits.

– Ma chérie, je suis là, dis-moi... que se passe-t-il ?

– Je leur ai déjà... dit.

Allie parlait comme si chaque mot était aussi lourd qu'un bloc de pierre.

– Tu leur as dit?

– Ce qui est arrivé.

– Mais ils disent que tu n'as pas...

– Je l'ai fait! Je l'ai déjà fait! dit-elle d'un ton que la frustration rendait plus énergique. Ils te regardent te déshabiller... ils ne te donnent pas de peigne.

– Écoute-moi. As-tu eu un bébé?

Allie la regarda alors droit dans les yeux, avec un air de profond dégoût.

– Oui! cria-t-elle si fort que le récepteur en crépita. J'ai eu un bébé! Ils ne te l'ont pas dit?

– Où est le bébé, Allie?

– Alyssa. Je ne suis pas un bébé.

Leah soupira et desserra volontairement sa prise sur le combiné. Son bras, son épaule et son cou étaient raides de tension et son oreille lui faisait mal. Elle avait de la difficulté à saisir les mots à travers le bruit de fond sur la ligne.

– Ça va. Alyssa. Où est ton bébé?

– Je ne sais pas, marmonna-t-elle d'un ton morne et terne.

– Comment ça, tu ne sais pas? Allie, pour l'amour de Dieu!

Allie haussa les épaules.

– Je... ne... mort, dit-elle d'un ton délibéré, froid et indifférent, en laissant retomber ses épaules.

– Je ne sais pas? Il est mort? Je suis morte? répéta Leah.

Elle répétait ce qu'elle avait cru comprendre dans les sons brouillés qui lui parvenaient. Allie recommença à marmonner, la bouche collée sur le combiné qui déformait les mots.

– Allie, parle plus fort. Ces téléphones...

Allie la regarda fixement. Leah ne put décrypter son expression, froide mais continuellement changeante, par degrés infinitésimaux et presque imperceptibles.

– Est... ce... que... tu... m'entends... à présent ?

Elle avait exagérément prononcé chaque mot et chaque syllabe.

Leah lui fit signe que oui.

– J'ai dit mort.

Le mot, mort, atteignit Leah comme un coup délibéré. Mort. Elle eut un mouvement de recul avant de répliquer.

– Ça ne te fait rien, Allie ? »

Encore. Allie la regarda et haussa les épaules, comme pour dire non, pas particulièrement. Puis elle raccrocha le téléphone, se leva et partit. Rien d'autre. Elle se retourna et franchit la porte par laquelle elle était entrée, qui se referma derrière elle. Un rejet silencieux.

Chapitre 13

Abasourdie, Leah resta assise dans la cabine, mais sa fille ne revint pas. Elle frappa même sur la vitre, comme pour faire apparaître un bon génie qui lui expliquerait le cataclysme qu'elle venait de vivre. Mais il ne se passa rien. Elle laissa tomber sa tête sur ses bras et s'effondra sur la table devant elle. Le dos rond, elle pleura en essayant d'étouffer ses sanglots dans le peu d'intimité que fournissaient les cloisons. Quelqu'un d'autre pleurait. Quelque part, un homme cria « J'en ai rien à foutre ».

Évidemment, elle n'avait pas de mouchoir en papier. On lui avait pris son sac. Elle se servit de ses mains et de la manche de son chemisier blanc, sous son blazer. Elle se passa la main dans les cheveux puis les ramassa sur sa nuque (comme Allie !) d'une main tout en essayant de reprendre contenance.

Personne d'autre ne partait. Il n'était même pas quatorze heures quinze et il lui restait une demi-heure. Leah retourna vers les ascenseurs et s'arrêta dans les toilettes des femmes pour asperger son visage d'eau froide. Elle reprit son sac à l'officier qui avait déjà dû voir bien des yeux gonflés et des traces de larmes et retourna dans la salle d'attente. Elle avait demandé au chauffeur de taxi de revenir à quinze heures. Elle aurait eu le temps d'aller se renseigner au sujet de la caution, des avocats, des procédures. Mais elle manquait d'énergie. Le regard d'Allie, vide, et son haussement d'épaules indifférent. Allie avait eu un bébé et elle l'avait tué.

De retour à l'appartement, bouleversée dans ses façons habituelles de penser et de sentir, Leah se laissa tomber sur le canapé. Il lui fallait retrouver ses esprits, apaiser ses tourments.

Elle allait s'assoupir quand le téléphone sonna, au milieu d'un rêve à demi éveillé dans lequel flottait un petit enfant aux cheveux noirs.

« Suis-je chez Alyssa Staton ?

– Qui êtes-vous ? demanda Leah d'un ton las.

– Je suis Heather Guard, de l'Associated Press. Suis-je chez Alyssa Staton ? »

La voix semblait jeune, douce et pleine d'entrain. Celle d'une jeune femme qui ne tuerait jamais son nouveau-né.

Leah raccrocha.

Je dois manger quelque chose, pensa-t-elle. *Peut-être prendre un bain chaud. Si j'avalais un somnifère et que j'allais me coucher, je me réveillerais peut-être demain avec une idée.* Elle retournait cette hypothèse, vaguement réconfortante, dans sa tête quand le téléphone sonna.

« Allô ?

– Lyssa ! Comment va ma fille ?

Une explosion.

Leah hésita, mais ne trouva aucun moyen d'y échapper.

– Bonjour, Dennis. Ce n'est pas Alyssa, c'est Leah, dit-elle en tordant le fil.

Elle prit ensuite le téléphone sur le bureau et se dirigea vers la cuisine, sans aucune autre raison que le besoin de bouger.

– Leah. Je ne savais pas que tu étais en visite chez Alyssa, dit-il d'un ton irrité. Pourquoi ne m'en as-tu pas parlé ?

Sans avoir consciemment l'intention de lui taire ce qui se passait, elle réagit simplement en répondant à ses questions au fur et à mesure qu'il les posait.

– C'était imprévu.

– Bon... Veux-tu me passer Alyssa ?

– Elle n'est pas là.

C'était la vérité absolue, penserait-elle après coup. Elle ne lui avait rien dit qui ne soit strictement vrai.

– Alors, demande-lui de me... non, ça n'ira pas. Je me prépare à sortir et j'ai laissé mon téléphone cellulaire à... peux-tu prendre un message ?

Leah retourna vers le bureau pour prendre du papier et un crayon, le téléphone toujours à la main gauche.

– Bien sûr. Je t'écoute.

– Missy a eu le bébé !

Dennis fit une pause pour attendre sa réaction. Leah l'imaginait bombant le torse et redressant les épaules, même en parlant au téléphone. Il avait produit un autre chef-d'œuvre.

– Félicitations, dit-elle en s'efforçant de montrer un peu d'enthousiasme.

– Ils vont bien tous les deux. Il s'appelle Justin Dennis. Il pèse trois kilos neuf... tu prends tout cela en note ?

– Oui, dit Leah.

En fait, elle avait laissé crayon et papier sur le bureau et elle avait apporté le téléphone jusqu'au canapé où elle avait posé la tête sur le tissu rugueux du dossier, les yeux fermés.

– Il mesure quarante-sept centimètres. Il est né ce matin, à six heures trente-sept. Il a obtenu neuf et dix au test d'Apgar... extraordinaire, hein ? Missy a fait cela en bon petit soldat.

– ... bon petit soldat, répéta Leah, dans l'espoir de s'en tirer en faisant le perroquet.

– Tu diras à Alyssa que je vais lui envoyer des photos aussitôt que je les aurai. J'ai fait les photos moi-même, dans la salle d'accouchement...

Dennis était probablement fier de lui-même pour ne s'être pas évanoui.

– Tu as pris tout cela en note ?

– Oui, tout. »

Si Allie s'était rendue à l'hôpital, même à la dernière minute, Leah serait en train de téléphoner à tout le monde. À Dennis, à Cory, à George et peut-être même à Bob. Elle leur donnerait tous les détails sur le poids du bébé et sur sa taille à la naissance. Préciserait le nom qu'il porterait et qui lui donnerait son identité personnelle. Une petite fille, avaient dit les policiers. Elle aurait pu appeler Dennis pour lui annoncer qu'il était grand-père. Dommage d'avoir manqué cette occasion. Ça l'aurait achevé. Il n'aurait pas pu aller chercher Missy et le bébé à l'hôpital parce qu'il serait parti se faire teindre les cheveux chez le coiffeur. Mon Dieu ! Mon Dieu ! Voilà qu'elle recommençait à pleurer.

« ... j'ai tellement hâte de les ramener à la maison, évidemment, disait Dennis. Leah ?

– Je suis là. Ce sont... de merveilleuses nouvelles, Dennis. Félicitations.

– As-tu un rhume ? Bon, je dois y aller, ajouta-t-il sans attendre sa réponse. Dis à Alyssa que je vais la rappeler bientôt. »

Demain, elle informerait Dennis. Pour l'instant, elle n'en pouvait plus. À l'est, le crépuscule assombrissait le ciel. Elle prendrait un bain, réchaufferait un repas que Clara avait mis pour elle dans le réfrigérateur et irait se coucher. Peut-être aurait-elle les idées plus claires au grand jour, demain.

Mais quand elle se réveilla du sommeil dans lequel elle avait sombré à coups de somnifères, tout était aussi confus et rien n'avait changé. Clara avait glissé une note sous la porte pour l'informer qu'elle passait la journée à Oakland, afin de garder les enfants de sa fille, et qu'elle reviendrait peut-être tard parce que son gendre la reconduirait à la maison. La note se terminait ainsi :

« Attention si vous sortez.
Il y a des gens dans le parking
qui vous cherchent.
Si vous avez besoin d'aide,
appelez le propriétaire, Huddie.
Il viendra ou bien il enverra son garçon
pour sortir Coffee. »

Dessous, il y avait le numéro de téléphone de Huddie.

En effet, il y avait des gens qui la cherchaient. Même par la fenêtre du deuxième étage, Leah vit qu'il s'agissait de reporters. Une automobile blanche était garée près des arbustes qui longeaient l'entrée. Sur la portière du côté du chauffeur, Leah pouvait lire Channel 8 News Teamwork. Un homme, l'air plutôt jeune, semblait faire le tour de l'immeuble. Il gesticulait en direction d'un autre homme qui portait une caméra sur un trépied. À l'intérieur d'une autre voiture, sans identification celle-là, quelqu'un dormait, la tête sur le dossier.

Au cours de l'heure suivante apparurent deux autres caméras, plusieurs hommes et deux femmes. Tout ce monde se tenait en petits groupes dans le parking. Après avoir fermé les stores, Leah continua régulièrement à observer leurs mouvements par la fente sur le côté. Une des fois où elle jetait un coup d'œil, elle s'aperçut qu'ils s'étaient tous déplacés sur le trottoir, derrière la haie basse. *Je pourrais organiser une exposition et vendre quelques tableaux. Une exposition extérieure juste pour eux, qui semblent chercher si désespérément quelque chose à voir.* Elle se demanda ensuite quand et si elle peindrait de nouveau.

Le téléphone sonna. Leah le regarda fixement, submergée à la fois par la colère et par la peur. *Une fois. Je vais répondre une seule fois.*

« Allô ?

– Madame Staton ?

– Il n'y a pas de madame Staton ici.

– Suis-je chez Alyssa Staton ?

– Qui est à l'appareil ?

– Je suis Kim McBride, du *Telegraph*, madame. Voudriez-vous me donner vos commentaires à propos de l'arrestation d'Alyssa Staton ?

– Non. Je vous en prie, ne rappelez pas. »

Leah raccrocha.

Elle cessa de répondre au téléphone. Après deux ou trois sonneries, elle décrochait, puis reposait brutalement le combiné. Vers le milieu de la journée, elle commença à répondre à tous les quatre ou cinq appels.

Toujours des reporters. Coffee tournait en rond en gémissant. Elle prit une grande inspiration et composa le numéro de téléphone que Clara lui avait donné pour joindre Huddie.

« Ouais. Clara s'est arrêtée en passant pour me demander mon aide. J'ai essayé de les chasser, mais je peux juste leur interdire de rester dans le parking. dit-il. Mon garçon ou moi, on va monter pour faire sortir le chien. Voulez-vous que je me serve du passe-partout si vous êtes pas là ?

– Je serai là, dit Leah d'un ton lugubre.

– Vous allez faire quoi ? demanda-t-il d'une voix profonde. Vous pouvez pas rester enfermée le restant de vos jours.

– Je ne sais pas. Je n'y ai pas encore pensé.

– Dites à Alyssa... dites-lui de ma part de garder la tête haute. C'est une bonne fille. »

Quand elle était trop énervée à force de faire les cent pas, elle dessinait. Elle réfléchissait en tournant en rond, comme quand Coffee courait après sa queue avant de se laisser tomber avec un grand soupir. Elle fit une liste : appeler Cory, appeler George, appeler enfin Dennis, mais elle n'en fit rien. Elle était aussi prisonnière qu'Allie. *Tout autant*, songea-t-elle, en colère. Elle ferma violemment son cahier à dessin. *Reste là, Alyssa. C'est tout ce que tu mérites.* Que ferait-elle si un avocat réussissait à faire sortir Allie ? La ramener à l'appartement ? Une fille muette et agressive qui avait laissé mourir son bébé ? Que sa propre mère ne reconnaissait plus ? Qui s'était cachée de la police ? Qui serait responsable d'Allie ? Sans Clara avec qui parler, trop honteuse pour appeler quelqu'un d'autre, Leah passa la journée à dessiner, à faire les cent pas et à attendre la fin de l'histoire.

Durant tout le week-end, il y eut un attroupement de reporters à l'extérieur. Leah s'aperçut qu'ils se relayaient. Le téléphone sonnait fréquemment. Après toute une journée d'attente, à espérer ne pas avoir à boire le calice, elle décida d'affronter la situation. Quand un reporter effronté frappa à la porte, elle ouvrit.

« Je n'ai aucun commentaire à faire, dit-elle calmement, et je n'en aurai pas plus à l'avenir. J'apprécierais beaucoup que vous respectiez mon intimité. »

Le reporter commença à discuter et un photographe apparut avant que Leah ait réussi à refermer la porte. Elle vit l'éclair d'un flash et se rendit compte qu'il avait probablement réussi à saisir son image.

Elle retournerait voir Allie. Peu importait ses sentiments, c'était son devoir. Elle devait oublier le crime horrible dont sa fille s'était rendue coupable. Elle devait le cacher dans le haut d'une étagère, comme un objet interdit, qu'elle ne redescendrait pas pour l'examiner avant d'être prête.

Et elle devait appeler Dennis.

On frappa de nouveau à la porte.

« C'est Clara. Je vous apporte un petit déjeuner.

Quand elle ouvrit la porte, Clara entra avec une assiette contenant du bacon, des œufs brouillés et du pain grillé. Elle passa le bras autour des épaules de Leah.

– Faut pas en faire plus que le corps peut en prendre, dit-elle. Je suis désolée d'avoir dû sortir hier. Je sais que vous avez personne d'autre ici.

– Merci, dit Leah. J'espère que vous avez passé un bon moment avec vos petits-enfants.

En le disant, le mot l'atteignit droit au cœur, mais elle l'ignora.

– C'est gentil de votre part, dit-elle en indiquant l'assiette.

– Tut, tut, dit Clara. Les gens doivent s'entraider.

Elle apporta l'assiette dans la cuisine et la posa sur la table.

– Vous êtes-vous fait du café, ce matin ?

– Tout le monde n'est pas aussi gentil, dit Leah. Oui, il y en a dans la cafetière. Voulez-vous en prendre avec moi ?

– Ce qu'on donne nous revient toujours.

Clara tapota le dos de Leah. Elle sortit deux tasses de l'armoire et les remplit.

– Noir, n'est-ce pas ?

– Ce n'est pas un réconfort, pour l'instant. Oui, noir. Vous avez une bonne mémoire. Clara, je ne comprends pas comment elle a pu faire une chose pareille. Je n'arrive pas à y croire. Elle l'a fait. Vous aviez raison. Elle a gâché sa vie et abandonné son bébé... un nouveau-né, Clara, une petite fille... ma petite-fille.

– C'est effrayant, on ne peut pas laisser une chose comme ça arriver, dit Clara en posant une tasse à côté de l'assiette de Leah.

Elle sortit un couteau et une fourchette du tiroir.

– C'est déjà fait. C'est moi qui l'ai élevée et je ne la connais pas.

– Vous êtes en état de choc, je vous comprends, dit Clara. C'est comme quand mon garçon s'est retrouvé en prison. Comme si ça me séparait du reste du monde. Je me suis jamais sentie aussi seule, même si Eddie était encore vivant. Je ne pouvais même pas lui parler. Asseyez-vous et avalez quelque chose.

Elle tira légèrement sur le bras de Leah.

Leah s'assit, mais ne toucha pas à son assiette.

– Mais votre fils n'avait pas tué son bébé.

– Non, dit Clara. La prison pour drogue, c'est pas comme la prison pour meurtre, je vous l'accorde. Mais on sait pas, peut-être qu'elle ira pas. Vous avez reçu un gros choc et un peu plus ou un peu moins de malheur fait pas une grosse différence. Vous l'acceptez pas, c'est ça ?

– Non. Je ne l'accepte pas. »

Un sanglot la surprit et ses larmes lui coupèrent la respiration. Clara se leva, fit le tour de la table pour la serrer contre elle comme une mère. D'une main, elle appuya la tête de Leah sur sa poitrine opulente et, de l'autre, elle caressa les cheveux de Leah. Jaloux, Coffee gémissait doucement en reniflant les jambes de Clara.

La conversation de Leah avec Clara lui avait remonté le moral. Quand elle comprit qu'elle devrait rester à Berkeley plus longtemps que prévu – pas seulement une ou deux semaines, comme elle l'avait annoncé à Cory et à George – Leah relut la liste qu'elle avait dressée sur un bloc-notes trouvé dans le bureau. Sur la première feuille, il restait une trace gravée d'une note qu'Allie avait écrite en appuyant fortement sur son stylo. Elle était illisible, mais encore visible, comme un fantôme.

Leah ajouta plusieurs éléments à sa liste, trouva un annuaire dans un tiroir de la cuisine et se mit au travail. Elle constata qu'il ne fallait que deux coups de téléphone pour louer une voiture, à condition de ne pas se préoccuper du prix mais seulement de la proximité du concessionnaire. Son troisième appel fut pour la compagnie de téléphone. Elle demanda un nouveau numéro, sur liste rouge. Ensuite Cory.

« Oui, c'est à la une de tous les journaux. Je suis désolée, Leese. »

Cory était la seule personne à jamais lui avoir donné un surnom. Leah comprit qu'elle l'utilisait volontairement en cet instant pour lui signifier plus que le conventionnel « Que puis-je faire pour t'aider? ».

Elle demanda à Cory d'aller chercher la clé de la maison chez Dave Allen, de mettre d'autres vêtements dans une valise – ceux qu'elle portait quand elle allait au bureau – et de les lui envoyer. Le coup de téléphone à George fut plus ardu. Elle dut lui demander de retarder la réalisation du tableau commandité, sans pouvoir lui dire quand elle serait en mesure de le terminer. Elle venait juste de raccrocher quand le téléphone sonna. Elle le décrocha par réflexe.

« Leah! Nom de Dieu! J'ai dû appeler au moins trente fois. Que se passe-t-il? Tu as du toupet de me mentir comme tu l'as fait. C'est pour ça que tu es là-bas, bordel! Qu'est-ce que c'est toute cette merde dans les journaux et cette histoire ridicule à propos d'Alyssa?

Leah soupira, posa le bloc-notes et le crayon sur la table de la cuisine et s'assit.

– Dennis, je suis désolée », commença-t-elle.

Elle avait bu la moitié de son café, mais elle serra sa main libre autour de la tasse qui était encore un peu tiède.

Samedi soir. Après un dîner de hot-dogs et de chips avalé avec les nouvelles du soir en bruit de fond, les amatrices de télévision s'installèrent devant *Entertainment Tonight.* Les hôtesses (les filles de la résidence d'Allie, en première année, les avaient surnommées Plastic Face[1] et Wax Mouth[2], un trait de l'esprit caustique de Linnie) lisaient la liste quotidienne des anniversaires de célébrités. Mais des reflets de l'image d'Alyssa – joues rondes, sérieuse et pâle sur la photo prise lors de la remise des diplômes à Franklin High – s'attardaient sur l'écran. Les infos de la chaîne locale. Derrière le maquillage exagéré de Wax Mouth et ses lèvres rouges comme le sang au cinéma, Alyssa apercevait encore son propre visage. Derrière les couleurs vives de l'émission de variétés, le titre de son histoire était toujours là. Au cas où quelqu'un, Cindy, Linnie, Tony, Howie, Dennis, Clara ou Leah, ne l'aurait pas vue cette fois, les dernières nouvelles sur la tragédie du bébé du métro seraient reprises plus tard. Le visage rond et pâle d'Alyssa apparaîtrait de nouveau pour illustrer les propos du présentateur. Les mains sur les joues, le dos tourné à la télé, Alyssa tâtait les os en demi-cercle sous ses yeux et le cartilage formant l'arête de son nez. Si elle pesait assez fort pour briser les os, la peau se déchirerait. Elle pourrait donner à ses yeux, à son nez et à sa bouche des traits que personne ne reconnaîtrait, même pas sa mère.

Elle se sentait incapable de s'asseoir devant le téléviseur, même si Joey lui indiquait une chaise libre à côté de lui. Elle hocha la tête et monta à sa cellule. En se brossant les dents dans la douche 2, elle se frotta les gencives jusqu'au sang, jusqu'à ce que sa salive coule rose au fond du lavabo en aluminium. Avant le dîner, Ostrom lui avait annoncé qu'elle avait maintenant de l'argent à

1. Visage de plastique. *(N.D.T.)*
2. Bouche de cire. *(N.D.T.)*

dépenser, les quarante dollars trouvés dans son portefeuille. Alyssa n'avait demandé qu'un peigne et une brosse à dents, mais Ostrom lui avait donné tout un nécessaire de toilette, comme ceux qu'on trouve joliment présentés dans les salles de bains d'hôtel.

« Une bonne hygiène est obligatoire, Staton », avait encore une fois répété Ostrom.

Alyssa se demanda si elle avait encore l'air sale. En y réfléchissant, elle se dit que non. Ostrom se rappelait simplement son apparence pendant la fouille à nu. Elle était incapable d'oublier cette image d'Alyssa et de la remplacer par la nouvelle, celle qui était propre.

Dans sa cellule, elle posa sa brosse à dents sur la tablette, à côté du nécessaire de toilette, et prit le peigne. Après avoir ôté l'élastique, elle entreprit de démêler ses cheveux, une mèche à la fois, en commençant par les côtés. Peut-être Ostrom trouvait-elle qu'une telle tignasse tout emmêlée n'avait pas l'air propre. Peut-être Ostrom ne savait-elle pas que les cheveux sont formés de cellules mortes, sorties de vos pores, comme de la sueur. Des morts, un peu enjolivés.

Je ne savais pas qu'il était mort.

Elle avait prononcé ces mots à voix haute dans le téléphone qui sentait les paumes sales et le vieil argent. Elle les avait dits en regardant bien en face sa mère, de l'autre côté de la vitre du parloir. Leah ne l'avait pas entendue, mais elle l'avait dit quand même.

Vendredi après-midi, quand Ostrom l'avait sortie du sommeil dans lequel elle avait sombré pour l'accompagner jusqu'au tube, elle aurait voulu s'enfuir. Alyssa avait ralenti l'allure et s'était laissé traîner par Ostrom jusqu'à la petite pièce où Leah l'attendait, de l'autre côté d'une vitre. Au début, elle aurait simplement voulu parler à

Leah de l'horreur de la prison. De la fée Carabosse qui avait trouvé sa cellule et l'avait observée pendant une éternité après le déjeuner. Des officiers de l'unité qui s'attendaient à ce qu'elle fasse des bêtises. De toutes les règles qui supposaient que les détenus ne songeaient à rien d'autre qu'à faire des sottises à la moindre occasion. La vitre entre elles, le téléphone qui puait, tout était tellement différent de ce qu'elle attendait de sa mère et de la scène qu'elle avait imaginée quand Ostrom lui avait annoncé que Leah l'attendait dans le tube.

Pas de douceur ni de lumière. Elle n'était pas assez idiote pour s'imaginer que Leah serait heureuse de la suite des événements, mais elle ne s'attendait pas à la voir folle de rage. Ses yeux sombres flamboyaient, ses lèvres épaisses prononçaient exagérément les mots, comme si elle s'adressait à une sourde-muette. Et ses questions ! Les pires ! Quand Leah connaissait déjà les réponses mais voulait quand même faire la leçon à sa fille, pour le principe. Dans sa déception, Alyssa était effectivement devenue sourde, et presque muette. Elle bénissait la vitre qui lui servait de bouclier contre le courroux retenu de sa mère. Elle n'avait qu'à décrocher le combiné, à parler les lèvres collées sur le téléphone coincé sous son menton. Parler. Parler.

Je ne savais pas qu'il était mort.

Elle avait parlé. Leah l'avait-elle entendue ? Bien sûr, cela ne laissait pas Alyssa indifférente. Ce dont elle se fichait, c'était de l'accusation de sa mère, ce coup qui avait coupé tous leurs liens. Leah avait toujours prétendu savoir ce qu'elle, Alyssa – Allie – ressentait.

« Tu ne veux pas le pantalon bleu, Allie ? »

« Tu n'aimerais pas mieux une salade ? »

« Tu ne devrais pas rappeler Sharon, ma chérie ? »

« Si tu dépenses ton argent maintenant, tu n'en auras pas plus tard et tu le regretteras. »

Pourquoi Alyssa serait-elle obligée de parler à ses visiteurs et pas aux détectives ? La prochaine fois qu'Ostrom ou quelqu'un d'autre voudrait l'amener au tube, elle refuserait d'y aller. Voilà ce qu'elle ferait. Elle n'était pas obligée d'y aller. Dans le recueil du règlement, elle n'avait lu nulle part qu'on pouvait vous forcer à recevoir des visites contre votre gré.

Elle avait mal au cuir chevelu. La douleur venait-elle de son cerveau, comme un ver qui ronge une pomme de l'intérieur, ou de ses cheveux emmêlés dont elle tirait la racine, comme Leah le faisait avec les mauvaises herbes ? Voilà, reconnut-elle en s'appuyant contre le matelas, elle était prise entre la putréfaction et l'extirpation. Elle pourrait se réduire à rien, comme un bonhomme de neige réduit à une flaque d'eau. Ou bien elle pourrait éclater en mille morceaux sous la force centrifuge de son cerveau. Dans un cas comme dans l'autre, elle ne pourrait plus se rendre dans le tube, où elle ne se résolvait pas à aller.

Elle s'étendit sur le lit et posa sur le mur ses pieds chaussés de pantoufles. Quand ses pieds et ses jambes se vidaient de leur sang pour l'envoyer vers son cœur, ils ne la faisaient plus souffrir. Quand ils ne lui feraient plus mal, son esprit pourrait cesser de jouer à la chaise musicale. Peut-être réussirait-elle alors à dormir. Elle sentait que la musique s'assourdissait dans la grande salle et que les chaises se vidaient. Coffee allait bien. Il était avec Clara. Elle n'avait pas rendu un travail que le professeur Miller avait demandé, elle ne se rappelait plus lequel. *Maman est ici. Maman est ici. Ils ont pris les mocassins. Ils ont pris Lazzie. La station de métro, la naine qui poussait des cris perçants. Dara et les Percocet, partis, partis. La station de métro. Les mocassins. La charnière de la porte de l'armoire dans la cuisine, Huddie avait promis de la réparer. La station de métro. Maman est ici. La station de métro.*

« Hé ! Numéro quarante-deux.

C'était Joey dans le cadre de la porte de la cellule. Dans la salle de séjour, les lumières clignotèrent une, puis deux fois. L'heure du coucher.

– Apparemment, ils vont t'envoyer dans la PG demain.

Alyssa laissa tomber ses jambes et se redressa.

– La PG ?

– La population générale. L'unité des femmes. Jusqu'à ton procès ou jusqu'à La Trinité.

Hopkins lui en avait parlé, lui avait expliqué de quoi il s'agissait. À moins d'être incorrigible ou vraiment folle, comme la femme ivre dans la chaise de contention, on se retrouvait dans la PG. Et si on était gay, comme Joey, on allait dans l'unité des femmes de la PG parce que... elle comprenait, non ?

– J'y vais aussi. La plupart des joueuses de cartes y vont.

– Pourquoi se donnent-ils tant de peine ?

– Tant de peine pour quoi ?

Joey s'assit sur la tablette en métal et poussa délicatement le nécessaire de toilette d'Alyssa avec sa cuisse mince. Il pointa les pieds et fit balancer ses jambes sur un rythme à deux temps.

– Pourquoi se donnent-ils la peine de te classer chaque fois, Joey ? Ce n'est pas comme si c'était la première fois que tu venais ici.

– Le règlement. Il faut le suivre. Les lois, peut-être, dit Joey en roulant les épaules. Et les gens peuvent changer, non? Quelqu'un peut entrer la première fois, drogué à bloc, et jeter les murs par terre, mais il peut être doux comme un agneau la fois suivante.

Il cessa de rouler les épaules.

– Les gens changent.

– Toi aussi, Joey?

Enfin un chemin familier, rassurant, loin du jeu des chaises musicales et de la crainte de se retrouver sans siège au moment où la musique s'arrête.

– Tu ne changes pas, n'est-ce pas?

Elle posa le peigne sur le matelas à côté d'elle, avec autant de précaution que si c'était un bijou.

– Qu'est-ce que t'en sais?

Joey cessa de balancer les jambes.

– Tu reviens toujours.

– Ils me font toujours revenir.

– Ce n'est pas comme l'œuf ou la poule. Tu continues... à faire ce que tu fais... et c'est pourquoi tu reviens. Ce n'est pas un changement, c'est un rapport de cause à effet.

– Tu veux devenir professeur? demanda Joey pour esquiver le coup, aussi malin qu'elle.

Alyssa hocha la tête.

– Tu veux être quoi, alors?

– Comment ça quoi? Pour l'instant, je suis ici. Tant que je serai ici, je ne deviendrai rien.

– Qu'est-ce que t'as fait, en fin de compte, Alyssa?

Du tac au tac. En plein dans le mille. Mais pas méchant. Pas comme la fée Carabosse qui s'était tellement approchée d'Alyssa que de l'électricité statique s'était formée entre leurs manches d'uniforme. « T'es célèbre à présent, hein, Staton? »

– Je... je ne... je ne peux pas en parler.

– Les évangélistes disent qu'il faut en parler, que ça fait du bien.

– Je ne suis pas croyante.

– Moi non plus. Mais ça te permet de sortir d'ici quelques heures les soirs de la semaine et le dimanche, si ça t'intéresse.

– Je ne suis pas intéressée. »

Alyssa prit son peigne et le fit glisser entre le pouce et l'index. L'église du dimanche évoquait pour elle la confession, l'expiation du péché et l'accomplissement de la grâce. Du vocabulaire qui lui venait de son cours de première année en philosophie des religions. Mais ces mots, qui n'étaient avant que des notions abstraites dans un manuel, devenaient des outils pour creuser dans une terre qui ne voulait pas être labourée, qui se refusait même à céder sous une bêche rouillée.

Les sorties de prison évangélistes de Joey ne lui apporteraient pas le salut. De cela, elle était certaine.

La PG était différente, mais semblable aussi. Une grande salle entourée de cellules, une moquette bon marché qui rappelait le décor d'une salle de jeux démodée dans un sous-sol de banlieue et un grand écran de télévision. Le même sermon sur la propreté et l'ordre et les mêmes règlements contre la contrebande. « Contrebande », le mot sonnait comme s'il s'agissait de butin de guerre. Comme si Alyssa pouvait cacher dans ses mains quelque chose qui atténuerait les faits. Les femmes au visage dur parlaient d'elle à voix basse et évitaient de la regarder ou de la saluer. Elle était en prison parce qu'on avait trouvé un bébé mort dans un endroit où elle était allée. Un bébé que, selon la police, elle avait tué. « La tueuse de bébé. »

Ostrom aussi se retrouva dans la population générale. Par choix, crut d'abord Alyssa. Pour poursuivre Alyssa de sa méchanceté. Quand ils se mirent en rangs dans leurs uniformes orange identiques et traversèrent les terrains de la prison comme des écoliers vers la nouvelle unité, Joey corrigea l'opinion qu'Alyssa avait d'Ostrom. Les horaires de travail et les assignations changeaient régulièrement. C'était une coïncidence si Ostrom les suivait.

« L'autorité tend à se relâcher quand les gens se connaissent trop bien, dit Joey en faisant un clin d'œil pour exprimer ce qu'il n'osait dire. Mais c'est une bonne chose pour toi et pour moi. Nous restons avec Ostrom. La femme de fer. Rien n'arrivera à personne. Pas pendant son temps de travail, en tout cas. »

Alyssa pensa à Hopkins, qu'elle se prit à espérer revoir. Mais Joey lui expliqua que c'était impossible.

« Les officiers à l'inscription ne voient pas les détenus assez longtemps pour arriver à bien les connaître. Sauf les gens comme moi, ajouta Joey en riant. Le syndrome de la porte tournante. »

Plus tard, pendant qu'ils mettaient la table pour un déjeuner qui avait des odeurs de dinde et de haricots verts, Alyssa pensa à interroger Joey. Elle aurait voulu lui faire admettre qu'il était capable de changer de vie, de cesser de vivre de passes pour trouver autre chose, n'importe quoi d'autre. Elle aurait voulu lui demander comment il se faisait que les évangélistes n'avaient pas encore sauvé son âme. À ce moment, les délégués arrivèrent avec les chariots et les détenues se mirent à table. La femme noire aux cheveux tressés comme des épis de maïs, une cocaïnomane qui se rendait deux fois par jour, les yeux exorbités, à l'infirmerie pour ses traitements à la méthadone, récita le bénédicité de sa voix féroce et sévère.

Comme le changement d'unité avait eu lieu un dimanche matin, Joey ne put assister à l'office évangéliste et manqua sa sortie dans la bâtisse de l'unité de formation 5. Il eut quand même de la chance. Il trouva un ami à la tête rasée, qui venait des rues d'Oakland. Il l'accueillit en le serrant dans ses bras et entama avec lui un entretien dont Alyssa se sentit exclue. Poliment mais clairement. Cette fois encore, on donna à Alyssa une cellule individuelle. Les officiers voulaient-ils protéger les autres détenues de la vilaine étudiante universitaire qui se retrouvait ici, ou est-ce que personne ne voulait d'elle ? Elle ne pouvait pas sortir de prison parce que personne ne la croyait quand elle se disait innocente. Elle n'avait pas tué le bébé, dont elle traînait toujours les mocassins dans son sac à dos comme un trousseau de clés. En lui donnant une cellule individuelle, peut-être pensaient-ils que personne ne serait obligé de la regarder, de l'entendre respirer et de sentir sa sueur. Pourquoi, chaque fois que quelqu'un la frôlait de la hanche ou du coude, la sueur coulait-elle sous le mince tissu orange comme si elle venait de courir avec Coffee de Sather Gate jusqu'à l'appartement de Dwight Way ?

« Passage en cour jeudi pour toi, Staton. Veux-tu appeler quelqu'un qui pourrait t'apporter d'autres vêtements ? » dit Ostrom en vérifiant l'état de la lingerie d'Alyssa.

Elle prit le formulaire de commande rempli par Alyssa pour la réserve. « *Jeu de cartes de poker* », avait écrit Alyssa. Trois dollars quinze. C'était pour Joey, pour qu'il puisse jouer sans devoir attendre la fée Carabosse et ses amies.

Ostrom avait l'habitude délibérée, mais troublante, de regarder n'importe quoi sauf le visage d'Alyssa. Elle laissa tomber les yeux sur sa poitrine et attendit.

« Passage en cour ? » répéta Alyssa en fixant la verrue d'Ostrom et le mouvement des muscles de ses mâchoires qui mastiquaient de la gomme.

Il y avait peut-être un règlement pour les officiers, un règlement secret qui ne se trouvait pas dans la brochure des règles et procédures, sur la façon de se comporter avec les étudiantes universitaires, les vilaines filles. Laisser passer son regard à travers elles, comme si elles étaient invisibles.

« La cour. Le procureur. Ton avocat, dit Ostrom en levant les yeux de son bloc-notes pour regarder la poitrine d'Alyssa, va te défendre... As-tu un avocat, Staton ?

– Non, je... ils ont dit... je n'ai pas...

– Tu as refusé le droit d'être représentée par un avocat, hein ? dit Ostrom en poussant Alyssa de côté pour laisser la détenue qui la suivait prendre sa pile de draps bleus. Comment vas-tu plaider, alors ?

– Elle ferait mieux de plaider coupable, pour avoir jeté son propre bébé comme un déchet dans une poubelle », dit la détenue derrière elle.

C'était une femme petite, l'alter ego de la fée Carabosse, les bras couverts d'ecchymoses rouges.

Alyssa sentit un coup dans le bas de son dos. Un poing ou un coude l'avait violemment frappée à gauche de la colonne vertébrale. Le coup avait été asséné si habilement et si rapidement que personne d'autre que celle qui l'avait reçu ne s'en était aperçu. Elle se couvrit la poitrine avec ses draps et sortit de la file en s'éloignant du comptoir. Ostrom n'avait rien remarqué – Joey avait pourtant dit qu'ils étaient en sécurité avec Ostrom – mais Alyssa ne vit pas l'intérêt d'affronter la femme couverte d'ecchymoses.

Que dirait-elle si elle faisait face à son accusatrice ?

Je suis retournée.

Ce n'était pas un déchet.

« Staton. Une visite dans le tube. »

Ostrom apparut à la porte de la cellule. Elle eut un regard méprisant, peut-être à l'endroit de Joey, assis sur le lit à côté d'Alyssa, qui essayait péniblement de suivre avec un crayon bleu le contour des lettres qu'Alyssa avait tracées. Les lettres pâles semblaient immenses sur le bloc de papier jaune. Plus probablement méprisant à l'endroit d'Alyssa, qui sentit le coup au cœur qui précédait la sueur, même s'il faisait tellement froid dans l'unité que Joey portait un tee-shirt et un gros pull sous son haut de prisonnier.

« Une visite, Staton », répéta Ostrom en faisant cliquer son stylo-bille avec le pouce.

Les détenus n'avaient pas droit aux stylos, seulement aux crayons, parce qu'ils utilisaient n'importe quoi pour se faire des tatouages. « Vraiment n'importe quoi », disait Joey. Le stylo d'Ostrom cliqua encore quatre fois.

« Je ne veux voir personne.

– C'est ta mère, Staton.

Joey jeta un coup d'œil vers Alyssa, puis reprit son travail. Elle avait tracé ces lettres pour lui afin qu'il suive le cercle du bas de la lettre *d* et qu'il se rappelle de le mettre du côté gauche, du côté de la main qu'il utilisait pour manger et écrire.

– Je ne veux pas voir... ma mère.

Alyssa retint son souffle. Joey finit le mot « dédier » et passa le bout de ses doigts dessus, comme s'il lisait le braille.

Joey regarda de nouveau Alyssa, leva les sourcils et la fixa longtemps des yeux. *Dis-lui pourquoi.*

– Je ne me sens pas bien. J'allais justement... justement m'étendre. Mon dos...

C'était vrai, elle avait mal au dos. Le coup qu'elle avait reçu avait produit une ecchymose de la taille d'une balle de base-ball, un cercle parfait d'un gris vert sinistre. Après avoir fait son lit avec les draps bleus, elle avait levé son corsage orange et s'était contorsionnée pour voir son dos dans le miroir au-dessus du lavabo dans la salle de douche. Cette ecchymose la marquait aussi clairement que l'écusson sur l'uniforme d'Ostrom l'identifiait comme gardienne de prison. *Pourrie.*

– Comme tu veux, Staton, dit Ostrom.

Elle en avait assez. Elle n'allait pas supplier Alyssa de voir Leah, c'était clair.

– Ça va dans ton dossier, ton refus d'une visite. Tu ferais mieux de pas en prendre l'habitude. On pourrait trouver ton comportement déviant et tu pourrais plus jouer à l'école avec Diehl.

– Comme c'est menaçant, gazouilla Joey quand le bruit des pas d'Ostrom résonnèrent dans l'escalier qui menait au balcon. Plus d'école.

– Joey, on peut reprendre à un autre moment?

– *No problema.* Tu ne veux pas voir ta maman?

– Non.

– J'irais bien voir la mienne si elle venait me visiter. Mais elle ne vient pas.

– Écoute...

– Hé ! Ça va. Ça va.

Joey se leva. Il l'effleura puis lissa sa queue de cheval épaisse, étalée sur son épaule.

– Ça va, Alyssa. Merci pour... tu sais... le soutien en secrétariat.

Il fit tourner sa main, d'un geste délibérément maniéré qui détourna Alyssa de ses problèmes et la fit sourire.

– Je pense que je suis capable de finir ça tout seul, de toute façon. Un débile peut quand même tracer des lettres, pas vrai ?

– Tu n'es pas débile. Tu es dyslexique.

– À l'école spécialisée, les autres enfants me traitaient d'idiot.

Les mains sur les hanches, il jouait un rôle, dans l'espoir de la faire rire.

– Tu n'es pas idiot.

– Dyslexique ?

– Ça veut dire, je crois, que tes connexions sont emmêlées.

Elle le récompensa ensuite en simplifiant son explication avec un grand sourire.

– Tu n'as qu'à travailler plus fort, c'est tout. Pour refaire les connexions, en quelque sorte.

– Merci.

– Je vais encore t'aider, mais pas maintenant.

– Hé ! j'ai compris. J'ai compris.

Il se dirigea vers la porte de la cellule en traînant les pieds sur la moquette.

– Alyssa ?

– Hem ?

– Tu vas la voir plus tard, n'est-ce pas ? Ta maman ?

– Vas-y, Joey.

– Bon, bon, c'est seulement que... elle va revenir sans cesse, tu comprends ? »

Mais Alyssa ne comprenait pas.

L'itinéraire pour se rendre à la prison était assez simple. Pourtant, en ce dimanche après-midi, Leah se perdit deux fois. Avec le soleil qui brillait, le monde semblait presque normal. *Je dois le faire. Comme autrefois, tout de suite après le divorce, quand j'ai dû tout faire, et le faire toute seule. Autant s'armer de courage puisqu'il faut être à la hauteur.* Elle se rappelait ses visites à l'hôpital pour voir sa mère, après sa première attaque. Seule et épuisée, elle avait dû soupeser elle-même les possibilités de rémission, prendre les décisions et surveiller les moniteurs.

À la prison, les procédures lui parurent plus simples parce qu'elle les connaissait déjà un peu. Elle remit son sac à l'endroit qui ressemblait à un guichet de gare, prit le reçu et signa le registre des visiteurs.

« Elle est dans le quartier des femmes, lui dit un nouvel officier. Elle a été transférée de l'unité d'admission. Une fois dans le tube, suivez les indications. Voulez-vous déposer de l'argent aujourd'hui ?

– En a-t-elle besoin ?

– Vous pouvez vérifier vous-même à l'ordinateur – là-bas – ou je peux vérifier pour vous.

Sans attendre de réponse, elle tapa sur le clavier et regarda l'écran.

– Non, je m'excuse. De toute façon, elle ne peut pas en avoir plus. Mais, si vous le voulez, vous pouvez utiliser les ordinateurs là-bas n'importe quand pour vérifier ce qui vous intéresse. »

Le ton sur lequel elle avait dit « n'importe quand » donnait l'impression que la situation pouvait durer éternellement.

Leah trouva comment se rendre au tube et choisit la cabine la plus privée qu'elle put trouver. Après cinq longues minutes, une femme en uniforme entra, sans Allie, et fit des yeux le tour de toutes les cabines jusqu'à ce qu'elle aperçoive Leah, qui la reconnut. C'était celle qui avait escorté Allie le vendredi. La même queue de cheval haute et la même frange crêpée en forme de champignon, incongrues sur un corps épaissi. Le pantalon vert et le chemisier kaki de son uniforme se montraient trop étroits au niveau de la fermeture Éclair du pantalon et du bouton central du chemisier. Leah aussi portait son uniforme. Son blazer, un chemisier blanc et un pantalon qui lui donnaient, croyait-elle, un air respectable et la dissociait des gens coupables de crimes inavouables.

La gardienne se rendit jusqu'à sa cabine et décrocha aussitôt le téléphone du côté des détenus. Elle fit signe à Leah de décrocher de son côté.

« Vous êtes la dame qui vient voir Alyssa Staton ?

– Oui, dit-elle en rougissant, presque imperceptiblement.

– Elle est indisposée à vous voir, m'dame.

– Quoi ? Indisposée ? Est-elle malade ? »

Sur l'écusson de l'officier, elle lut Ostrom. Sa manche portait les insignes de son grade, mais Leah remarqua surtout la verrue brune sur sa joue, à l'endroit où une majorette aurait eu une fossette. La gardienne ne semblait pas avoir jamais été une majorette. Pas plus qu'Allie ni Leah d'ailleurs.

Sans raison, Leah eut l'impression qu'Ostrom était sur la défensive.

« Non, elle est pas malade, dit-elle. Elle a pas envie de vous voir... elle est indisposée, répéta-t-elle comme pour expliquer le sens du mot.

– Je dois la voir. Autrement, comment vais-je savoir ce qui se passe ?

– Vous pouvez consulter l'ordinateur.

Ostrom se préparait à partir.

– Attendez ! S'il vous plaît, puis-je vous poser quelques questions ?

L'officier regarda Leah.

– Quoi ?

– Je ne sais pas quoi faire. A-t-elle besoin d'un avocat ?

Dennis avait été furieux quand Leah lui avait avoué qu'elle n'avait même pas retenu les services d'un avocat, à défaut d'une célébrité du barreau.

– Si elle refuse de me parler, comment vais-je trouver de l'information ?

– Elle doit passer en cour mardi, dit Ostrom. Il y aura un DP là... un défenseur public. C'est un avocat.

– Devrais-je lui trouver un autre avocat, un pour elle seule je veux dire ?

– Bien des gens le font. Tous ceux qui ont de l'argent.

Y avait-il du mépris sur son visage ?

Leah serra l'arête de son nez entre le pouce et l'index en essayant de réfléchir.

– Puis-je envoyer quelqu'un lui parler ici ? Un avocat pourrait-il la faire sortir d'ici... sous caution, évidemment ?

Dennis avait insisté. « Évidemment qu'ils vont lui accorder un cautionnement », avait-il hurlé.

– Bien sûr qu'un avocat pourrait lui parler. Ils peuvent venir dans le tube comme n'importe qui d'autre. Quant à la caution, c'est le juge qui va prendre la décision. Ça va dépendre de quoi elle va être accusée et si elle risque de fuir la justice.

– Pouvez-vous me conseiller ? C'est la première fois que je me retrouve dans une telle situation. Je ne sais pas à qui m'adresser. Pourquoi ne veut-elle pas me voir ?

Ostrom examina attentivement Leah pendant un moment, son blazer cher bien coupé, son chemisier blanc en soie. Très mal à l'aise, Leah avait envie de lui dire *cessez de me regarder*. Elle resta assise le plus calmement possible et attendit.

– Qu'attendez-vous ? » demanda Ostrom.

Exactement les mêmes mots que Dennis. « Qu'attends-tu ? Je ne peux quand même pas me rendre là-bas, pas maintenant en tout cas. J'ai Missy, Caleb et le nouveau bébé... pour l'amour de Dieu, Leah. As-tu besoin d'argent ? »

« Que voulez-vous dire ? J'attends d'elle... je ne sais pas. Qu'elle s'explique.

– Vous pensez que les gens ont des explications pour ce qu'ils font ? Dans ces murs, j'en ai jamais entendu une logique. Juste des tonnes d'excuses. Ils en ont tous. Vous devriez la laisser tranquille. Elle veut pas vous voir ? Cessez de venir. »

La voix d'Ostrom était tranchante. Lui en voulait-elle pour son chemisier en soie ? Méprisait-elle une mère que sa fille refusait de voir, même en prison ? Se moquait-elle de la naïveté de Leah et des questions qu'elle posait ? Trouvait-elle Allie détestable ? Bien sûr que oui. Comment pourrait-il en être autrement ?

Chapitre 14

Malgré les demandes répétées de Clara, Leah avait refusé qu'elle l'accompagne à la cour.

« Je préfère... avoir quelqu'un pour m'accueillir à mon retour. Je vais mieux me débrouiller toute seule. »

En fait, c'était la honte qui lui avait dicté cette réponse. Elle se refusait à imaginer Clara à côté d'elle pendant la lecture des chefs d'accusation contre sa fille. Drogue, abandon d'enfant, meurtre, tout cela l'humiliait profondément. Elle se sentait coupable à la fois par association et par les liens du sang. Elle espérait réussir à s'asseoir discrètement dans la salle et à se fondre dans le décor.

Erreur. À cause du seul cliché pris au vol par un photographe alors qu'elle refermait la porte de l'appartement, les journalistes la reconnurent. Clara l'aurait aidée à se frayer un chemin dans la forêt de chaussures lacées et d'escarpins à talons mi-hauts qu'il lui fallait traverser. La tête basse, pour échapper aux regards, Leah ne voyait rien d'autre. Mais alors, Clara aussi se serait retrouvée dans les nouvelles locales et nationales. Et elle ne méritait pas cette infamie.

La salle d'audience, presque vide vingt minutes plus tôt, se remplit rapidement de gens qui entraient par petits groupes. Ostrom lui avait confié qu'on commençait habituellement par les cas les plus importants, mais elle était probablement la seule à croire que c'était un secret.

Allie entra par une porte à côté du siège du juge, monté sur une estrade comme sur un trône et flanqué d'un drapeau américain et d'un autre aux bords rouges drapés sur fond blanc qui le faisait ressembler à une enseigne de barbier. C'était la deuxième fois qu'elle voyait Allie dans ses vêtements orange de prisonnière, pourtant Leah en reçut un coup au cœur. Sa souffrance devint intolérable quand elle s'aperçut que sa fille était enchaînée. Les maillons qui entouraient sa taille étaient assez fins pour passer pour une ceinture originale, n'eût été des extensions qui liaient ses poignets à sa taille. Allie marchait à petits pas et Leah comprit, aussitôt après avoir remarqué ses premiers liens, que les jambes de sa fille étaient entravées. Les accusés ne portaient-ils pas habituellement des vêtements de tous les jours ? La tête basse, Allie essayait de cacher son visage derrière ses cheveux, mais ils étaient coiffés en une queue de cheval lâche.

Un homme de haute taille, en complet-veston, suivit Allie dans la salle. Ils prirent place derrière une table et le gardien – un garçon blond qui portait une arme – libéra les mains d'Allie. Dans un autre univers, il aurait pu être son petit ami qui lui tenait la main, et Leah l'aurait invité à dîner. Arriva ensuite une femme qui posa son porte-documents sur une table en face de celle où était Allie, de l'autre côté de l'allée. Elle était seule alors qu'il y avait de la place pour trois autres personnes. Entre-temps, l'homme assis à côté d'Allie – le défenseur public sans doute – avait tourné sa chaise pour faire face à Allie, plutôt qu'au siège du juge, et lui parlait d'un ton animé. Il ouvrit son porte-documents pour en tirer quelque chose, mais il n'étala pas ses dossiers sur la table, comme la femme l'avait fait. Une fois, sa tête, couronnée de cheveux grisonnants autour d'une calvitie naissante, s'agita. Il riait probablement, parce que Leah vit passer un bref sourire sur le profil d'Allie. L'homme lui tapota l'épaule.

« Levez-vous, s'il vous plaît ! La Cour supérieure du comté d'Alameda est ouverte. »

Un homme vêtu d'une toge, un Asiatique aux cheveux noirs et raides coupés en brosse – comme s'il avait quitté la veille un poste de colonel dans l'armée – entra du côté gauche, où se tenait l'huissier, et s'assit sur le banc.

La femme au porte-documents se leva.

« Marcelle Ward Fayler pour l'État, Votre Honneur. »

Les cheveux cendrés, brillants, simplement coiffés en arrière et fixés avec de la laque. Un nez aquilin, de grandes paupières et un menton en galoche. Un tailleur marine, sévère. Une voix grave qui portait bien, même dos aux spectateurs, presque tous des journalistes à en juger par les carnets qu'ils tenaient en équilibre sur leurs genoux. Celui qui avait frappé à la porte de l'appartement était là. Quand leurs yeux se rencontrèrent, Leah détourna rapidement le regard.

L'homme à la calvitie naissante, à côté d'Allie, se leva.

« Jeffrey Earle pour la défense, Votre Honneur. »

Une bonne voix, riche comme celle d'un chanteur.

Leah regardait Allie examiner ses mains pendant que les avocats et le juge discutaient dans leur jargon juridique. Elle plia les poignets à quelques reprises, se tortilla sur sa chaise comme si elle était mal à l'aise, puis s'immobilisa. Leah ne pouvait deviner si elle était ou non attentive. Une fois, Allie parut jeter un coup d'œil derrière elle et Leah rougit, comme si elle ne voulait pas être vue, mais sa fille se retourna sans avoir repéré sa mère.

Allie s'effondra à la lecture de la dernière plainte, comme ils disaient. *Plainte. Un mot si innocent. « De quoi te plains-tu, Allie ? » « Je ne suis pas un bébé. Donne-moi une bonne raison pour exiger que je rentre à la maison avant vingt-trois heures. » « De quoi te plains-tu, maman ? » « Donne-moi une bonne raison qui t'empêche d'accrocher tes serviettes après ta douche. »* Homicide volontaire. « Que l'accusée a, sciemment et avec préméditation... » Leah avait entendu le premier rapport d'autopsie. Le bébé était mort vidé de son sang, à cause d'un cordon ombilical non attaché. Une accusation de meurtre pouvait en découler et entraîner une condamnation beaucoup plus grave que les autres plaintes, « possession de drogues » et « mise en danger d'un enfant ». Allie devait en être consciente et Leah comprit l'effondrement de sa fille. Elle aussi avait reçu le mot « meurtre » comme un coup de fouet ou un coup de feu. *Pas tout doux comme les serviettes en papier qui entouraient un nouveau-né pendant que sa vie s'en échappait.*

« Êtes-vous prêt à plaider ? demanda le juge à Jeffrey Earle.

– Non coupable, Votre Honneur. Nous déposons une demande de libération sous caution.

– L'accusation s'oppose à une libération sous caution. L'accusée pourrait vouloir échapper à la justice. Votre Honneur, après le...

– ... libération sous caution, l'interrompit Allie.

Seule la fin de sa phrase atteignit le fond de la salle. Le juge et l'avocat d'Allie parurent effarés. Jeffrey Earle se leva.

– Votre Honneur, m'accordez-vous un moment pour discuter avec ma cliente ? »

Le juge acquiesça. Jeffrey Earle se rassit à côté d'Allie et déplaça de nouveau sa chaise pour la regarder en face – elle, le regardait-elle ? – penché vers elle, les coudes sur les genoux. Leah vit Allie refuser énergiquement d'un signe de tête, puis Jeffrey Earle l'imiter. Il gesticulait, tenace, mais Allie hocha de nouveau la tête de gauche à droite. Expliquait-il à Allie qu'elle n'était pas censée parler et exigeait-il qu'elle se taise ?

Earle se leva de nouveau.

« Votre Honneur, la défense retire sa demande de libération sous caution pour l'instant.

– Cette décision sera notée au procès-verbal », répondit le juge sans manifester de surprise.

Quoi ? Elle ne veut pas être libérée sous caution ?

Stupéfaite du refus d'Allie, Leah n'en croyait pas ses oreilles. Qu'est-ce que cela voulait dire ? Une expertise psychiatrique fut demandée. On discuta des disponibilités de la cour et de la date du procès. Allie était maintenant impassible. Leah entendait par bribes ce qui se disait. Elle n'avait pratiquement conscience que de la jeune femme en orange, autrefois sa petite fille, un tourbillon de bruit et de mouvements aux cheveux noirs, dont la peau marbrée de bébé avait vite pris une teinte d'un beau rose pâle.

Le juge frappa un coup de marteau, puis se mit à écrire. Après un moment de silence, les gens comprirent qu'ils pouvaient se lever et se déplacer. Le jeune garçon blond fit sortir Allie. Jeffrey Earle, qui n'avait pas vidé son porte-documents sur la table, comme madame Fayler, glissa un seul dossier sous son bras et se dirigea vers la porte par laquelle était sortie Allie.

Leah se pressa pour le rejoindre.

« Excusez-moi, dit-elle. Excusez-moi!

Il se retourna et l'attendit.

– Je suis Leah Pacey, monsieur Earle. La mère d'Alyssa Staton. Je vous en prie, j'ai besoin de savoir.

Des yeux bleus sous des sourcils étranges, qui semblaient s'arrêter à mi-course d'une forme normale, la jaugèrent.

– Je suis désolé, dit-il. D'abord, je ne sais vraiment rien. Je viens à peine d'être affecté à cette cause. Mais vous devriez parler à votre fille... De toute façon, je ne pourrais rien vous dire qui ne soit pas du domaine public sans son autorisation.

– Je veux... et son père veut... lui trouver un avocat. Et la caution... ajouta Leah en rougissant. Je suis certaine que vous êtes excellent. Je suis désolée. Ce n'est pas ce que je voulais dire. Je veux dire, pouvons-nous lui prendre un...

Elle bafouillait et s'enlisait.

Jeffrey Earle se mit à rire, à gorge déployée, comme elle l'avait vu faire avec Allie. Puis, il reprit son sérieux, mais son visage garda les rides formées par son rire.

– Puis-je vous citer à mon patron? Et à ma femme? Juste la phrase qui dit que je suis excellent?

– Je suis vraiment désolée, dit Leah en essayant de se ressaisir. Où puis-je apprendre comment faire les choses? Puis-je parler à ma fille? Quand j'y suis allée dimanche, elle a refusé de me voir, avoua-t-elle, embarrassée.

– C'est Alyssa qui décide. Elle me l'a bien fait comprendre. Je dois moi-même lui parler. Voici.

Il leva le genou pour s'en servir comme table, le dossier toujours coincé sous son bras. Il ouvrit son porte-documents et fouilla à l'intérieur pour trouver une carte professionnelle.

– Prenez cela. Téléphonez-moi. J'essaierai de vous renseigner.

– Merci infiniment. Puis-je vous appeler plus tard aujourd'hui ?

– N'importe quand, si vous réussissez à me joindre.

Il ferma son porte-documents, toujours déséquilibré par sa posture de cigogne. Les serrures claquèrent l'une après l'autre.

– Et vous avez parfaitement le droit de prendre un autre avocat, madame Staton. Je sais ce que vous vouliez dire. Je vais m'occuper d'elle seulement en attendant que vous engagiez quelqu'un d'autre. Tenez, dit-il en regardant au-dessus de la tête de Leah, pourquoi ne venez-vous pas avec moi ? Je vais vous indiquer une autre sortie. Les journalistes vont penser que nous avons une rencontre et vous pourrez peut-être leur échapper.

– Merci, dit-elle. Merci infiniment.

Il la fit passer devant lui.

– Aucun commentaire », lança-t-il en refermant la porte au nez des journalistes.

Jeffrey Earle plut tout de suite à Alyssa. Dès qu'il ouvrit son porte-documents pour en sortir un alligator en caoutchouc vert de la taille de sa main déliée, elle sentit se réveiller sa curiosité, en veilleuse depuis longtemps. Elle monta en elle comme le mercure dans les anciens thermomètres en verre que sa grand-mère s'était obstinée à utiliser pendant toute son enfance. Même après qu'elle en eut fracassé un dans sa bouche, avec ses dents de bébé Allie-gator. L'air distrait, l'avocat posa l'alligator sur la table, comme si c'était la chose la plus naturelle à faire, et continua à fouiller dans ses papiers. Dans l'attente de la surprise suivante, Alyssa sentit quelque chose hoqueter et démarrer en elle, comme le moteur récalcitrant de la voiture de Howie. Comme s'il y avait, à l'intérieur d'elle, un carburateur encrassé et que le mécanicien Jeffrey Earle avait réussi à créer une étincelle avec le bon mélange d'essence et d'oxygène. Elle n'aurait pas osé parler d'excitation, ce n'était pas le bon mot. Pour qualifier sa curiosité, le mot « palpitation » lui parut le plus approprié. Espoir et douleur entremêlés comme dans les picotements d'une jambe engourdie. Elle avait mal, mais son angoisse lui prouvait que son sang circulait toujours. Elle était encore vivante.

Quand le juge entra dans la salle, revêtu d'une toge couleur de la mort, Jeffrey Earle ramassa prestement l'alligator et le remit dans son porte-documents.

« Les juges n'aiment pas beaucoup les reptiles, chuchota-t-il d'une voix sourde à Alyssa, si près d'elle qu'elle sentit son souffle dans son oreille. Ici, c'est une cour sans lézards. »

Elle ne put s'empêcher de sourire. Malgré elle, il lui plaisait.

Quand il la conduisit dans une salle d'entrevue du palais de justice pour qu'ils puissent parler – il voulait juste s'entretenir avec elle avant le procès, dit-il –, elle sentit qu'il avait vraiment envie de la connaître. Il ne posait pas de questions en fonction d'un objectif qu'il aurait déjà choisi, comme on élabore une preuve mathématique pour arriver à la seule réponse acceptable. Il la regarda, la jaugea, comme si elle pouvait se révéler à lui par un jouet ou une babiole qu'elle aurait dans la poche de ses vêtements de prisonnière. Il posa son porte-documents sur le dessus brillant de la grande table en bois, l'ouvrit et en examina le contenu. Les contours de son visage semblaient en mutation. Comme si, après une quarantaine d'années en rondeurs, ils avaient décidé de s'amincir. Elle se demanda comment elle photographierait ce visage, son apparence juvénile amplifiée par la lumière vive, la minceur de la maturité accentuée par les ombres. Jeffrey Earle avait-il déjà eu envie de modifier ses traits avec ses mains nues pour se métamorphoser, de triturer sa propre peau pour se créer le visage d'une autre personne ?

Il sortit un dossier, ce que la femme en tailleur à la cour avait appelé le dossier de police.

« Alyssa Pacey Staton. Dix-neuf ans. Date de naissance ?

– Le 12 novembre.

– 1978 ?

– J'ai dix-neuf ans.

– Comprenez-vous mon rôle ici, mademoiselle Staton ?

– Alyssa, s'il vous plaît. Personne ne m'appelle...

– Bien, Alyssa. Moi, c'est Jeff. Savez-vous ce que je fais ?

– Vous... me défendez.

Elle songea à l'ecchymose de la taille d'un poing qui avait viré au jaune et au pourpre. Elle avait pris l'habitude de se tenir loin des amies de la fée Carabosse, de se déplacer le dos au mur. De se défendre.

– Aujourd'hui je vous défends. Je suis l'avocat désigné par la cour.

Il s'appuya contre le dossier de la lourde chaise en acajou. Alyssa entendit ses pieds heurter les pattes de la table, puis s'installer confortablement.

– Votre mère voudrait engager un avocat...

– Je n'en veux pas.

– Apparemment, votre père aussi préférerait...

– Je ne veux personne d'autre. Je ne mérite pas qu'on dépense tout cet argent pour moi. Ça coûterait cher... et ma mère n'a pas... ma mère est peintre. »

Pas question qu'elle accepte l'argent de Dennis, l'avocat choisi par sa mère et l'intervention de Leah.

Mais Jeffrey Earle lui plaisait. Pendant un court moment dans la salle d'audience, quand il l'avait fait sourire, elle s'était retrouvée. Avec quelqu'un d'autre, ce ne serait peut-être pas possible, elle manquerait sa chance.

« J'ai dix-neuf ans. J'ai le droit de décider ce que je veux.

– C'est vrai.

Il soupira, se pencha vers l'avant et posa les coudes sur la table.

– Tu étudies pour obtenir quel diplôme, Alyssa ?

– Je n'ai pas... n'avais pas... décidé.

– Mais tu avais une idée ?

– En histoire.

– Je suis allé à l'université de Californie, moi aussi. J'ai étudié l'herpétologie.

– Je ne...

– Diplôme en biologie. L'herpétologie c'est, tu sais, les caméléons et les tortues... les dinosaures sont les membres les plus spectaculaires de la famille des reptiles... ils font partie de l'histoire.

– Puis vous êtes devenu avocat.

– C'est ça. »

Il ne parlerait pas davantage de lui. Ce ne serait pas normal, comprit-elle, surprise de se sentir autant en sécurité avec lui. Rien de cela n'était normal. Elle ne pouvait s'attendre à ce que la conversation suive le même cours qu'à l'extérieur : quelques mots sur moi, quelques mots sur vous. Elle était en prison. Il s'agissait seulement d'elle, et de ce qu'ils disaient qu'elle avait fait au bébé.

« Alors, tu ne veux pas de libération sous caution ?

En hochant la tête, elle sentit les endroits de son cuir chevelu où l'élastique lui tirait douloureusement les cheveux. Un mal de tête s'annonçait et son estomac brûlait.

– Pourquoi ?

– Je ne veux pas de caution parce que...

Elle pouvait le faire, remplir l'espace blanc, elle connaissait le contexte. "Lisez le contexte pour essayer de trouver l'élément manquant."

– Parce que tout le monde est au courant... la télévision. Et il vaut mieux pour moi que je reste... là où je suis. »

Jeff ne l'invita pas à poursuivre. Il ne leva pas ses demi-sourcils comiques comme pour poser une question. Il attendait. « Souvent, pendant un examen oral, la posture du professeur suggère la bonne réponse. »

« Elles pensent déjà... que je suis un monstre, les femmes dans la prison. Même celles qui ont elles-mêmes commis des horreurs... elles me détestent. Dehors... avec ma mère... les gens qui me connaissent...

Elle mit les paumes sur ses yeux comme pour faire coucou !

– Je ne veux tout simplement pas les voir.

– Les autres détenues t'ont menacée ? »

Il serrait son stylo, un Bic bon marché taché d'encre et sans capuchon.

Elle ne voyait pas l'alligator. Il devait être caché par la couverture d'un dossier ouvert. Alyssa pressa le dos contre le dossier en bois de sa chaise, délibérément vis-à-vis de l'ecchymose qu'elle ne voyait pas. Elle pressa jusqu'à ce que la douleur physique se confonde avec toutes ses autres souffrances. Le mal de tête, les jambes endolories, la poitrine de plomb et le vide, le vide intérieur, comme le centre d'un maelström.

« Si tu n'as pas reçu de menaces, nous ne pourrons pas te faire placer dans une unité protégée.

Il relâcha la prise sur son Bic.

– Je n'ai pas besoin d'être... protégée.

– Comme tu n'as pas besoin de caution? répondit-il du tac au tac.

– Personne ne m'a menacée. Elles disent des choses à propos de... la télévision... ce que la police dit que j'ai fait.

Il ouvrit un dossier. Évidemment, il lui fallait une distraction. Comment Jeffrey Earle pourrait-il la supporter encore bien longtemps? Il voyait bien qu'elle ne méritait pas de caution, qu'elle ne méritait pas une unité protégée. *Mauvaise fille.*

– Je dois t'en parler, Alyssa. De ce que la police dit que tu as fait.

Elle s'effondra. Elle n'aurait pas besoin de trouver où étaient ses blessures, il s'en chargerait pour elle.

– Cette information, nous allons la passer en revue ensemble... dit-il en indiquant les dossiers jetés en biais sur la table. Après notre conversation, je vais m'organiser pour que tu parles à d'autres personnes...

– Des psy.

Il la croyait folle. Il croyait qu'elle était démente. Seule une folle pouvait...

– Des psy. Un psychiatre et une psychologue. D'abord la psychologue, avec des tests écrits.

Il fit une pause, trouva l'alligator sous un dossier et le balança en le tenant par la queue entre deux doigts.

– D'autres psy, aussi. Choisis par l'accusation.

Sa voix et le balancement de l'alligator hypnotisaient Alyssa. Voulait-il la duper ?

– En fait, poursuivit Jeff, de toute évidence... il n'y a pas de doute que tu as eu ce bébé ?

L'alligator cessa de se balancer. Alyssa avait la gorge nouée. Dans son silence, elle l'entendit répéter les mêmes mots sous forme d'affirmation.

– Il n'y a pas de doute que tu as eu ce bébé.

Elle acquiesça. Si seulement elle avait eu les mains libres, elle aurait pu détacher ses cheveux et cacher son visage derrière ; se rendre indéchiffrable.

– La question est donc de savoir ce qui s'est passé depuis... la naissance... et plus tard.

Elle essayait de se débarrasser du blocage dans sa gorge. Les mots se pressaient dans tous les sens et formaient un embouteillage.

– Les détectives – tu as rencontré Halsumae, je pense – et le procureur ont leurs hypothèses. Mais nous, toi et moi, devons en parler. Parler de ce qui est réellement arrivé.

Elle hocha la tête. Croisées sur ses genoux, ses mains étaient si moites que la sueur avait taché le pantalon du costume orange de la prison. *Tueuse de bébé.*

– Veux-tu le faire avec moi, Alyssa ? Raconte-moi... ce qui s'est passé dimanche soir dernier.

Elle acquiesça. Elle voulait trouver les vraies réponses, distinguer le vrai du faux. Mais elle ne réussissait pas à se rappeler clairement. La nuit froide, l'estomac qui lui faisait mal, le carrelage dans les toilettes de la station de métro, les aboiements de Coffee, le couteau dans son sac à dos.

Le barrage dans sa gorge sauta. Plutôt que des mots, ce qui sortit de sa bouche fut un gémissement, un gémissement rauque et déchirant, qui lui coupa le souffle jusqu'à ce que Jeff contourne la table pour venir mettre les mains sur ses épaules.

– Reste ici avec moi, Alyssa. Nous reparlerons demain... de la suite des événements. Pour l'instant, reste avec moi. »

Chapitre 15

Dans l'immeuble où on avait conduit Alyssa pour sa rencontre avec la psychologue, le tableau de la salle de classe n'était qu'à moitié effacé. Comme si le responsable du ménage avait eu les bras trop courts pour en atteindre le haut ou comme s'il avait simplement bâclé sa tâche. Au-dessus de la partie nettoyée restaient les vestiges d'un cours de grammaire : complément d'objet direct, sujet, verbe auxiliaire.

Le test écrit serait long, l'avait prévenue Jeffrey Earle, elle ne devait pas se sentir pressée, elle n'avait qu'à suivre les indications et répondre à toutes les questions. En s'asseyant pour attendre l'arrivée de la psychologue, elle éprouva un sentiment de réconfort dans les mots écrits au tableau et dans les rangées familières de bureaux d'étudiants fixés au plancher. Comme les répliques d'une pièce de théâtre qu'elle aurait connue par cœur.

« Tu peux le faire, Alyssa », lui disait toujours Jeffrey à la fin de leurs rencontres, en fin d'après-midi, dans le tube.

Ce moment était pour elle une façon de mesurer le cours des jours sombres qui avaient suivi sa première comparution.

À l'arrivée de la psychologue, qui ressemblait à sa grand-mère comme deux gouttes d'eau, Alyssa songea que Jeffrey avait raison.

« Docteur Cantrell », dit la psychologue en se glissant entre les rangs de chaises pour tendre sa main noueuse à Alyssa.

Elle portait une jupe bleu marine et un cardigan tricoté à la main, orné d'animaux de ferme brodés aux couleurs invraisemblables. Des cochons bleus dansaient et des vaches rouges volaient. On aurait dit un uniforme de responsable de maternelle. Elle avait des jambes minces, douces et aussi bien galbées que celles d'une adolescente. Elle portait un escarpin blanc à un pied et un semblable, mais bleu marine, à l'autre.

Alyssa se leva pour lui serrer la main.

« Allons nous asseoir à la table là, mademoiselle Staton, lui dit le docteur Cantrell tout en prolongeant agréablement leur poignée de main. Vous aurez plus d'espace pour travailler. Ainsi, nous serons toutes les deux beaucoup plus à l'aise. »

Debout devant elle, Alyssa s'aperçut que le docteur Cantrell était plus grande que sa grand-mère puisque leurs yeux étaient à la même hauteur. S'était-elle déjà tenue debout devant sa grand-mère avant que ses attaques ne l'aient estropiée, puis alitée ? Par la suite, Alyssa avait dû s'asseoir sur un petit banc à côté du lit d'Esther, le visage penché vers son oreille, pour leurs moments de lecture quotidiens. Elle ne se rappelait pas ce qu'elle avait choisi de lui lire. Pearl Buck ? *L'Attrape-Cœurs* ? Son incapacité à s'en souvenir la rendit anxieuse. Elle se rappela ses trous de mémoire juste avant un examen, le quart de seconde où elle doutait d'elle-même avant d'étaler les connaissances requises sur les pages d'un carnet bleu. Elle pensa à Jeffrey et à sa promesse de l'épauler si elle choisissait de le garder comme avocat. Elle pensa à Leah et à son élan de fierté quand Alyssa lui avait montré ses résultats à l'examen terminal au lycée. Dix-neuf et demi sur vingt. En langue et en mathématiques. Assez pour s'inscrire dans n'importe laquelle des huit universités les plus prestigieuses du nord-est des États-Unis.

Quand la poignée de main se relâcha, Alyssa baissa les yeux et fut distraite de son anxiété par les escarpins désassortis.

« Savez-vous, commença Alyssa...

– Oui, bien sûr. Il y a des années que je fais cela.

Le docteur Cantrell lui sourit en posant son sac en nylon noir sur la table à laquelle elle invita Alyssa à s'asseoir.

– Je fais cela... pour rester... humaine.

Alyssa s'assit, rapprocha sa chaise de la table et crispa ses pieds dans ses pantoufles. Elle écouta attentivement les indications simples que le docteur Cantrell lui donna d'un ton animé : cinq cents questions, vrai ou faux, la première réponse qui vient à l'esprit, sans limites de temps.

– Des questions ? lui demanda ensuite le docteur.

Elle sortit un livre de son sac, un livre cartonné à la couverture bleue et turquoise, les mêmes couleurs que les architectes avaient choisies pour la prison. Peut-être le docteur Cantrell choisissait-elle volontairement les couleurs des livres qu'elle lisait comme elle le faisait avec ses escarpins désassortis, sous prétexte d'une folie douce.

– Combien de temps... cela va-t-il me prendre ? Ma mère vient me voir cet après-midi.

– Vous devez voir votre mère aujourd'hui ?

– Oui, je... oui. »

« Vas-y, vas-y », lui avait dit Joey le lundi précédent. Il revenait de son test bimensuel de séropositivité quand Ostrom annonça à Alyssa que sa mère était de nouveau là. « Elle va continuer à venir », avait prédit Joey. Il avait raison.

« Accepte de la voir, avait dit Jeffrey Earle. Cela va t'aider à accomplir ce que tu dois faire, Alyssa. »

Sa mère lui tenait volontairement des propos futiles : les promenades avec Coffee, les dîners de Clara et le cyclamen rose en fleur que Leah avait acheté pour mettre sur le rebord de la fenêtre de l'appartement. Alyssa lui en était reconnaissante et ses après-midi étaient maintenant faits d'attente, de la hâte d'entendre la voix de Leah dans le téléphone dégueulasse.

« Puis-je la faire prévenir ? Pour qu'elle ne vienne pas de Berkeley pour rien, si je n'ai pas fini ?

– Nous allons surveiller l'horloge. À quelle heure vient-elle habituellement ?

– Vers seize heures. »

Dans le temps mort entre le déjeuner et le dîner, quand sa cellule devenait trop exiguë pour ses pensées. C'était Alyssa qui avait demandé à sa mère de lui rendre visite toujours à la même heure. « D'accord », Leah avait ajouté ironiquement, par référence à leur recherche de stratégies de survie : « ce n'est pas comme si nous avions d'autres engagements à respecter. »

« Le garde qui est à la porte vous accompagnera jusqu'à un téléphone. Je vous préviendrai, disons, à quatorze heures. Est-ce assez tôt pour que vous puissiez la joindre ?

– Oui. Merci.

– D'autres questions ?

– Non. S'il y en a d'autres qui me viennent à l'esprit, est-ce que je pourrai vous les poser ?

– Oui, bien sûr. Je reste ici... à lire le best-seller du mois, dit-elle en montrant la couverture à Alyssa : une piscine, deux personnes qui flottaient.

– Vous pouvez commencer maintenant.

Elle ouvrit son livre, puis leva les yeux vers Alyssa.

– Si nous avons soif... ou autre chose... nous pouvons demander à l'officier.

– D'accord.

Alyssa prit le crayon et plaça soigneusement la grille explicative à côté de l'épais cahier contenant le test.

– Merci... docteur Cantrell. »

Le docteur Cantrell lui fit le même signe de tête que sa grand-mère. « Vas-y, ma chérie. Fais de ton mieux. »

Au début, les questions étaient faciles. La tête penchée, le crayon serré entre ses doigts, Alyssa s'appliquait à faire correspondre les chiffres à côté de la question qu'elle lisait avec ceux de la grille explicative. Elle se mit ensuite à s'attarder sur certains énoncés. La distinction entre le vrai et le faux devint plus floue et l'obligation de trancher entre la vérité et la fausseté frustrante.

Il faut beaucoup de discussions pour convaincre certaines personnes de la vérité. Des discussions à quel sujet ? La peine de mort ? Oui, elle pourrait en discuter, mais où trouver des arguments ? Dans les acrobaties du langage aseptisé du cours de philosophie ? Enfermée dans l'espace clos d'une cellule de l'unité de la population générale ? Pendant les rares sorties pour aller au tube ou pour marcher en rond dans la cour clôturée de blocs de basalte empilés si haut qu'ils coupaient les maigres rayons du soleil réussissant à percer le brouillard hivernal ? Des discussions à quel sujet ? Sur le choix de son diplôme universitaire ? Leah insistait pour qu'elle choisisse les arts et Alyssa n'entendait que le refrain sous-entendu de sa mère : « deviens une artiste, comme moi. » Convaincre qui ? Après s'être empêtrée un moment, elle cocha vrai.

Parfois, des pensées insignifiantes me tracassent pendant des jours. Les mocassins. Elle les avait achetés en janvier à un étalage dans Telegraph Avenue. Un étalage de produits en cuir, tenu par un couple de hippies âgés. Ils lui avaient dit de prendre son temps pour choisir, que chaque paire était faite à la main. Ils avaient de longs cheveux grisonnants. Assis sur des chaises de jardin en plastique blanc, ils avaient les yeux à la hauteur de son ventre gonflé qui étirait son pantalon ample en coton. « Vous aimez les blancs ? Ils sont adorables. Vingt-deux dollars. » Elle avait payé comptant, avec l'argent qu'elle avait mis de côté pendant qu'elle travaillait chez Alfredo's. Les mocassins étaient-ils peu importants ? Elle cocha faux.

Mes parents et ma famille me trouvent plus de défauts qu'ils ne le devraient. La famille. Leah lui avait transmis le message de Dennis : « Appelle-moi, Lyssa. Appelle-moi et Missy, à n'importe quelle heure du jour ou de la nuit. » Comme il s'était toujours contenté de faire son éloge d'une manière brouillonne, fière et distante, elle ne pouvait lui appliquer la phrase « trouver des défauts. » Jusqu'à maintenant, elle avait toujours été sa fille lointaine, talentueuse et tranquille. Il était facile pour lui, même maintenant, d'ignorer les défauts d'une personne qu'il voyait si rarement. Alyssa ne méritait pas son approbation naïve. Elle ne pouvait se résoudre à composer son numéro en PCV pour obtenir son appui immérité. Leah, de son côté, avait traversé le continent pour venir la retrouver, mais elle ne pouvait même pas la toucher. Sa mère semblait maintenant avoir abandonné le désir d'attribuer des fautes qu'elle avait manifesté lors de ses premières visites. Était-ce la distorsion du tube, la vitre, le téléphone, la présence d'un gardien ou refoulait-elle son propre désir ? Alyssa avait l'impression que sa mère avait renoncé à la pousser vers des conclusions dans lesquelles elle ne se reconnaissait pas. Elle reformula la question en esprit. *Mes parents et ma famille devraient me trouver plus de défauts qu'ils ne le font.* Elle y trouva la même satisfaction que lorsqu'elle appuyait son pouce sur ses ecchymoses jusqu'à ce que des larmes coulent de ses yeux bien fermés. Avant de répondre, elle retourna à la question telle qu'elle était formulée dans le test. Faux.

J'ai souvent l'impression que les choses sont irréelles. Réponse facile, cette fois. Parfois, étendue sur son matelas mince dans sa cellule, elle écoutait les conversations à voix basse des gardiens qui faisaient leur ronde de nuit. Elle avait de la difficulté à croire qu'elle était en prison avec la fée Carabosse, la femme couverte d'ecchymoses et l'héroïnomane. Elle avait inventé Joey, comme un elfe ou un bon lutin. Le visage de sa mère, coupé en deux par la distorsion de la vitre entre elles. Leah était-elle réelle ? Si les mains d'Alyssa ne pouvaient pas la toucher ni s'accrocher autour de son cou dans l'envie urgente qu'elle avait de trouver de la consolation dans un seul mot, *maman* ? N'était-ce pas irréel que la douzaine de fois où elle avait eu envie de se blottir sur les genoux de sa mère, elle se soit heurtée à une vitre et à sa propre incapacité à exprimer ses émotions ? N'était-ce pas irréel ? Et « souvent », cela voulait-il dire ce mois-ci, toujours auparavant ou toujours à partir de maintenant ?

Je transpire très facilement, même quand il fait frais. Vrai, vrai, vrai. Même à présent, en face du docteur Cantrell, plongée dans son livre, sa chaussure blanche se balançant au bout de sa jambe croisée, la main gauche d'Alyssa laissait une trace humide sur la page du test. Et toutes les fois où la fée Carabosse passait à côté d'elle, avant les repas ou en allant à la douche, Alyssa frissonnait avant de sentir une bouffée de chaleur. Elle craignait les murmures, de plus en plus fréquents, qui s'élevaient comme le chœur noir dans l'adaptation musicale de *Docteur Faustus* qu'elle avait vue avec Howie à Berkeley. Une fois, en se levant après le déjeuner, son plateau à la main, elle avait senti un genou osseux la frapper à la cuisse. Son plateau s'était renversé et l'assiette en plastique, avec le hamburger auquel elle n'avait pas touché, avait glissé sur le plancher. « Tu vas manger par terre à présent, l'étudiante d'université », entendit-elle murmurer derrière elle en se penchant pour ramasser le mélange dégueulasse de cornichons et de laitue et nettoyer la tache laissée sur la moquette par la viande et la mayonnaise, ou des mucosités. De toute façon, elle ne l'avait pas mangé. Avec cette sueur qui la rendait nauséeuse, elle ne mangeait presque plus. Vrai.

À certains moments, j'ai eu très envie de quitter la maison. Elle posa la pointe de son crayon sur la case marquée vrai. Elle avait quitté la maison deux fois. D'abord Philadelphie, puis Dwight Way. Mais la seconde fois, elle n'avait pas vraiment voulu partir. La seconde fois, elle était partie parce qu'elle n'avait pas le choix. Avait-elle choisi l'université de Californie pour fuir le passé ou pour découvrir quelque chose de nouveau ? Elle ne pouvait faire la part des choses. Est-ce que vieillir et partir pour l'université voulaient dire avoir envie de quitter la maison ? Alors, elle devrait cocher vrai. Mais si la question portait sur la seconde fois, la nuit de son exode, alors qu'elle n'avait pas choisi de partir de son plein gré, elle devrait répondre faux.

« Mademoiselle Staton ?

Le livre turquoise du docteur Cantrell était fermé, son index gardant l'endroit où elle était rendue de sa lecture.

– Cochez la réponse qui vous semble la bonne à la première lecture.

Alyssa regarda l'horloge. Il y avait presque une heure qu'elle avait commencé et elle n'en était qu'à la question soixante-dix-huit.

– Vais-je trop lentement ?

– Il n'est pas nécessaire de décortiquer les questions. La première réponse est généralement la... euh... la vraie, lui répondit le docteur Cantrell avec un léger rire ou alors, expliquer le jeu de mots...

– Mais les questions semblent parfois... elles sont parfois vraies et fausses en même temps, je ne peux pas...

– Comme je vous l'ai expliqué plus tôt, il s'agit de choisir la réponse qui décrit le mieux votre comportement ou votre attitude. Le mieux ne veut pas nécessairement dire toujours. »

Alyssa avait accéléré son travail et abandonné les réflexions sémantiques. **La plupart du temps, j'ai l'impression d'avoir une boule dans la gorge.** Vrai. **J'aime assister à des fêtes et à d'autres types de réunions où tout le monde s'amuse.** Faux. **La plupart**

du temps, j'ai mal à la tête. Vrai. **Je n'ai jamais eu d'ennuis avec la loi.** Faux.

J'ai vécu des périodes ou j'ai réalisé des activités sans me rappeler par la suite ce que j'avais fait. « Raconte-moi ce qui est arrivé, Alyssa », disait Jeffrey Earle dans sa posture d'écoute, ses longues jambes étendues, au début de leurs entretiens. Elle lui avait tout raconté de son mieux, même si chaque détail lui donnait l'impression d'arracher son pied à du sable mouvant. Elle sentait ses muscles se tendre et menacer de lâcher et de la laisser s'enliser. C'était donc vrai qu'elle avait vécu des périodes – San Francisco, Dara qui disparaissait et réapparaissait – pendant lesquelles elle ne se rappelait pas ce qu'elle avait fait. Elle avait perdu la conscience d'elle-même dans une fusion du temps et de l'espace, dont des bribes de souvenirs venaient la harceler comme une muleta.

La plupart du temps, je me sens comme si j'avais fait quelque chose de mal. L'énoncé la prit par surprise, comme la voix venant de derrière les draperies dans *Le Magicien d'Oz*. Le crayon émoussé lui glissait entre les doigts. Elle dut le poser, s'essuyer les mains sur les cuisses. Le docteur Cantrell leva les yeux, puis revint à son livre et tourna la page. Décevoir les gens, c'était mal. Mentir, aussi. Oui, elle se sentait comme si elle avait fait quelque chose de mal. Tout à coup, elle pensa à Coffee, à son affection indéfectible. *Que doit-il penser de moi dans sa tête de chien ?* Abandonné et oublié. Éprouvait-il le même genre de sentiment d'abandon et de désespoir qu'Alyssa quand Leah quittait le tube après ses visites ? Hier, Leah s'était retournée, avec un dernier regard rempli de larmes, au moment où elles étaient forcées de se séparer. Alyssa aussi. Pendant que le gardien impatient faisait sonner les clés et les chaînes dans sa poche, elle s'était retournée vers sa mère, anxieuse, déchirée par l'aspect formel de leur séparation. *Ce qu'elle avait fait de mal,* un tissu raide d'empois qu'il restait à repasser.

Elle avait eu tort d'abandonner Coffee, mais le mal, le mal venait d'ailleurs. Ce qu'on disait qu'elle avait fait, c'était vraiment mal. Laisser un bébé mourir vidé de son sang, « exsangue ». Pas étonnant que les yeux de Leah, au regard brûlant comme des tisons pendant les moments de silence embarrassé qui empoisonnaient ses visites, aient semblé refouler des choses. « Tu ne m'as pas tout dit. » Même si tout le monde le lui avait répété à satiété, même Jeffrey, elle ne réussissait pas à imaginer la scène : le bébé enveloppé dans la serviette aux initiales de sa grand-mère, les serviettes en papier empilées, les taches de sang dans les toilettes de la station de métro. C'était mal, ce devait l'être, mais d'une certaine façon pourtant, ce n'était pas Alyssa Staton qui avait fait cela.

Je me sens souvent indifférente à ce qui m'arrive. La salle de douche, après le dîner, deux jours plus tôt. Elle s'était brossé les dents et avait retiré l'élastique – un cadeau de Joey : un élastique recouvert de tissu vert, exprès pour les cheveux – de son épaisse queue de cheval sur la nuque. Le premier coup, un poing au sternum, l'avait projetée sur le carrelage humide de la douche. Le deuxième coup, un pied cette fois, couvert d'une pantoufle mais bien tendu, l'avait frappée à l'estomac. Ensuite, elle avait cessé de compter, ses yeux grands ouverts fixés sur l'étrange ballet d'une paire de jambes revêtues d'orange, les mouvements de haut en bas des genoux et la grâce effrayante de pieds en pantoufles qui frappaient, frappaient. Indifférente. Elle n'avait même pas protégé sa tête parce que cela lui aurait demandé un effort de volonté dont elle ne se sentait pas capable. Les détenues se gardaient de la frapper au visage ou aux bras. Cela aussi l'encourageait à l'indifférence. Elle ne voyait pas ce que cela pourrait changer si elle montrait à Ostrom les ecchymoses sur son ventre ou le quadrillage enflé dans son dos. Joey s'en était aperçu un jour où il lui avait donné une petite tape amicale trop forte pendant une de leurs sessions de lecture avec Louis L'Amour. Il avait essayé de la convaincre d'en parler, sans succès. Elle imaginait la prochaine fois : sans défense, exposant tout son corps au ballet de coups de pieds. *Tueuse de bébé.*

« Mademoiselle Staton ?

– Mmm ?

Elle avait posé son crayon et perdu l'endroit où elle en était rendue dans le questionnaire.

– Il est presque quatorze heures. »

Le docteur Cantrell se leva et frappa à la porte de la salle de classe. Elle murmura quelque chose au gardien, puis étira les deux bras au-dessus de sa tête. En sortant de la classe avec le gardien, Alyssa vit les mouvements simples de gymnastique de la psychologue qui levait les bras et pliait le torse. Elle songea aux récréations à la maternelle, aux cours d'éducation physique les jours de pluie et aux bras grands ouverts de Leah à la sortie de l'école.

Au téléphone public sur le mur à l'extérieur de la classe, elle composa son propre numéro en PCV, n'entendit même pas une sonnerie, mais tout de suite la voix de Leah, triste.

« Allô ?

– Maman ?

– Ma chérie, dit Leah sur un ton aussitôt plus chaleureux, plus doux, comme si c'était son appel que sa mère attendait, que se passe-t-il ? Ont-ils...

– Ce n'est rien, maman, sauf que je suis en train de passer ce test, sur mon profil psychologique, et que je n'aurai pas terminé à seize heures. Je ne voulais pas que tu viennes pour rien.

– Mais je pourrais venir plus tard, Allie. Après le dîner ?

– Si tu veux, maman.

De l'espoir au cœur.

– Veux-tu que je vienne à ce moment-là, mon trésor ? Veux-tu vraiment ?

Je me sens indifférente à ce qui m'arrive. Dès qu'elle aurait raccroché, elle demanderait à Cantrell si elle pouvait aiguiser son crayon. Ensuite, elle cocherait résolument faux.

– Oui, maman. Je veux. »

Maman.

Elle savait que les psychiatres communiquaient leurs rapports à différents avocats, comme des espions ennemis. Jeffrey lui avait expliqué qu'elle devait répondre aux questions le plus honnêtement possible, peu importait qui les posait. La femme docteur engagée par l'accusation, négligemment vêtue de soie, une élégante version féminine du professeur Ichabod Crane[1]. Même si Alyssa s'obligeait à la regarder bien en face, du moins quand

1. Personnage d'un célèbre conte d'horreur de Washington Irving (1819), efflanqué, tout en bras et en jambes et aux vêtements trop grands pour lui.

elle était certaine de connaître les réponses, la femme avait semblé plus intéressée par ce qui était à demi-effacé sur le tableau qu'à l'histoire d'Alyssa. Sauf quand Alyssa hésitait. Elle tripotait alors le revers de sa veste foncée, une parmi toutes celles qu'elle possédait, dont la seule différence avec celle qui l'avait précédée était la couleur, du bleu foncé au noir. La psychiatre se penchait alors sur la table, comme si elle était un aimant et Alyssa la limaille de fer des souvenirs qu'elle voulait attirer.

Aujourd'hui, c'était le docteur Stojanovic – un vrai chic type, avait dit Jeffrey – qui était assis en face d'elle dans la salle de classe maintenant familière. Avec les rencontres avec la travailleuse sociale, les médecins engagés par l'accusation, celles du soir avec Jeffrey et le temps passé à aider Joey avant ses cours « élémentaires », elle avait commencé à la considérer comme sa salle de classe. À mille lieues de la population générale où la fée Carabosse apparaissait et disparaissait comme dans un théâtre d'ombres où les silhouettes sont éclairées par des flammes. Dans l'unité, aux repas ou dans sa cellule, elle perdait la corde dont elle se servait, les mains à vif, pour se sortir du puits du silence. Dans la classe, elle sentait qu'elle connaissait les réponses ou, en s'armant de courage pour oublier la souffrance de ses mains déchirées par la corde, elle savait du moins qu'elle pouvait les trouver.

Le docteur Stojanovic la regarda bien en face avec des yeux noirs pétillants sous des sourcils hirsutes comme de la laine d'acier. Il avait une bonne tête de moins qu'Alyssa, comme elle l'avait constaté quand il s'était levé pour l'accueillir à son entrée dans la classe. En se redressant, il avait fait tomber de ses genoux des trombones et un stylo qui avait rebondi sur le plancher en linoléum. Sa voix résonnait cependant comme celle d'un grand homme. Avec les étincelles dans ses yeux, Alyssa pensa à un saint Nicolas de soixante-dix ans, débraillé et hors saison.

« Bonjour. Bonjour. Mademoiselle Staton ?

– Oui, mais personne...

– ... ne vous appelle mademoiselle. Évidemment, pas de nos jours. Alyssa, alors ?

Il tira une chaise pour elle et, d'un geste plus élégant que ridicule, l'invita à s'asseoir.

Elle s'assit.

– Comme vous le savez, je suis le docteur Stojanovic. Votre avocat, Jeffrey Earle, vous l'a dit, n'est-ce pas ?

– Oui.

Contente-toi de répondre aux questions évidentes, pensa-t-elle. *Pas d'erreur possible.*

– Je sais que cela paraît étrange... ces rencontres. Et les questions sont parfois très ardues. Vous étudiez à l'université ?

Alyssa acquiesça. Ils commençaient toujours par les choses les plus évidentes, comme pour la faire trébucher sur un fait établi pour pouvoir ensuite dire : « Vous voyez ? Elle ment. » Jeffrey l'avait prévenue que le procureur utiliserait cette tactique.

« Ce doit être très difficile, toutes ces questions, sur ce qui s'est passé.

Il fit une pause, le temps de laisser les mots flotter dans l'air et se déposer comme des grains de poussière.

– Oui, dit-elle finalement, gênée par le long silence.

– Savez-vous qui je suis ?

– Vous êtes le docteur Stojanovic. Vous êtes le psychiatre pour la... pour ma défense.

– Oui. Savez-vous pourquoi je suis ici ?

– Vous devez faire un rapport sur moi, sur mon... état d'esprit.

– Oui. Comprenez-vous que ce dont nous parlons ne sera pas confidentiel, que je rédigerai un rapport pour la cour, qui sera accessible à la fois à votre avocat et à l'accusation ?

– Oui. »

Savez-vous quel jour nous sommes ? anticipa-t-elle. *Qui est président ?* Le docteur Stojanovic portait des élastiques autour de ses poignets, comme des bracelets de punk ou des aide-mémoire pour des tâches trop souvent oubliées. À moins que, songea-t-elle plus simplement, il ne les ait glissés là après les avoir retirés des dossiers posés de l'autre côté de la table, devant lui.

« Savez-vous de quelle fête nous approchons ? demanda-t-il.

– De la Saint-Patrick.

– Et c'est ?

– Le 17 mars.

Elle le regarda qui l'observait, ses sourcils hirsutes froncés.

– Mercredi prochain.

– Merci, Alyssa. J'apprécie que vous acceptiez de vous plier à ces formalités ridicules.

Son sourire lui fit de nouveau penser au père Noël, au matin de Noël, aux cadeaux pas encore déballés.

– Comptez à rebours à partir de cent, par tranche de sept, s'il vous plaît.

– Cent, quatre-vingt-treize, quatre-vingt-six, soixante-dix-neuf...

– Bien, bien. Ça suffit. Merci.

Il ouvrit un dossier et le feuilleta.

– Je vois que le docteur Cantrell ne vous a pas fait passer de test de QI.

Il semblait attendre une réponse d'elle, comme si elle était capable d'expliquer l'omission du docteur Cantrell.

– C'est très rare qu'elle ne le fasse pas! poursuivit-il. Vous devez être vraiment très intelligente!

Il la maternait.

– Elle savait que j'avais réussi mon examen d'entrée à l'université avec distinction. Pas vous?

– Vous m'avez pris en défaut.

Il indiqua du doigt des notes dans le dossier.

– Étudiante reçue avec distinction. Prépare un diplôme d'histoire.

Elle haussa les épaules. Elle aurait voulu se lever et s'enfuir, mais le docteur Stojanovic en prendrait note et joindrait son observation aux résultats du Rorschach et aux réponses du test sur l'aperception thématique.

– Je suis en train de me faire recaler. Vous devez savoir cela aussi.

– Vous avez pris de la distance, plutôt. Vous n'êtes pas recalée. Vous n'avez pas réussi à vous faire recaler.

– C'est la même chose.

– Une bénédiction ou une malédiction? demanda-t-il sans tenir compte de sa mauvaise humeur.

– Quoi?

– Avoir du talent... être intelligente. Je croirais que c'est peut-être un peu des deux, selon les moments et les circonstances.

– Est-ce avoir de l'intelligence quand l'école est facile, quand on n'a pas besoin de travailler fort?

Elle pouvait bien poser des questions elle aussi, puisqu'elle était une fille si intelligente, une étudiante à l'université.

– Qu'en pensez-vous? Comment répondriez-vous à cette question? »

Elle resta silencieuse. Il ne la laisserait pas s'en tirer comme la vieille fille psy pour l'accusation qui était tellement concentrée sur sa propre capacité à détecter des choses qu'elle n'avait pas su écouter le silence. Elle n'avait pas compris qu'une réponse à demi formulée construite avec les mauvais mots peut fournir une sorte de vérité. Le docteur Stojanovic creusait pour trouver Alyssa, la vraie Alyssa, pas les notes ramassées dans un dossier, bien attaché avec un élastique.

Au début, elle parla d'un ton hésitant, de mauvaise grâce. En tournant une histoire à l'envers, vous pouvez vérifier si une personne vous écoute vraiment. Elle savait cela depuis toujours, depuis ses plus lointains souvenirs. Quand elle était petite, appuyée contre la poitrine de Leah à l'heure du coucher, et que sa mère portait sa main à sa bouche pour réprimer une série de bâillements, Alyssa avait appris à déceler les passages sautés dans *Winnie l'ourson* ou *Les Aventures de Stuart Little*. Sa mère utilisait astucieusement ces petites omissions pour mesurer à quel point Alyssa s'endormait et trouver le moment où elle pourrait poser le livre et éteindre la lumière. Alyssa s'apercevait toujours de son jeu. Elle prenait le livre et lisait, sans décoder encore tous les mots sur la page, mais de mémoire. Leah se laissait tomber sur les oreillers et la réprimandait en riant. « Pas moyen de t'embobiner, petite maligne. »

Elle ne pouvait pas plus embobiner le docteur Stojanovic.

« Pouvez-vous m'en dire davantage? »

« Et vous trouviez cela plutôt satisfaisant, n'est-ce pas ? »

« J'ai l'impression qu'il y a plus à en dire que ce que vous m'avez dit jusqu'à présent. »

Alors, comme le docteur Stojanovic avait réussi le test – il saisissait la moindre ellipse et il l'obligeait à retourner en arrière, sans se contenter d'un résumé –, Alyssa avait cessé de se contrôler et s'était mise à parler, à parler vraiment, de sa vie d'avant la prison. De la lecture et de l'écriture, du fait que les maths n'avaient jamais été un mystère pour elle comme c'était le cas pour Sharon. Du séminaire du professeur Miller, de la façon dont madame Miller laissait ses étudiants donner tous leurs arguments sans les interrompre. En observant le visage expressif du docteur Stojanovic et en entendant sa propre voix décrire les cours à l'université, elle se rappelait le trajet de Wheeler Hall jusqu'à University Avenue, les traits d'ombre jetés sur les vastes pelouses par le soleil qui se couchait derrière les eucalyptus. Les études lui manquaient. Cette constatation lui donna de l'assurance, comme si elle portait tout à coup une ceinture de sécurité qui se resserrait à chaque brusque coup de freins. Elle avait aimé étudier pour le plaisir qu'elle en retirait et pour rien d'autre. Elle avait été fière de son intelligence. Elle avait mérité ses bonnes notes par son travail assidu. Elle pouvait parler au docteur Stojanovic, les mots se bousculant dans sa hâte, de tout ce qui concernait les études, les notes et les récompenses – oui, les bénédictions – de l'intelligence.

Quand le docteur Stojanovic se leva et lui tendit sa petite main pour lui signifier la fin de leur rencontre, elle aurait voulu qu'il reste, pour laisser le va-et-vient de ses questions balayer toute sa vie. Il reviendrait, dit-il. Ils parleraient encore. Ils reprendraient là où ils s'étaient arrêtés. En suivant le gardien jusqu'à son unité, dans l'odeur du repas du soir qui montait comme la pourriture des fruits tombés de l'arbre, elle se demanda où elle s'était arrêtée.

Chapitre 16

Leah s'arrêta chez Clara en sortant pour sa promenade quotidienne avec Coffee.

« Voulez-vous venir dîner avec moi ce soir ?

– Je voudrais bien, dit Clara sur le pas de sa porte. Mais je travaille au refuge ce soir. J'arrive généralement pas à la maison avant dix-neuf heures.

– Dix-neuf heures trente ? dit Leah. Ça ne m'ennuie pas d'attendre. Je pourrais nous acheter du poisson en rentrant.

– Bien, acquiesça Clara. Si vous voulez, je pourrais faire de la pâte à frire ce matin avant de partir. »

Clara avait beaucoup d'activités. Leah était heureuse qu'elle soit libre pour le dîner. Même si elle trouvait la conversation difficile, elle trouvait encore plus pénible parfois de supporter le silence des longues soirées.

« J'ai ce qu'il faut pour faire une salade et j'achèterai aussi une baguette. À la bonne boulangerie française à côté du marché aux poissons, dit-elle.

– Oh là là ! gloussa Clara. Vous allez me transformer en yuppie. Mon Eddie va se retourner dans sa tombe.

Elle indiqua le chien du menton parce qu'elle tenait dans ses mains une grosse cuillère et un bol à mélanger.

– Quand il aura fini sa promenade, revenez me voir. J'ai des muffins au son prêts à mettre au four. Je vais nous préparer du café.

– Super.

Malgré les efforts de Leah, la conversation retomba. Mais les longs silences ne semblaient jamais gêner Clara.

– À propos, j'y pense ! Les muffins, c'est terriblement yuppie. Où est passé votre pain de maïs ? Il faut que j'y aille à présent. Je ne peux pas traînasser toute la matinée. »

Traînasser. Elle avait pris le mot à Clara, mais sa mère l'employait, elle aussi. La première fois que sa voisine l'avait prononcé, Leah s'était retrouvée en pays connu, comme si Clara avait porté un pantalon en tricot de polyester de couleur vive et des tennis blanches au lieu de son pantalon en lainage noir et de ses chaussures à talons plats.

« Je sais. Mais vous devez manger. Vous viendrez casser la croûte et, ensuite, je garderai ce monstre pour qu'il ouvre pas vos tubes de peinture à votre place. Je reste à la maison ce matin. Il tiraille encore tout ce qu'il trouve, pas vrai ? L'autre jour, je l'ai attrapé en train de mâchouiller mes sous-vêtements, dit-elle en indiquant du pouce l'appartement derrière elle. J'avais oublié de fermer la porte de la salle de bains et le petit diable est allé fouiller dans mon panier à linge. »

Coffee restait parfois chez Clara. Elle disait qu'elle aimait sa compagnie.

Comme s'il s'était aperçu qu'on parlait de lui, le chien s'élança à la poursuite d'un chat tigré assez fou pour traverser son parking, son territoire. Il entraîna Leah en arrière jusque sur le palier.

« Il tiraille plein de choses, y compris moi, dit Leah. Si je ne suis pas de retour dans quatre jours, envoyez une expédition de recherche. »

Le labrador, lustré et musclé, haletait au bout de sa laisse. Il tirait sur le bras de Leah pour atteindre l'escalier.

« Envoyez une expédition de recherche. » Leah songeait à ses propres mots. Sur le trottoir, Coffee avait adopté un pas régulier mais rapide, pressé d'arriver au parc et de se retrouver en liberté. *Comme tu as fait pour Allie. Mais il y a des expéditions de recherche et de sauvetage.* Elle avait retrouvé Allie, mais elle ne l'avait pas sauvée. Il faisait un temps de mars, mars à Philadelphie même, un peu humide, un peu froid, précurseur toutefois du vert chartreuse des premiers bourgeons dans les arbres. Sa vie à la maison lui manquait, mais elle était généralement trop occupée pour prendre conscience du mal du pays qui la rongeait.

Elle s'était trouvé un rythme quotidien, des activités régulières : promener Coffee trois ou quatre fois par jour, travailler le matin à l'appartement, aller voir Allie l'après-midi. Un motif commençait à émerger du chaos, comme une courtepointe vue de loin.

Jeffrey Earle ignorait le temps que durerait l'examen psychiatrique, mais les visites ne commençaient pas avant quatorze heures de toute façon. À la demande de Leah, Cory avait emballé certains de ses outils et de ses pinceaux et les lui avait envoyés. Ce qu'il lui fallait d'autre pour se constituer un atelier de base – comme celui qu'elle avait eu pendant des années au sous-sol de sa maison –, elle l'avait commandé dans le catalogue du Italian Art Store. Deux boîtes étaient arrivées la veille, ainsi qu'une caisse contenant le tableau inachevé pour la fondation Bradshaw. Le travail rendrait peut-être sa routine quotidienne plus facile à supporter.

Il lui avait fallu déjà presque deux semaines pour rendre l'appartement d'Allie plus vivant. Tout en conservant les choses de sa fille, elle y avait ajouté quelques touches. Un double passe-partout, bleu et crème, autour de l'affiche de la mère et de l'enfant par Mary Cassatt. Elle l'avait réalisé elle-même, dans un magasin d'encadrements, en s'efforçant de penser uniquement à Allie et à elle-même, pas au bébé aux cheveux noirs qui flottait dans ses rêves. Des cache-pots en céramique peinte pour les plantes d'Allie qu'elle avait toutes réussi à garder en vie. Des petits tapis dans la salle de bains et la cuisine et, dans la salle de séjour, une carpette blanche à franges sur la moquette terne de l'appartement. Elle avait éclairé un coin sombre grâce à un mobile avec une lune et des étoiles et posé de petits coussins vert et crème dans les coins du canapé. Elle avait accroché une plante au-dessus de l'évier de la cuisine et du lierre retombant devant la fenêtre qui donnait sur le parking. De simples rideaux imprimés avec le bleu du canapé et le ton neutre de la carpette, mais qui accrochaient agréablement l'œil avec du vert lierre et du blanc cassé. De nouvelles serviettes. Allie avait vraiment besoin de nouvelles serviettes. *Et sans maudits monogrammes, cette fois.* Elle eut honte d'avoir eu une telle pensée.

Elle prit son temps pour manger les muffins de Clara, odorants et pleins de raisins, de noix et d'ananas, mais elle ne traînassa pas. Elle se sentait pourtant coupable de son plaisir à ouvrir les boîtes et à organiser un petit coin pour peindre près de la plus petite fenêtre. Le passe-plat donnant sur la cuisine devint une étagère pour ses tubes de peinture et la bouteille de térébenthine achetés en ville. C'était un pis-aller, mais ça irait. Elle avait dû évidemment s'acheter une palette et un chevalet – le sien était trop gros pour qu'elle demande à Cory de le démonter et de l'emballer –, mais elle en ferait don au refuge où Clara travaillait. Quand toute cette histoire serait terminée.

Quand ce sera terminé. Elle n'y songeait que très rarement. Il valait mieux ne pas toucher à cette idée, pas plus qu'à un négatif avant qu'il soit développé.

À l'aide d'un couteau, elle ouvrit l'emballage du tableau Bradshaw. Cory avait fait appel à un professionnel. L'œuvre aurait dû être terminée depuis longtemps et Leah ne pouvait pas demander indéfiniment à George de présenter des excuses à sa place. Tout le monde là-bas était-il au courant ? L'avaient-ils tous vue aux nouvelles télévisées, dans les journaux ? Les reporters ne campaient plus sur le parking. Mais ils reviendraient, l'avait prévenue Jeffrey Earle. Ils constituaient leurs forces dans l'attente du procès.

Le procès. Leah avait de la difficulté à s'habituer à cette idée. Elle ne comprenait pas l'entêtement d'Allie à garder un défenseur public, même si tout son avenir dépendait du verdict. Leah tentait de minimiser l'importance de ces problèmes et de garder les yeux sur le premier plan, là où des détails pouvaient la distraire et la fortifier. Dennis avait blâmé Leah de ne pas avoir remplacé Jeffrey Earle jusqu'à ce qu'il vienne passer un week-end et se heurte lui aussi à la volonté inflexible d'Allie.

« Elle l'aime, Dennis, lui dit Leah quand ils dînèrent ensemble dans un petit restaurant chinois tranquille, et je dois avouer que je comprends pourquoi. Mais je ne sais pas ce qui est le mieux. Même si je suis fondamentalement d'accord avec toi, je ne vois pas ce que nous pouvons faire.

– Écoute, je m'excuse. Je suis content que tu sois ici, avec elle. Je peux difficilement m'éloigner de la maison actuellement. Missy est bouleversée, surtout avec le nouveau-né... c'est impensable...

Dennis ne précisa pas davantage l'importance de la réaction de sa femme. Mais, ayant lu certaines lettres haineuses envoyées à Allie, Leah pouvait l'imaginer. Elle se rappela la sensation de tenir un nouveau-né dans ses bras, sa forme souple qui se moule à votre poitrine, son crâne qui se blottit au creux de votre cou et son souffle à l'odeur de lait.

– Je comprends, dit Leah. Tu as été gentil de venir. »

Maintenant, son chevalet installé, elle s'escrimait à ouvrir la caisse contenant le tableau. Grosse, embarrassante et plus lourde qu'elle ne s'y serait attendue. Elle la posa à plat et ouvrit trois des côtés. Elle comprit alors. Cory avait pris la liberté de lui envoyer aussi le tableau inachevé d'Allie, avec les esquisses dans une grande enveloppe. Leah les en sortit. Sa fille enceinte la regardait, gracieuse, triste, inachevée.

Les rencontres d'Allie avec le docteur Stojanovic étaient interrompues par les week-ends, qui lui semblaient interminables. Elle essayait d'être discrète au sujet de ses entrevues avec le psychiatre et d'ignorer les épithètes que lui attribuaient en chuchotant les autres détenues. « Petite garce riche. » « Tueuse de bébé. » « Psychopathe. » On l'avait d'abord détestée à cause de ce qu'elle avait fait, on la détestait maintenant deux fois plus parce que l'attention du docteur Stojanovic lui conférait un statut spécial.

Curieux et susceptible, Joey essayait de savoir ce qui se passait entre elle et le psychiatre, mais elle s'aperçut qu'elle ne pouvait pas lui en dire grand-chose. Elle ne pouvait pas confier à Joey ce qu'elle racontait au docteur Stojanovic, du moins pas de la même façon. Et ce n'était pas parce qu'elle craignait que Joey se moque d'elle. Avec le docteur Stojanovic, leurs entretiens passaient de son enfance à Philadelphie à sa vie actuelle en Californie, suivant le mouvement lent et réducteur d'une sonde. Avec Joey, ses souvenirs n'atteignaient pas à la signification et, les trouvant puérils, elle les lui confiait à contrecœur. Mais il ne cessait de la harceler, pendant leurs cours d'écriture et de lecture. Il prétendait voir des mots comme « psychiatre » et « thérapie » là où se trouvaient les mots « s'il vous plaît » et « merci ». Elle en vint presque à perdre patience.

« Je ne suis pas en thérapie, lui avait-elle dit sèchement. Si tu ne veux même pas essayer de te rappeler les mots, jouons plutôt au poker. »

Ce jour-là, quand elle entra dans la classe, le docteur Stojanovic l'attendait, les mains croisées sur la table. Comme lui, elles étaient petites et potelées. Il portait à l'annulaire une large chevalière en or surmontée d'une pierre rouge. En la regardant, Alyssa se rappela les pierres qui changeaient de couleur selon votre humeur et les étalages dans Telegraph Avenue qui offraient des vestiges des années soixante. Des tee-shirts à la teinture irrégulière. Des paquets de bâtons d'encens attachés avec des rubans. Des boucles d'oreilles en argent, en forme d'anneaux, faites à la main. Des plumes et des paniers d'osier. Des capteurs de rêves indiens.

« Dormez-vous bien ?

– Pas trop.

Il la regarda attentivement. Elle venait de modifier les règles du jeu, de le surprendre avec une réaction inhabituelle. Elle répondait toujours *bien, bien, bien* aux questions qu'il lui posait comme entrée en matière, à propos de son sommeil, de son appétit et même du fonctionnement de ses intestins et qui l'embarrassaient. Elle aurait voulu cacher le corps dans lequel elle vivait, couvrir les os de ses hanches et ses côtes qui commençaient à apparaître avec des chemisiers en flanelle et des pantalons de jogging.

– C'est un changement ?

Alyssa réfléchit. Vrai ou faux, lequel choisir ? Si elle disait oui, elle devrait avouer lui avoir caché les insomnies qui la tourmentaient, les longues nuits passées sur son matelas, les bras autour des genoux. Si elle disait non et refusait les interrogations patientes du docteur, son refus laisserait une autre partie d'elle-même inexpliquée, une ombre de plus qui l'assaillerait dans le tourment d'avant l'aube. Le docteur Stojanovic attendait, impassible.

– Un gros changement, marmonna-t-elle.

– Ton incapacité à dormir représente un gros changement par rapport à avant, à ton enfance ?

– Pas à mon enfance, le corrigea-t-elle.

Elle comprit que c'était justement ce qu'il voulait, sa façon de travailler. Elle devait trouver elle-même ses propres erreurs et les corriger, comme lorsqu'on remplace « aréoport » par « aéroport » dans un test d'orthographe.

– Depuis l'université... avant.

– Tu dormais bien à l'université.

– En première année... je dormais... énormément.

– Dix heures par jour? Quatorze? Peux-tu me dire combien?

Elle était bonne en mathématiques.

– Seize, peut-être... je dormais entre les cours. Je dormais de longues nuits. Le petit ami de ma compagne de chambre, ajouta-t-elle, crispée, il m'appelait la déesse du népenthès.

– Je vois. Autre chose?

– S'il m'appelait autrement?

– Cela ou n'importe quoi d'autre à propos de tes habitudes de sommeil, de leur changement.

– Il disait que j'étais grosse, dit-elle en se tordant les mains dans un geste qui la surprit parce qu'il ne lui était pas habituel. Tout le monde disait que j'étais grosse. Et c'est vrai que je dormais beaucoup trop. C'était...

– C'était une fuite?

Elle hocha la tête. Pas une fuite. Le sommeil était un entêtement, une négation, un refus. Une agression passive contre Tricia et Marc Raymond, contre la bonne humeur inaltérable de Cindy. Elle laissa le silence mentir pour elle.

Le docteur Stojanovic avait aperçu quelque chose, un tesson, l'éclat du métal. Il continuait à creuser.

– Ces noms devaient être blessants. Pour toi. Comment te sentais-tu alors?

– Je me sentais... abandonnée.

– Ah!

Il ne manifesta pas de surprise. Sa réponse n'était pas celle qu'il attendait, elle le savait. Elle avait placé le mauvais mot dans l'espace blanc, comme une fausse note.

– Abandon... ta compagne de chambre t'avait abandonnée en laissant son petit ami te critiquer?

Il réussirait éventuellement à attacher toutes les ficelles de ce nœud. Ou elle pourrait le faire pour lui.

– Écoutez. Je sais où vous voulez en venir. Mes parents ont divorcé. Je voyais très peu mon père. Ma mère a dû travailler. Ma grand-mère est morte et ma mère ne m'a pas accompagnée à l'école comme toutes les autres. Alors, je mangeais trop et tout le monde me disait que j'étais grosse. De toute façon, c'était un imbécile. Ça suffit?

Le docteur Stojanovic la regardait comme si chacun de ses mots était un joyau, une parole brillante et unique.

– Le petit ami. C'était un imbécile?

– Oui.

Il éloigna sa chaise de la table et se leva. Il étira ses petites mains comme un pianiste ou un chirurgien qui se prépare à travailler, puis les posa sur le dossier en métal.

– Je ne peux plus rester trop longtemps assis. Je pourrais ne plus être capable de me relever », gloussa-t-il.

Son rire l'apaisa, lui fit oublier le fracas assourdi de la prison, au loin, qu'elle en était venue à assimiler au secouement perpétuel d'une énorme cage.

En regardant les mains du psychiatre sur le dossier de sa chaise, Alyssa sentit la tension des muscles de ses épaules. Elle imagina le docteur Stojanovic faisant le tour de la table pour se placer derrière elle. Elle imagina ses mains, légères, sur ses épaules, ses doigts courts et forts massant les clavicules qui perçaient sous sa peau, des os étranges dont elle ignorait l'existence jusqu'à ce que la prison fasse fondre sa chair comme une peau de chagrin.

« Ton analyse est à la fois suffisante et insuffisante, Alyssa », dit-il.

Sa voix était comme des doigts vigoureux sur ses os et il acquiesçait sans la juger, quoi qu'elle dise. Alors, elle allongea son histoire. Elle laissa le doux murmure de ses voyelles masser les mots pour les faire sortir de sa gorge, lui dire quand continuer tout droit ou quand tourner. Elle parla de sa grand-mère et elle parla de Leah. Elle parla de Dennis, de Cindy et de Tony. Elle parla de Clara et de la photo imaginaire qu'elle avait prise de ses mains. Elle parla d'Ostrom et de Joey. Elle parla jusqu'à ce qu'elle ait la bouche sèche et que le docteur Stojanovic lui tapote la main.

« On continuera la prochaine fois, Alyssa. On continuera », dit-il, comme elle l'espérait.

Jeffrey Earle avait demandé à Leah de le rencontrer quand elle aurait fait la connaissance du psychiatre de la défense, le docteur Stojanovic.

« Alors, que pensez-vous de lui ? » lui demanda-t-il.

Ils étaient dans le bureau de Jeff. McGeorge Law School ? Leah tenta de lire le nom de la ville et la date sur le diplôme accroché au mur, mais les caractères étaient trop petits. Une licence de l'université de Californie en 1973. Elle savait au moins cela. Il semblait bien connaître le droit, mais la manière dont il traitait le dossier d'Allie était si lourde de conséquences ! Il jouait avec le modèle réduit d'un dinosaure sur son bureau, où des dossiers s'empilaient pêle-mêle.

Leah mourait d'envie de mettre de l'ordre sur le bureau de Jeffrey, comme elle le faisait occasionnellement avec celui de Cory, quand elle n'en pouvait plus.

– Le docteur Stojanovic ? Je... ne sais pas. Il me paraît un peu bizarre. Sa cravate était rentrée dans son pantalon. Je l'ai d'abord considéré comme une sorte de tendre nounours, pas trop brillant...

– Et ensuite ?

Jeff semblait savoir où elle voulait en venir. Il avait ôté son veston, pendu à un crochet à côté de la porte, roulé ses manches, une plus haut que l'autre. Sa cravate desserrée n'était pas rentrée dans son pantalon. Leah craignait de manquer de tact.

– Bien, voilà. Je ne sais comment, mais je me suis retrouvée en train de me souvenir de choses auxquelles je n'avais pas songé depuis des années. Je pense que j'ai déterré de ma mémoire la moindre minute de nos vies.

– Bien.

– Il m'a dit qu'il voudrait peut-être me revoir.

– Êtes-vous d'accord ?

– Bien sûr. Seulement, j'aurais aimé qu'il réponde à certaines questions au lieu de toujours en poser. Je ne veux pas paraître sur la défensive, mais je me demande s'il croit que j'ai été une mauvaise mère. Si c'est là qu'il veut en venir. Je sais que j'ai fait des erreurs, dit-elle en regardant Jeff, je ne cesse de ressasser...

C'était parti. Comme lors de sa rencontre avec le psychiatre, elle alternait entre l'envie de se défendre et celle de se blâmer.

Jeff l'interrompit en levant la main.

– Ne faites pas cela, dit-il. Ça ne vous sera utile ni à l'une ni à l'autre. Les enfants ne naissent pas avec un mode d'emploi. On le crée au fur et à mesure... et on fait de son mieux, pas vrai ?

– Ouais, murmura Leah en cherchant un mouchoir en papier dans son sac.

Jeff devina ce qu'elle cherchait et lui en tendit un qu'il tira d'une boîte sur le bahut derrière lui.

– Alors, continuez simplement ainsi, dit-il. Ce sera très bien.

– D'accord, dit-elle. D'accord.

Il laissa planer un court silence, comme pour laisser une porte se refermer d'elle-même.

– Comment la trouvez-vous ?

– Mieux. Elle a l'air d'aller beaucoup mieux, vous ne pensez pas ? Elle est mince – plus mince que jamais – et, c'est étrange, c'est comme si elle devenait...

– Très belle ?

– Oui. Je ne sais pas pourquoi, mais il me semble que je ne devrais pas le dire.

– J'ai remarqué la même chose, moi aussi, dit Jeff. Mais vous a-t-elle dit quoi que ce soit à propos des autres détenues ? Je crains qu'elles ne lui donnent du fil à retordre.

– Non, dit Leah. Non, répéta-t-elle après un moment de réflexion. Elle ne m'a rien dit et elle ne se gêne habituellement pas pour se plaindre quand elle se sent lésée.

– Encore faudrait-il qu'elle se sente lésée... dit Jeff en laissant sa phrase en suspens. Bon, je voulais vérifier si elle vous en avait parlé. Et il y a autre chose.

Apparemment mal à l'aise, il roula plus haut la manche la plus longue de sa chemise bleue. Du même bleu soutenu que ses yeux. Leah se demanda comment obtenir cette couleur, presque centaurée avec une touche de gris.

– Quoi ?

Jeff prit une profonde inspiration.

– Le coroner en a terminé avec le corps du bébé. Si vous le voulez, vous pouvez le réclamer. Je devrai en parler à Alyssa, mais comme la corvée va vous revenir, j'ai cru bon de vous le dire.

Leah ne répondit pas. Elle ne savait pas quoi répondre. Elle sentait qu'elle regardait Jeff comme pour lui dire *vous allez devoir m'expliquer ce que je dois faire.*

– On dirait que vous ne croyez pas qu'Allie va être... libérée.

– Certainement pas sous peu.

– Vous êtes incapable de la convaincre de demander une libération sous caution ?

– Et vous-même, en êtes-vous capable ?

Leah hocha la tête pour dire non. Jeff haussa les épaules et tourna ses paumes vers le plafond.

– J'espère seulement, dit-elle, que le procès va... je ne sais pas, se passer vraiment bien, et qu'elle s'en tirera avec une... libération. »

Leah se sentait nue. Elle avait toujours été du genre à agir en conformité avec ce qui était logiquement prévisible.

Jeff hochait déjà la tête, la langue pointée à l'intérieur de sa joue comme il le faisait quand il se sentait frustré. Il ferma les yeux un long moment avant de parler.

« Écoutez. Je voudrais que vous soyez réaliste. Rappelez-vous que le plaidoyer « non coupable » ne s'applique qu'à l'accusation d'homicide volontaire. Nous devons tenter de faire revoir les charges à la baisse... pour réduire la sentence.

– Mais vous allez plaider la non-culpabilité, n'est-ce pas ? Il y a souvent des gens qui sont déclarés non coupables alors que tout le monde sait qu'ils le sont. Comme...

– C'est différent, Leah.

– Comment ? demanda-t-elle en crachant le mot du bout de la langue. Comment au juste ? Parce que son père et moi ne pouvons pas nous payer la meilleure équipe d'avocats ?

Elle se pencha vers l'avant pour le défier.

– Parce que... nous ne nions pas les faits. Nous nions qu'elle ait agi délibérément et avec une intention criminelle. Si on l'avait accusée d'homicide par négligence, nous aurions plaidé coupable. Voilà pourquoi c'est différent.

Jeff inspira profondément en cherchant les moyens de s'expliquer.

– L'homicide par négligence est comme un homicide involontaire, poursuivit-il. Il n'entraîne pas une sentence obligatoire. Franklin n'est pas du genre à penser qu'Alyssa représente une menace pour la société, ce qu'elle n'est pas d'ailleurs. J'ai l'impression qu'il va lui donner une sentence de deux ans d'emprisonnement, dont il va déduire le temps qu'elle y a déjà passé, et peut-être cinq ans de probation. C'est pourquoi nous demandons que la sentence soit prononcée par le juge. Il voudra lui permettre d'utiliser le reste de sa vie à bon escient.

Leah voyait la gorge de Jeff travailler. Sa pomme d'Adam montait et descendait comme pour marquer le rythme de ses phrases.

– Je ne veux simplement pas que vous vous fassiez des idées, reprit-il. L'accusation veut une condamnation pour meurtre parce que le juge aurait alors les mains liées en ce qui concerne la sentence. »

Leah avait envie de boire. Elle aurait voulu que les livres de droit posés sur des étagères bon marché, qui se courbaient au centre, soient plutôt des bouteilles alignées devant un miroir derrière un barman. Elle aurait voulu un whisky ambré, qui brûle en descendant dans la poitrine, puis qui monte au cerveau et accorde le pouvoir de croire ce qu'on désire croire. Le verdict de non-culpabilité était une possibilité. Personne n'avait besoin de savoir qu'elle l'espérait.

« Que devrais-je faire à propos du bébé ?

Leah avait chaud. Elle était en sueur dans cette pièce sans air, surchauffée par un éclatant soleil printanier.

– Pensez-vous que vous pourriez entrouvrir cette fenêtre ? demanda-t-elle en retirant son blazer en poil de chameau et en se retournant pour l'accrocher au dossier de sa chaise.

– Ce que vous estimez devoir faire. Ce avec quoi vous serez le plus à l'aise. Je ne crois pas qu'il y ait une formule unique à ce propos. Vous pouvez avoir un cercueil et un terrain au cimetière. Ou vous pouvez simplement ne pas réclamer le corps. Vous n'êtes pas obligée de le faire.

– Mon père et ma mère ont été incinérés, dit Leah.

– Si c'est ce que vous voulez, ce n'est pas très compliqué à arranger. Voulez-vous en parler à Alyssa ?

– Non. Je ne m'en sens pas... capable, dit-elle après un moment d'hésitation.

– Comme vous voulez.

– Qui dois-je appeler ? » demanda finalement Leah.

Chapitre 17

Leah faisait de son mieux pour agir comme il le fallait. Autant que possible, elle essayait d'écarter de son esprit les images d'un bébé, qui aurait maintenant six semaines, dont le visage aurait émerveillé sa famille avec un premier sourire maladroit. Elle s'efforçait de ne penser qu'à Allie et de ne pas la heurter pendant leurs rencontres. Mais quand Jeffrey souleva la question, elle ne put supporter l'idée que le bébé, la fille d'Allie, sa petite-fille, soit abandonné une seconde fois.

Quand elle alla chercher, chez l'entrepreneur de pompes funèbres qu'elle avait choisi, la boîte en carton qui contenait les cendres, marquée au crayon noir et entourée d'une ficelle, elle regretta sa décision. Elle avait acheté un terrain au cimetière et payé d'avance pour faire creuser et refermer la tombe. Elle avait commandé une pierre tombale en marbre blanc, mais ne sut que répondre quand on lui demanda ce qu'on devait y graver.

« Je ne sais pas, avait-elle dit. Puis-je la laisser sans inscription ? Ou, attendez... juste une date ?

Le vendeur avait levé les yeux vers elle, mais il les baissa précipitamment sur son crayon et son bulletin de commande quand ils rencontrèrent ceux de Leah.

– Oui, m'dame. Quelles sont les dates ? Et vous devez aussi choisir les caractères.

– Pas des dates. Seulement 4 février 1998. C'est tout.

– Vous... vous ne voulez pas de nom ?

– Non, pas de nom, avait-elle dit en le regardant de nouveau.

Le certificat de décès indiquait Bébé fille Staton. Les journaux en parlaient comme du bébé du métro. Peut-être le vendeur croyait-il qu'elle aurait dû appeler le bébé Métro-Staton. *Ça suffit. Leah,* pensa-t-elle en guise de réprimande.

– D'accord, m'dame. Vous nous direz le jour et l'heure que vous aurez choisis pour l'enterrement. Si c'est une cérémonie privée, nous ferons ouvrir la tombe le matin et nous la refermerons le plus tôt possible le même jour. Vous laisserez la boîte et nous nous en occuperons. Et m'dame, mes condoléances pour votre deuil. »

Il ne devait même pas avoir vingt-cinq ans, songea Leah. Qu'est-ce que ce garçon, avec ses grands yeux noirs faits pour séduire les femmes, pouvait connaître du deuil ? Et Allie ? Elle n'avait jamais parlé concrètement de son deuil à sa mère.

Leah avait prévu de s'occuper de tout sans aide, mais elle se dit que ce n'était pas correct. Et ce qui lui importait plus que tout, c'était de faire ce qui était le plus correct possible. Pendant le dîner, elle demanda à Clara de l'accompagner à l'enterrement du bébé.

« S'il n'y a que moi, ce ne sera pas une vraie cérémonie, lui expliqua-t-elle. Nous pourrions lire quelque chose ou dire une prière. Voulez-vous ?

– Bien sûr que je vais vous accompagner. Alyssa est au courant ?

– Non. C'est une décision que j'ai prise seule.

Leah coupait soigneusement son poulet en évitant le regard de Clara.

– Vous êtes fâchée.

C'était une observation. Clara avait cessé de manger et parlait doucement, mais Leah se sentit jugée.

– Clara, elle a gâché nos vies, nos vies à toutes les deux.

Leah regarda ses mains, puis cacha ses doigts tachés de peinture en les repliant. Elle les déplia lorsqu'elle se rendit compte qu'elle serrait les poings.

– Je me suis sentie pareille avec mon garçon, dit Clara. Vous allez surmonter l'épreuve. D'ailleurs, vous êtes là.

Elle voulait dire que le devoir l'avait emporté. Bien sûr, le devoir l'avait emporté, et il l'emporterait toujours.

– Oui, dit Leah, je suis là. »

Deux semaines plus tard, elle était toujours là. Pour transporter la boîte blanche dans ses mains et se frayer un chemin entre les tombes dans la partie du cimetière réservée aux enfants. Au-dessus de certaines pierres tombales flottaient des ballons gonflés à l'hélium. Plusieurs camions jouets, des peluches et une poupée blonde étaient appuyés contre des inscriptions qui promettaient un souvenir éternel. Dans le ciel, des nuages épais couraient au-dessus d'une lumière presque turquoise. Leah et Clara se retrouvaient alternativement au soleil et à l'ombre. De l'eau scintillait à l'horizon. Leah avait choisi un terrain avec une vue partielle sur la baie, une ligne à l'horizon, derrière laquelle elle pouvait imaginer de l'espoir. Ni elle ni Clara n'étaient en noir. De fait, Clara portait une tunique colorée, bleue et or, et un capteur de rêve fait main en pendentif au bout d'un cordon noir. Leah avait son allure distinguée, un chemisier blanc et un blazer en poil de chameau. Elle se sentait vieille, plus vieille que Clara, et vide.

Elles se placèrent toutes deux face à l'eau sur laquelle la lumière jouait au loin, même si elles étaient alors elles-mêmes dans l'ombre d'un nuage. Leah ferma les yeux et essaya d'oublier la présence de Clara. Elle leva la boîte et y posa ses lèvres. « Pardonne à ta mère », murmura-t-elle. Elle ouvrit alors les yeux et regarda droit devant elle.

« Pardonne à ma fille, psalmodia-t-elle comme une prière. Pardonne-moi, pardonne-nous. Mon Dieu, pardonnez-nous et recevez cette âme. Amen. »

Elle regarda Clara, qui lui rendit son regard et lui fit un signe de tête affirmatif, presque imperceptible. Puis, à la surprise de Leah, Clara se mit à chanter très doucement, d'une voix profonde d'alto, pendant que Leah s'agenouillait et posait la boîte devant le trou qui avait été creusé. Clara chantait legato et son vibrato flottait comme un esprit vers le ciel et l'eau.

« L'eau est vaste... Je ne peux pas la traverser. Et je n'ai pas... d'ailes pour voler. Donnez-moi un bateau... pour deux... et nous traverserons ensemble... de l'autre côté... » En répétant le refrain, Clara retira le capteur de rêve et le posa sur la boîte. « Donnez-moi un bateau pour deux, et nous traverserons... de l'autre côté. »

La mélopée semblait familière. De sa poche, Leah sortit une photo d'elle avec Allie à seize ans. Sharon l'avait prise chez Papa Jack's Spaghetti lorsque Leah y avait amené les deux filles pour célébrer la fin de leur deuxième année de collège. Juste avant que Sharon ne déclenche l'obturateur, Allie avait spontanément passé les bras autour du cou de sa mère. Depuis lors, Leah avait toujours gardé précieusement cette photo dans son portefeuille. Elle la glissa sous le capteur de rêve et caressa la boîte. « Tu n'es pas toute seule », murmura-t-elle. Quand elle se releva, Clara l'embrassa.

« Merci », chuchota Leah à l'oreille de Clara.

Celle-ci pencha la tête et frotta le dos de Leah avant de relâcher son étreinte.

« Avez-vous eu des visites cette semaine ? lui demanda le docteur Stojanovic.

Il changea la position de ses mains potelées et fit passer la gauche sur la droite. Maintenant, quand Alyssa entrait dans la pièce, il reprenait rapidement le fil de la conversation comme si rien ne séparait leurs rencontres l'une de l'autre. Il continuait à s'inquiéter de son sommeil, de son alimentation et lui demandait toujours si elle pleurait, puis se remettait à chercher, de sa façon aimable et courtoise, un élément qu'il semblait vouloir trouver à tout prix.

– Vous savez bien que ma mère vient. Presque tous les jours. L'après-midi.

Alyssa rejeta sa queue de cheval vers l'arrière. Sa crinière lui semblait de plus en plus lourde. Souvent, quand elle se peignait après la douche ou quand elle attachait ses cheveux avec l'élastique dont le tissu était élimé à force d'avoir servi, elle se demandait comment on pouvait se sentir avec le crâne rasé. Avec les cheveux aussi courts que ceux de Joey, ou même plus courts. La disparition de sa toison compléterait la réduction du reste de son corps.

– Mon amie Clara vient aussi.

– J'ai déjà remarqué ce geste... vos cheveux derrière l'épaule... je me demande ce que cela signifie.

– C'est vous le psy... ce qui vous intéresse, c'est ma mère, pas vrai ?

– Je me demande comment cela se passe pour vous... votre relation avec votre mère, ici, dans ces circonstances.

Elle tirait maintenant sur ses cheveux. Ils étaient trop longs, trop épais, en trop bonne santé. Ils continuaient à pousser et à profiter, alors que le reste de son corps fondait. Le jour du changement d'uniforme, Ostrom l'avait observée, puis lui avait en avait tendu un nouveau, de taille moyenne. Elle commençait à avoir l'air d'un épouvantail, une émule de la fée Carabosse. Tout le monde s'en rendait compte : Ostrom, Joey, Clara, Leah.

– Je sais que ma mère fait... tout ce qu'elle peut pour moi. Elle a abandonné sa vie à Philadelphie pour moi.

– On dirait que vous en ressentez à la fois de la gratitude et du ressentiment.

Si elle l'avait pu, elle se serait desséchée, elle aurait coupé ses cheveux et les aurait jetés dans les toilettes, elle aurait laissé sa chair fondre et se réduire à une tache sur le plancher.

– Elle a enterré le bébé.

– Votre mère a enterré le bébé... que vous avez eu.

Elle baissa la tête. Pas moyen de se cacher derrière ses cheveux.

– Vous avez dû trouver cela très difficile... d'en entendre parler.

Le visage de Leah de l'autre côté de la vitre, les larmes sur son visage qu'Alyssa pouvait voir, mais auxquelles elle ne pouvait pas toucher.

– Je ne voulais pas... lui faire cela.

– Vous voulez dire faire cela... au bébé?

– Ma mère! Je ne voulais pas faire cela à ma mère! »

Il n'avait rien compris. Elle n'avait rien fait au bébé.

Le docteur avait maintenant l'air plus soigné, comme s'il s'était débarbouillé pour s'excuser de ne pas avoir compris Alyssa, pour avoir soulevé le sujet de ce qu'elle avait fait au bébé. Peut-être la propreté de ses cheveux argent trop longs était-elle un signe de pardon. Peut-être prenait-elle ses désirs pour la réalité. Peut-être était-ce simplement qu'il était debout, plutôt qu'assis, au moment de son entrée dans la classe. Peut-être enfin en avait-elle tellement marre des vêtements orange des détenues que le moindre changement, même la veste en laine bleu ardoise du docteur et son nœud papillon de travers, lui semblait somptueux et festif. Il s'intéressa de nouveau aux visites qu'elle recevait, sans même se donner la peine de poser des questions auxquelles il avait trouvé réponse en consultant l'ordinateur de la prison, dans la liste des entrées et des sorties des visiteurs.

« Je vois que vous avez reçu la visite de votre père. »

Une affirmation. Pas le moindre signe de surprise devant le fait que ce père si élégant, ce peintre célèbre, ce fier géniteur de deux fils, ait traversé le continent en avion pour venir la voir.

En vérité, elle avait été heureuse quand Ostrom lui avait annoncé son visiteur. Leah, le visage blême et tiré, l'avait prévenue à la fin de sa dernière visite, mais Alyssa attendit de le voir pour le croire. Il était là, sa crinière blanche décoiffée par le vent, son corps élancé de preux chevalier dans un jean et une veste en denim. « Directement de l'aéroport », avait-il dit. Il n'avait pas encore vu Leah. Puis, d'un ton assourdi par la surprise et l'incrédulité plus que par le téléphone, il s'était étonné de voir combien elle avait maigri et lui avait dit qu'il ne l'aurait pas reconnue.

« La nourriture n'est pas extra », plaisanta-t-elle.

Elle se reprocha de faire le pitre alors qu'elle aurait simplement voulu dire *Papa, je suis désolée. Tu ne me dois pas ça.*

« Alyssa, nous devons t'engager un avocat, annonça-t-il avant même de tirer la chaise pour s'asseoir, le récepteur serré dans la main comme un marteau. Je connais des gens que je peux appeler...

– Non, papa, l'interrompit-elle du ton sévère d'une institutrice.

Elle ne le laisserait pas lui imposer ses propres solutions, complètement inopportunes.

– C'est une pure folie ! »

En voyant ses doigts serrés autour du téléphone, elle comprit qu'il aimait mieux discuter de cette question que d'aborder celle qu'il tentait d'ignorer en parlant d'autre chose, *ce qu'elle avait fait.* Sa tactique était différente de celle de Leah, avec ses questions fermées et insidieuses qui finissaient par acculer Alyssa au mur. Dennis concentrait délibérément ses efforts loin de la cible, comme un pêcheur qui lance sa ligne au-delà du poisson qui fend l'eau d'un étang aux eaux calmes. Elle se rappela leurs parties de pêche. Le mouvement rapide du poignet qu'il lui avait enseigné, la main sur la sienne, plus petite, posée sur la canne à pêche qui devenait une baguette magique grâce à l'adresse de son père. Quand elle était enfant, l'hameçon argent caché dans l'arc-en-ciel des mouches lui semblait trop cruel. Après avoir appris à lancer la ligne elle-même et à la faire tournoyer dans les airs comme un fil d'araignée, elle s'était mise à prier pour que le poisson ne morde pas.

« Jeffrey Earle est vraiment un bon avocat. Je l'aime... plus que personne d'autre... dans toute cette affaire.

Sa main était moite sur le récepteur et son souffle chaud sur ses doigts. *J'aime mon père.*

– C'est un avocat commis d'office !

– Il est bon. Il passe me voir presque tous les jours. Il croit en mon... en le... en la défense.

Elle ne voulait pas en discuter, craignant de soulever ce dont ils ne voulaient parler ni l'un ni l'autre et de l'amener au grand jour.

– Lyssa, l'argent peut acheter les services du meilleur...

– Non, papa ! »

Ce fut tout. Dennis vint la voir deux autres fois, pour parler de Missy, de Caleb, d'une exposition qu'il préparait, de l'école Montessori où Caleb éblouissait tout le monde. Il ne lui parla pas de son second fils, un espace blanc dans une nature morte, un silence plus éloquent que tout ce qu'il aurait pu dire. Elle avait pleuré quand il était parti – elle l'avait dit au docteur Stojanovic – dans un mélange de honte et de désir qui lui donna la nausée. Mais il lui serait plus facile de penser à son père et d'imaginer les bébés qui étaient ses fils, maintenant qu'il était à cinq mille kilomètres d'elle.

Le docteur Stojanovic la ramena sur terre.

« Alyssa ? Pouvez-vous me parler de sa visite ?

– Il voulait engager un avocat.

– Comment avez-vous réagi à sa proposition ?

– Mes sentiments étaient...

Elle s'arrêta, indécise. « Mêlés » était le mot qu'elle cherchait, un choix que le docteur Stojanovic apprécierait à la fois pour sa justesse et son ambiguïté.

– Mes sentiments étaient mêlés. Comme je refuse de prendre un autre avocat, il était en colère contre moi, mais il avait fait ce long voyage et il n'avait pas l'air...

– Il n'avait pas l'air déçu ?

– Non, il était déçu. Il ne semblait pas... vouloir me désavouer ou autre chose du genre.

– Vous avez donc l'impression d'avoir l'appui de votre père ?

– Je suppose.

Elle n'en était pas certaine. En partant, il s'était embrouillé en rapportant une phrase de Missy à propos de ses trois hommes, puis il s'était repris avec des mots, affectueux, oui, mais plus faciles à dire au moment du départ.

– Avez-vous déjà senti, récemment, que vous n'aviez aucun appui ? À d'autres sujets, peut-être. Les études... ou ce qui nous réunit ici ?

Elle hocha énergiquement la tête. Non, non, non, elle avait eu de l'appui – plus que toutes ses connaissances, sauf peut-être Cindy Cheung.

– Je ne parle pas financièrement, ni même intellectuellement.

Voilà où il voulait en venir tout ce temps. Il se pencha vers l'avant. *Combatif*, songea Alyssa, attentif aux mots qu'elle pourrait utiliser comme moyen de cacher ses émotions.

– Sur le plan émotif. Pouvez-vous me décrire en quoi vous vous êtes sentie soutenue sur le plan émotif depuis... l'événement... qui vous a menée ici ?

Opiniâtre. Avide. Éloquent. Comme des couvertures pour étouffer des flammes. Enveloppant. Suffocant.

– Alyssa. Pouvez-vous me dire pourquoi nous sommes ici ?

Même avec le sous-vêtement chaud qu'elle avait demandé à Leah de lui apporter, même si le visage de père Noël hors saison du docteur Stojanovic était rougeaud de chaleur, elle frissonnait et tremblait de froid. Ses doigts fermés étaient aussi cassants que s'ils avaient été pris dans la glace.

– Alyssa ?

– Un bébé est mort. Mon bébé. Il est mort. Je l'ai laissé mourir. »

Toujours la même vitre entre elles quand Leah visitait Allie. Peut-être cela convenait-il à Allie. Elle évitait soigneusement de parler de ce qu'elle avait fait. Elle racontait plutôt une anecdote juridique venant de Jeffrey Earle ou elle parlait de ce qu'elle lisait avec Joey. « Je suis fière de toi », lui avait dit Leah à ce sujet. Elle se l'était aussitôt reproché. Quelle chose stupide à dire ! Allie l'avait regardée fixement en silence. Parfois, elle parlait de ce qu'elle avait mangé – les hamburgers pâteux lui déplaisaient et elle songeait à devenir végétarienne – ou de la télévision qui ronronnait toujours, un bruit constant et irritant comme celui d'un chantier de construction. Rarement, de la raison pour laquelle une autre détenue était en prison. Mais quand Leah la serrait de trop près – quand Leah sentait monter la colère et qu'elle essayait de percer les sentiments intimes de sa fille –, Allie détournait les questions, comme si sa mère avait appuyé sur une ecchymose.

Leah avait enterré les cendres un vendredi. Deux jours plus tard, elle était allée s'asseoir à l'arrière d'une église catholique, pour les vitraux et les cierges, et elle s'était laissé envahir par l'esprit de la liturgie plutôt que par les paroles. Puis, sachant que Clara était chez sa fille pour la journée, elle avait mangé un morceau toute seule dans un café avant de se rendre à la prison. Elle n'avait pas parlé à Allie des détails de l'enterrement. Et Allie ne lui avait pas posé de questions.

« Salut, dit Allie dans le téléphone de son côté.

Les cheveux lâches, elle avait la même allure que du temps où elle était au collège, mais plus mince et avec les traits du visage mieux définis. Probablement à cause de l'éclairage violent et de l'horrible chemisier orange qui ne lui allait pas au teint, elle était trop pâle.

– Comment vas-tu aujourd'hui, ma chérie ? dit Leah de son côté de la vitre.

– Ça va. Je m'ennuie à mourir. Joey est en train d'assurer le salut de son âme chez les évangélistes, ajouta-t-elle avec un faible sourire. Il pense que je devrais y aller aussi.

Voilà que cela recommençait. Allie n'avait rien dit de mal, ni même de répugnant, mais Leah le prit mal. Comment sa fille pouvait-elle plaisanter à propos du salut de l'âme ? Plus tard, Leah penserait que les paroles d'Allie n'avaient pas une telle importance. Mais le souvenir du cimetière était encore cuisant, et elle avait les nerfs à vif à cause des nombreux tracas et de la souffrance qui étaient venus gâcher sa vie.

– C'est peut-être une chose à laquelle tu devrais penser.

– Que veux-tu dire ?

Leah réussit à contenir la colère qui montait en elle et garda délibérément un ton neutre.

– Je suppose que ça veut simplement dire ce que j'ai dit. C'est l'évidence.

– Tu ne peux pas comprendre.

Les mots se mirent à sortir malgré elle. Depuis l'enterrement du bébé, ils se pressaient dans sa poitrine et à l'intérieur de sa tête.

– Il y a beaucoup de choses que je ne comprends pas.

– Probablement, dit Allie.

Elle glissa une mèche de cheveux derrière une oreille, comme avant, un geste très familier à Leah.

– Comment peux-tu dire cela ? demanda Leah d'un ton véhément.

– C'est vrai.

– Mon Dieu, Allie...

– Tu ne comprends même pas que je veux qu'on m'appelle par mon vrai nom, l'interrompit Allie. Arrêtons de parler de ça pour aujourd'hui, d'accord ?

La légère opacité de la vitre, due au contact de milliers de mains de chaque côté, n'empêcha pas Leah de remarquer les paupières rougies d'Allie et le brun profond de ses yeux trop brillants sous une couche d'eau. Mais, plutôt que de battre en retraite, elle sentit sa colère prendre plus d'ampleur.

– Tu te plains de te faire appeler Allie ? Mais tu ne parles pas de ce qui se passe vraiment. Allie – Alyssa – tu as raison, je ne comprends pas. Mais toi, comprends-tu ? Comprends-tu qu'il ne s'agit plus de la vieille ritournelle “ma mère ne me comprend pas” ? Comprends-tu que ce que tu as fait n'est pas le genre de chose que les gens comprennent ?

– Je sais, dit Allie.

Y avait-il une pointe d'amertume dans son ton ? Leah sentit une nouvelle critique à peine dissimulée.

– Une minute. J'ai toujours été avec toi, à chaque moment. De quoi parles-tu ?

– Maman. Je sais ce que tu ressens. Tu me l'as exprimé clairement.

Leah poussa plus loin.

– Qu'est-ce que j'ai exprimé clairement ? Comment ? Je n'ai jamais rien fait d'autre que de t'aider.

Allie détourna le regard.

– Bien sûr. Tu m'as accompagnée à l'université, comme tu m'avais dit que tu le ferais. Tu m'as trouvé un avocat extraordinaire.

– Tu n'as pas voulu d'autre avocat ! Tu voulais garder Jeffrey Earle !

– Non, je veux dire au début. J'étais complètement perdue. Ils m'ont enfermée ici. J'étais ensanglantée...

Elle indiqua son abdomen et ses jambes de sa main libre, comme pour montrer des taches de sang.

– Maintenant, je veux Jeff, poursuivit-elle. Mais au début, j'étais complètement perdue, et j'avais besoin... »

Dennis aussi avait accusé Leah de négligence en ce qui concernait l'avocat.

« Tu ne voulais même pas me voir ! l'interrompit Leah. Comment voulais-tu que je sache ce dont tu avais besoin ? Comment pouvais-je savoir que tu n'avais pas encore parlé à un avocat ? Pour l'amour de Dieu, Allie. »

Pour dire vrai, Leah ignorait pourquoi elle n'avait pas agi alors, mais elle s'était créé une liste de raisons dans sa tête. Elle avait d'abord cru qu'il s'agissait d'une erreur monumentale. Qu'Allie avait un avocat. Qu'elle n'était pas certaine de vouloir voir Allie sortir de prison si elle était vraiment coupable de ce dont on l'accusait. Sous la responsabilité de qui se serait-elle retrouvée ? Cette dernière raison, elle n'en avait même pas parlé à Clara, dont le fils avait été en prison et qui comprenait ses sentiments : une déception à vous couper le souffle, un chagrin inexprimable et aussi une honte mêlée de colère.

« Je suis là pour toi. Je l'ai toujours été et je le serai toujours.

– Tu étais là pour mamie. Tu n'es pas là pour moi, pas de la même façon.

Le visage d'Allie se déforma comme quand elle était petite et qu'elle ne voulait pas pleurer.

– Mais ce n'est pas grave, maman.

C'était comme de se faire pardonner d'avoir volé dans un magasin alors que vous étiez le gardien de sécurité qui a risqué sa vie. Leah recula brusquement sa chaise aux pattes en métal, qui se balança dangereusement vers l'arrière avant de retomber lourdement. Elle prit son sac par la bandoulière, dans l'espoir de partir avant d'en dire davantage. Mais elle ne put se retenir ou, simplement, décida de continuer.

Elle martela la table de sa main libre. Le téléphone collé à l'oreille, elle tirait sur le fil élastique comme Coffee sur sa laisse.

– Je n'ai pas été là pour toi ? J'ai menti aux policiers pour toi ! Je leur ai dit que je ne reconnaissais pas la serviette avec le monogramme de ma propre mère ! J'ai enterré ton bébé il y a deux jours ! Étais-tu là, toi, pour elle ? Suis-je là maintenant ? Même si je ne comprends pas, je suis là. Comment pourrais-je être davantage avec toi, Alyssa ?

Immobile, Leah regardait fixement Allie de haut.

Sa fille ne réussissait plus à contrôler l'expression de son visage. Leah vit son enfant se briser comme de l'eau sur un rocher.

– Je suis désolée, maman.

La voix d'Allie était à peine plus forte qu'un chuchotement, les larmes suivaient leur cours habituel du coin de ses yeux à sa bouche.

– Où... l'as-tu enterrée ?

Leah reprit ses esprits et essaya de trouver les bons mots.

– Dans une partie du cimetière réservée aux enfants. Au Peniel Point Cemetery... je l'ai fait incinérer, Allie. J'ai pensé que c'était mieux. Ils avaient fait... l'autopsie et tant de tests... Clara est venue avec moi. Elle a entonné un chant.

Allie ferma les yeux.

– Merci de l'avoir fait. Merci.

Toujours un murmure. Les mots sortaient péniblement.

– Qu'est-ce que Clara a chanté ?

– Ça parlait de l'eau qui est vaste, du besoin d'un bateau pour traverser de l'autre côté... C'était comme une prière. Nous faisions face à la baie, à l'horizon. Et elle a mis un capteur de rêve dans la... tombe.

Leah ne parla pas de la photo d'elle avec Allie, son cadeau personnel au bébé.

– Je l'ai déjà entendue... Y a-t-il un... pourrai-je voir une photo un jour ? Y a-t-il une pierre ?

– Oui. Il y en aura une. Du marbre blanc, très simple. Comme tu aimes les choses.

– Qu'y a-t-il d'écrit ?

Chaque question était précédée d'un long moment d'hésitation, comme si Allie avait de la difficulté à respirer.

– 4 février 1998.

– Rien d'autre ? Pas de... nom ? Mon Dieu, maman, je suis tellement désolée. Je suis tellement désolée.

Leah n'entendait pas de sanglots, mais les épaules d'Allie étaient parcourues de secousses. Elle posa la paume de sa main gauche contre la vitre, les doigts étendus.

– Touche-moi, ma chérie. Vas-y, lève la main. Je suis là avec toi. Je suis là. Je pourrai faire mettre autre chose sur la pierre tombale plus tard. Veux-tu donner un nom à ton enfant ? »

Allie ouvrit les yeux. Après encore un moment d'hésitation, elle posa la main sur celle de Leah de son côté de la vitre et elle fit signe que oui.

LIVRE III

Chapitre 18

À l'arrivée de Leah et de Clara, une heure et demie en avance, la salle d'audience était complètement vide. Elles avaient presque réussi à éviter les journalistes. Seul un reporter local, particulièrement tenace, que Leah se rappelait d'ailleurs avoir vu l'hiver précédent, surveillait leur immeuble. Jeffrey Earle avait prévenu Leah que même les médias nationaux couvriraient l'ouverture du procès. Le procureur Marcelle Ward Fayler avait offert une entente : une accusation d'homicide au second degré contre un plaidoyer de culpabilité. Mais elle avait refusé de réduire l'accusation à un homicide involontaire ou par négligence.

« Elle pense que l'affaire est dans le sac, dit Jeff. Procès hautement médiatisé, scandale, ainsi de suite. Elle veut envoyer un message clair à toutes ces monstrueuses jeunes femmes. Comme s'il était possible de faire un tel geste avec préméditation. D'ailleurs, elle croit être capable de prouver une intention criminelle.

– Allie plaide toujours non coupable, n'est-ce pas? demanda Leah, inquiète.

– Pour l'instant. Si jamais Fayler réduisait l'accusation à un homicide par négligence... peut-être... mais l'homicide volontaire entraîne automatiquement une sentence de prison. Entre vingt-cinq ans et à vie. »

Quand il réfléchissait à voix haute, les étranges demi-sourcils de Jeff se rejoignaient, formant presque un V.

« Leah, reprit-il, elle se sent terriblement coupable, mais je lui ai expliqué que la cour n'est pas l'endroit pour exprimer ce qu'elle ressent à propos de son geste ni pour se punir. Nous voulons bien reconnaître sa culpabilité pour ce dont elle est réellement coupable, mais pas davantage. Que ce soit clair et net. Êtes-vous d'accord?

Leah avait fait un signe de tête affirmatif.

– Et rappelez-vous... ne vous attendez pas à un verdict de non-culpabilité, d'accord? »

Leah, prétendument distraite par l'entrée bruyante de deux reporters, fit comme si elle ne l'avait pas entendu.

Jeffrey Earle hocha la tête.

« Vous savez, dit-il doucement, elle est toujours incapable de parler de l'accouchement lui-même.

– Est-ce parce qu'elle ne veut pas? J'ai essayé, moi aussi...

Nouveau signe de tête, négatif.

– Le docteur Stojanovic dit que non. Qu'elle est tout simplement encore incapable de le supporter. »

Jeff regarda au loin au-dessus de l'épaule de Leah.

« Comme s'il était possible de planifier un tel geste, poursuivit-il d'un ton songeur. Sur le carrelage d'une station de métro. Seule. Absolument seule sur le carrelage sale d'une station de métro...

Jeffrey Earle espérait que le procureur avait présumé de ses chances de réussite et que, en demandant une condamnation pour homicide volontaire, elle s'aliénerait le jury. Leah l'avait compris.

– Les jurés sont étranges, dit-il en pinçant l'arête de son nez entre le pouce et l'index. Ils ont raison de considérer ce cas comme différent. Mais j'ai besoin qu'Alyssa... j'ai besoin qu'elle parle. Ils doivent avoir l'occasion de la connaître telle qu'elle est vraiment. »

Leah remarqua les pattes d'oie au coin de ses yeux.

C'était maintenant la fin de l'été, les jardins dans toute leur splendeur, pleins de fleurs grandes ouvertes. Déjà tout ce temps en prison. Parfois, Leah cueillait des dahlias dans la plate-bande que Clara s'était appropriée le long du trottoir menant à leur immeuble. Elle les apportait pour les montrer à Allie à travers la vitre, pour qu'elle ne perde pas conscience de la saison. Elle s'en voulait de ne pas avoir pensé aux jonquilles pendant le printemps, mais elle n'y pouvait rien. À la demande expresse d'Allie, elle lui avait même apporté le tableau Bradshaw, enfin terminé, pour le soumettre à son examen qui avait été favorable. Elle avait réalisé six autres peintures, des paysages de mer, avec de minuscules personnages féminins sur un rivage. Elle les avait envoyées à George par groupes de trois. Toutes, sauf une, avaient été vendues presque sur-le-champ. Leah ressentait le besoin de retourner chez elle. Elle voulait rentrer.

Le procureur entra dans la salle d'audience lambrissée, suivie de près par un homme en costume-cravate. Un autre avocat ? Il avait le nez crochu et sa demi-calvitie était accentuée par un front massif. Marcelle Ward Fayler, le procureur, portait un tailleur marine sur un simple chemisier blanc. Ses cheveux étaient soigneusement coiffés, avec des bandeaux lisses de chaque côté de la tête. Elle avait l'air capable de démolir n'importe qui et bien décidée à le faire.

Jeffrey Earle entra ensuite, suivi d'Allie, transformée dans un tailleur brun chocolat et un chemisier en soie crème. C'était Leah qui les avait achetés et apportés au bureau de Jeff pour qu'Allie puisse se changer avant son entrée dans la salle d'audience. Allie était mince – maigre ! – sous la veste ajustée du tailleur, et Leah constata à quel point le corps de sa fille avait changé.

Mais ce n'était pas le plus grand changement.

Elle crut d'abord qu'Allie portait un chignon lâche parce que son cou était exposé, pâle et vulnérable. Mais quand sa fille se retourna et qu'elle la vit de profil, Leah s'aperçut qu'elle s'était coupé les cheveux. À la hauteur du menton, ondulés, ils formaient comme des parenthèses autour de son visage. Au même moment, Allie leva la main et repoussa les mèches d'un côté derrière son oreille, mais elles se libérèrent aussitôt. Leah avait l'impression de voir une étrangère, une femme adulte avec une réserve d'expérience derrière la surface calme de son visage.

« Ses cheveux ! » souffla Leah en donnant un coup d'épaule à Clara.

Clara posa la main sur celle de Leah.

« Debout. La Cour supérieure du comté d'Alameda est ouverte. L'État de la Californie contre Alyssa Pacey Staton. Le juge Albion Franklin préside la séance.

Un grand homme mince, dont la toge noire battait derrière lui comme les ailes d'une corneille, entra par une porte derrière le banc et y monta. Ses cheveux longs tombaient sur son col et les creux sous ses pommettes lui donnaient un air sévère. Il mit des lunettes de lecture, étudia le contenu d'un dossier posé devant lui, puis leva les yeux.

– Les avocats sont-ils prêts à procéder ?

– Marcelle Ward Fayler pour l'accusation, Votre Honneur.

– Votre Honneur, Jeffrey Earle pour la défense. »

Leah fut heureuse de voir que Jeff était aussi impeccable et soigné que le procureur. Pas de reptile sortant de sa poche, non plus, mais n'aurait-il pas dû être accompagné d'un autre avocat, comme le procureur ? L'esprit en alerte, Leah remarquait le moindre détail autour d'elle.

« Huissier, faites entrer le jury s'il vous plaît », dit le juge, le visage impassible.

Les douze hommes et femmes, ainsi que deux remplaçants, furent introduits dans la salle d'audience. Ils ne semblaient pas particulièrement intelligents ni bons. Ils avaient la même apparence ordinaire que pendant la sélection des jurés, à laquelle Leah avait assisté, du fond de la salle. Jeff avait utilisé son droit absolu de les interpeller. Tout un chacun.

« J'observe comment ils regardent Alyssa, avait-il dit à Leah. Ce n'est pas très scientifique, mais ça me donne une idée de ce qu'ils sont. »

À chaque aspirant juré, on avait demandé s'il serait capable d'imposer la peine de mort. Mais Leah avait remarqué que l'accusation en avait accepté plusieurs qui avaient manifesté leurs sérieuses restrictions à cet égard, tout en se disant peut-être capables de l'imposer.

« Ne vous en inquiétez pas, avait dit Jeffrey à Leah. La question en jeu est la durée de l'emprisonnement. Le procureur veut simplement les inciter à refuser une entente sur la base d'une accusation d'homicide involontaire. »

Comment pouvait-il en être aussi certain ?

Pendant qu'il lui tenait ces propos dans son bureau, Jeffrey Earle tripotait ce qui avait bien l'air d'une chauve-souris. Leah ne lui avait pas demandé ce que c'était. Une partition musicale était posée sur la chaise du visiteur. Jeffrey avait dû la ramasser pour que Leah puisse s'asseoir. Comme souvent, Leah s'inquiétait de l'homme, doux et bizarre, qui organisait la défense de sa fille, tout en jouant avec des lézards. *C'est le choix d'Allie, c'est sa décision*, se répétait-elle, ce qui la rassérénait, jusqu'à ce qu'elle se rappelle certaines décisions d'Allie qui n'avaient pas toujours été heureuses.

Mais Allie lui paraissait être devenue étonnamment plus forte. Et elle semblait croire Jeffrey Earle capable de décrocher la lune. Elle avait peut-être le béguin pour lui, songea Leah, qui se reprit aussitôt. *Non, c'est simplement qu'il lui prête vraiment attention.* Pour Dennis, observer Allie d'aussi près l'aurait empêché de jouer son jeu, où chaque carte était un miroir. *Je suis injuste*, se reprocha Leah. *Il s'est amélioré.*

« Madame Fayler, l'accusation est-elle prête pour sa déclaration préliminaire ?

– Prête, Votre Honneur. S'il plaît à la cour, dit-elle en redressant les épaules et en boutonnant la veste de son tailleur, comme les avocats à la télévision, pendant qu'elle s'approchait des jurés. Mesdames et messieurs du jury, Alyssa Pacey Staton y a réfléchi longtemps avant de décider d'ôter la vie à un nouveau-né. »

Jeffrey avait prévenu Leah des mots durs que le procureur emploierait. Qu'elle paraîtrait sûre d'elle-même, convaincante même.

« Essayez de ne pas réagir, lui avait-il dit. J'apporterai un éclairage différent dans la déclaration préliminaire de la défense. »

Leah était incapable d'écouter. Elle entendait une phrase de temps en temps, mais elle se concentrait sur le lambris de la salle d'audience. Le banc était assorti pour le grain du bois et la couleur, mais elle n'était pas assez proche pour déterminer si le placage était en vrai bois ou en imitation comme les murs du grand espace rectangulaire. Elle observa aussi les spectateurs, en déterminant ceux qu'elle savait être des journalistes et ceux qui devaient être de simples citoyens ayant beaucoup de loisirs et qui considéraient l'exercice comme un numéro de cirque. C'était comme un viol obscène de leur permettre à tous d'assister au dévoilement de la vie d'Allie. Et de celle de Leah. Que diraient d'elle les psychiatres ? Installée au-dessus des jurés, une caméra de télévision était dirigée vers le banc du juge et la barre des témoins. Clara semblait boire chaque mot, mais Leah ne la sentait pas cligner des yeux ni respirer. Elle avait préparé deux petites bouteilles en plastique contenant de l'eau, qu'elle avait glissées dans son immense sac.

« Ça devient sec là-dedans, avait-elle dit sans expliquer comment elle le savait. La gorge finit par vous faire mal. »

Leah reporta son regard sur Allie. Sa coupe de cheveux était vraiment formidable, même si l'épaisseur de sa toison aurait pu être un peu amincie, ce qui aurait adouci le contour de son visage. Comment fait-on pour obtenir une coupe de cheveux quand on est en prison ? Lorsque Allie avait coupé ses tresses, à huit ans, Leah avait été découragée et fâchée. Mais pour rafistoler le malheureux résultat, il lui avait suffi de faire monter Allie dans la voiture, de la conduire à un salon de coiffure pour une coupe de cheveux qui avait réparé le désastre.

Même si l'éclairage de la salle d'audience était beaucoup moins violent que les lumières fluorescentes de la prison, Alyssa s'imaginait que la blancheur de son cou brillait et attirait les regards comme des points blancs sur une photo mal développée. Elle ne pouvait s'empêcher de garder la main sur ce morceau de peau nouvellement exposé. À chaque mouvement de la tête, elle sentait l'air froid aussi coupant qu'une lame.

« Alyssa Pacey Staton y a réfléchi longtemps avant de décider d'ôter la vie à un nouveau-né. »

Ostrom s'était occupé de tout. Pas de la coupe de cheveux elle-même, mais de prendre rendez-vous avec le coiffeur pour hommes de la prison. Elle avait ensuite regardé les boucles noires tomber et s'enrouler sur le plancher en ciment.

« Elles doivent avoir plus d'un mètre de long », avait dit le coiffeur en les repoussant du pied avec ses petites chaussures.

Pas de mise en plis. Il aurait alors fallu un shampooing et un rinçage, la tête penchée vers l'arrière au-dessus de l'évier, la gorge nue exposée et les mains emprisonnées sous la cape en plastique du coiffeur. Elle en avait eu bien assez de sentir les ciseaux du coiffeur couper ses mèches à la hauteur de ses épaules, puis plus haut, à la hauteur de ses joues. Elle avait senti le métal froid sur son menton et ses oreilles. *C'est le mauvais côté de la chose,* avait-elle songé avant de se reprendre.

Le procureur s'échauffait. Les mots de son exposé préliminaire déboulaient sans effort et son débit s'accélérait comme une charrette qui descend une pente. Elle avait dû être championne en éloquence au collège, Alyssa en était certaine. Comme oratrice, elle pouvait compter sur le pouvoir de ses propres mots, qui enflaient au contact de l'air. À leur entrée dans la salle d'audience, Jeff l'avait saluée en l'appelant Marcy, aussi amicalement que si elle avait été sa voisine. Alyssa se passa la main sur le cou, puis posa les deux poings sur ses genoux. En entendant la respiration de Leah derrière elle, elle sentit que sa mère n'écouterait pas. Peut-être, mais elle, de son côté, s'obligerait à porter attention à tout ce qui se disait. Après tout, c'était elle qui faisait les frais de ce procès.

« Mesdames et messieurs du jury, ce cas est très simple. Un dimanche soir de février, le 4 février de cette année, pendant que ses camarades de l'université de Californie étudiaient pour préparer leurs examens de mi-session ou corrigeaient les fautes d'orthographe dans leurs travaux, Alyssa Pacey Staton a commis un homicide volontaire. Elle... »

Marcy s'arrêta devant Alyssa et Jeff, une pause volontaire à la fois dans son discours et dans son mouvement, calculée pour influencer l'auditoire. Alyssa essaya de revoir le calendrier dans la cuisine de son appartement, celui avec des photos d'Ansel Adams que Howie lui avait offert pour pendre la crémaillère. Avait-elle jamais tourné la page au mois de février? Ne marquait-il pas encore le mois de janvier, avec les murs nus du dôme de Yosemite, couverts de hiéroglyphes, saisis par l'œil aiguisé d'Adams?

Dos à Alyssa et face au jury, le procureur poursuivit son exposé.

« Elle a accouché toute seule de son bébé, une fille née à terme qui, dans d'autres circonstances, aurait maintenant plus de six mois. Alyssa Staton a donné naissance à son bébé sur le plancher des toilettes d'une station de métro à Berkeley. »

Marcy, non, « Marcelle Ward Fayler pour l'accusation » baissa la voix jusqu'à un murmure, comme pour confier un secret aux jurés, qui tendirent tous l'oreille en même temps, comme si leurs muscles dépendaient d'un seul système nerveux.

« Elle a accouché d'un bébé de sexe féminin en bonne santé. Pour cette étudiante aux excellentes notes, pour cette enfant prodige issue d'un milieu aisé, il aurait été trop compliqué de l'offrir en adoption ou au moins de prévenir quelqu'un de son existence. Cette jeune femme, qui disposait de toutes les ressources possibles, a donc laissé son bébé dans une boîte à ordures, avec l'intention de l'y laisser mourir. Plus précisément, mesdames et messieurs, et je m'excuse d'avoir à vous le dire, elle a laissé cette fille nouveau-né, ce bébé en parfaite santé, mourir vidée de son sang à cause d'un cordon ombilical non suturé. Un cordon qu'Alyssa Pacey Staton avait coupé avec son propre couteau de poche. »

Jeffrey bougea à côté d'Alyssa. Elle ne put supporter de regarder la tension de sa mâchoire et le profil sévère de son visage. Elle se tourna. Pas vers les jurés, qui regardaient le visage de Marcelle Fayler aussi intensément que s'ils avaient voulu lire sur ses lèvres. Pas vers le juge, qui bougeait sur son siège, un des côtés de ses lunettes de lecture à la bouche comme une pipe. Elle baissa les yeux vers ses mains, ses genoux et la jupe brune, marquée de légers plis perpendiculaires dus à la façon dont elle était suspendue à son cintre dans le sac à vêtements de Macy's. Leah avait apporté le tailleur à Jeff, pour qu'Alyssa puisse se changer dans les toilettes au plafond haut du palais de justice, deux gardes devant la porte. Si Leah avait pu la voir enfiler la jupe et attacher la taille trop grande sur ses hanches osseuses, elle aurait insisté pour la repasser et pour l'ajuster. Alyssa suivit les plis d'un doigt, puis essaya de les lisser avec les mains. Mais dès qu'elle les lâchait, ils revenaient, comme des rails de chemin de fer. Ou des barreaux.

Pour la première fois depuis une éternité, elle portait des bas. Les escarpins taupe lui glissaient des pieds quand elle les croisait sous la table, une cheville sur l'autre. À force de jouer avec ses chaussures, elle était en train de se faire des ampoules aux talons. Leah lui avait demandé quelle taille acheter, mais Alyssa était aussi incapable de se rappeler les mesures de son ancien corps que de deviner celles du nouveau dans lequel elle vivait. Ni pour le soutien-gorge ni pour la culotte, ni pour le chemisier ni pour la veste. Même la dimension des chaussures semblait ne pas être la bonne. Leah ne lui avait pas posé la question. Ce n'était pas nécessaire. Elle connaissait bien la taille des pieds de sa fille, la même que la sienne, un trente-sept. Mais les pieds d'Alyssa paraissaient s'être transformés, être devenus plus minces, étrangement plus osseux. Pour se reconnaître, elle devait suivre du doigt les angles de ses propres membres, du genou au mollet et à la cheville. Le tailleur et le chemisier avaient l'odeur du magasin de tissus préféré de sa grand-mère, où les nombreuses rangées de rouleaux de tissu neuf rendaient impossible le choix d'un seul. « Choisis-en deux, mon bébé », disait chaque fois sa grand-mère. « Nous ferons deux robes. »

« Alyssa Pacey Staton, le soir du 4 février 1998, volontairement et avec une intention criminelle, a tué un nouveau-né de sexe féminin et ladite victime est morte vidée de son sang. »

Aussi facilement qu'ils avaient été réunis en un seul corps par l'exposé préliminaire de Marcelle Fayler, les jurés redevinrent eux-mêmes. Alyssa les observait, douze personnes différentes qui venaient de se faire raconter une histoire terrible, une histoire d'horreur qu'ils avaient dû entendre de leurs propres oreilles. Les mains tachetées d'une femme âgée glissèrent le long de sa veste en laine, sortirent un mouchoir en papier et le portèrent à son visage pour étouffer un éternuement qui se transforma en une toux assourdie derrière le mouchoir. Deux hommes dans la rangée arrière de la tribune du jury se regardèrent, puis se détournèrent, comme s'ils avaient été surpris en train de conspirer. Alyssa sentit Jeff tapoter le dos de sa main fermée en poing. Il eut un hochement de tête presque imperceptible.

« Reste avec moi, Alyssa, lui avait-il répété deux fois avant leur entrée dans la salle d'audience. Quand Marcy va débloquer, reste avec moi. »

« Mesdames et messieurs, au nom de l'État de la Californie, je veux vous remercier d'être là et d'avoir accepté de faire partie de ce jury. Je veux vous dire que nous comprenons les contraintes de cette tâche pour vos vies et ce ne sont pas des contraintes que le système juridique prend à la légère.

Marcelle était plus qu'intelligente, constata Alyssa. Elle savait quand reculer et quand entrer par la porte de côté.

– Nous apprécions donc l'importance que vous accordez à votre rôle dans ce jury, importance d'autant plus grande qu'il s'agit de juger un crime contre un être humain qui n'a personne pour le défendre.

Marcelle fit une pause, jeta un rapide coup d'œil vers la table où se trouvaient Jeffrey et Alyssa, puis poursuivit son exposé, à voix plus basse.

– J'aimerais voir certaines définitions avec vous. La première est celle du meurtre lui-même, le fait de tuer illégalement un autre être humain avec une intention criminelle.

Marcelle porta les doigts à son menton, puis leva les deux mains et forma de grandes boucles dans les airs.

– L'intention criminelle est un terme légal. Pour qu'il y ait un homicide volontaire, il doit y avoir une intention criminelle. On la définit comme la méchanceté et la monstruosité issues d'un cœur dépourvu du sens du devoir social et de sentiments humains. En somme, c'est une méchanceté, une malveillance, une cruauté... il doit donc y avoir une intention criminelle avant l'acte fatal.

Alyssa avait prévu sa pause et le temps que l'avocate laisserait à ses mots lourds de sens pour laisser la marque de leur passage.

– Quand on parle de préméditation, cela ne veut pas dire qu'il faut avoir planifié la chose des semaines ou des mois à l'avance. Il n'est pas nécessaire d'avoir un plan bien établi prévu des semaines à l'avance pour parler d'intention criminelle. Quand il y a une intention criminelle, il y a de la méchanceté à un moment donné avant l'acte fatal.

Elle s'arrêta et secoua son index tout en martelant ses mots.

– N'importe quand avant l'acte fatal. Voilà ce qu'est l'intention criminelle, voilà ce qu'est la préméditation. »

Elle avait l'air fière d'elle-même. Elle avait réussi à établir quelque chose.

« Sa prémisse, avait expliqué Jeffrey à Alyssa, va être que tu voulais faire ce qui est arrivé. »

La préméditation, c'était une autre façon de parler de ce qui avait précédé le geste, Alyssa le savait. Pourtant, quand Marcelle définissait le mot, il prenait une connotation de sorcellerie, de vaudou, de mauvais sorts jetés sur les entrailles de bébés oiseaux. Pendant que Marcelle poursuivait avec ses définitions – présomption d'innocence, doute raisonnable –, Alyssa entendait sa voix enjôler le jury et lui expliquer quoi penser.

« Vous allez entendre la psychiatre de l'État témoigner que cette jeune femme savait ce qu'elle faisait et comprenait les conséquences de ses gestes. »

Vous êtes capables, leur disait en substance Marcelle. *Vous êtes capables de vous rappeler ces termes et ces distinctions, tous les éléments de l'histoire et la description de caractère que nous vous donnerons, et d'émettre le bon verdict.* Elle établissait les attentes, comme Alyssa l'avait vu dans son cours d'initiation à la psychologie. « Vous établissez les attentes et votre population – enfants de maternelle, équipe de football, jury – va faire tout son possible pour les atteindre. » *Votez pour moi,* suggérait Marcelle au jury, avec sa voix assurée et ses mains bien manucurées – pas de couleur sur les ongles, pas le moindre soupçon de sang, seulement un lustre naturel et transparent. *Voyez les choses à ma façon. Choisissez l'homicide volontaire.*

« Mesdames et messieurs du jury, nous avons l'intention de prouver ce que nous avançons et de vous montrer l'intention criminelle en remontant au début de cette histoire triste et horrible, aux premières manifestations de ce comportement dénaturé et monstrueux. En commençant avec la grossesse secrète d'Alyssa Staton, son refus d'une intervention médicale possible. En décrivant son plan délibéré, avant même la naissance du bébé, et sa fuite dans le quartier Tenderloin de San Francisco, où elle s'est cachée pendant presque une semaine. Nous avons l'intention de prouver que cette jeune femme a prémédité son acte avec une intention criminelle. C'est à l'État que revient le fardeau de la preuve et nous avons bien l'intention de porter ce fardeau bien haut pendant ce procès. »

Marcelle retourna vers sa table, ses talons hauts marquant les secondes de sa pause, comme le métronome d'Esther. *Andante*.

Marcelle Fayler retourna de sa table jusqu'au jury, en quatre grandes enjambées.

« Nous allons commencer par le témoignage des détectives qui ont enquêté sur la mort du bébé de sexe féminin abandonné dans une poubelle de la station de métro de Shattuck Avenue le soir du 4 février. Nous vous parlerons des efforts intensifs du Service de police de Berkeley pour découvrir l'identité de la mère du nouveau-né. Vous verrez des pièces à conviction trouvées sur le lieu de la naissance et de la mort du bébé. »

Pause, ordonna silencieusement Alyssa, les yeux rivés sur l'arrière des bandeaux si bien coiffés de Marcelle. En penchant sa propre tête, elle sentit une fraîcheur inusitée sur son cou, une douleur presque aussi réelle que celle ressentie quand elle appuyait sur ses ecchymoses, les doigts sur les marques laissées par les talons et les poings de la fée Carabosse. Ses cheveux lui tombaient sur les joues. Ne rien oublier : la naissance, la mort et une condamnation pour meurtre dans un seul souffle. Au moment prévu, Marcelle fit effectivement une pause. Alyssa redressa la tête et replaça ses cheveux, les mèches coupées derrière les oreilles. Marcelle bougea les épaules et tourna la tête. Un instant, leurs yeux se rencontrèrent. L'avocate se détourna la première, avec le mouvement rapide des pupilles vitreuses dans le visage de quelqu'un qui ne vous a pas vraiment vu, qui ne peut pas vous voir ou qui ne le veut pas.

« Nous suivrons l'enquête comme elle s'est déroulée. Vous verrez les expertises médico-légales et le témoignage de tiers sur les circonstances de la naissance de la victime, le bébé. Vous apprendrez qu'Alyssa Staton a donné son consentement aux examens médicaux et aux prises de sang qui ont permis de reconnaître l'enfant comme le sien. On vous expliquera que, dès le début de l'enquête policière, elle a admis le bébé mort comme le sien. »

Jeffrey avait toujours la main sur celle d'Alyssa. Il la serra et la pressa contre sa cuisse, sous la table, à l'abri des regards du juge et du jury. Le sang, elle s'en souvenait. Mais pas dans une éprouvette sur un plateau de laboratoire, pas comme Marcelle le décrivait. Sur ses mains, son pantalon, le carrelage, les murs de la cabine des toilettes. Coulant d'entre ses jambes, des caillots de la taille d'un poing. Alyssa ferma les yeux. Le pouce de Jeff frottait ses jointures sans arrêt. Tout à coup, elle souhaita pouvoir dormir, se cacher sous la couverture et dormir. Mais elle s'efforça d'oublier aussitôt son envie de sommeil. Il y avait des semaines qu'elle n'avait pas dormi profondément. Même à présent, dans un lit sombre, avec une couverture épaisse et Coffee couché contre elle, elle savait qu'elle serait incapable de dormir.

« ... ce qui se résume à une seule chose : la décision consciente de cette jeune femme de se débarrasser de l'enfant qui lui causerait du dérangement, qui ternirait certainement sa réputation et qui pourrait interrompre des études dans lesquelles elle excellait. Voilà ses motifs : le bébé l'aurait empêchée de continuer à mener le genre de vie auquel elle était habituée. Elle savait ce qu'elle faisait, et elle l'a fait. Elle l'a fait sans l'ombre d'une hésitation. Puis, après avoir abandonné la petite fille dont elle avait accouché dans les circonstances les plus horribles qu'on puisse imaginer, elle s'est enfuie en laissant le bébé – son bébé – mourir, mesdames et messieurs. »

Les jurés étaient mal à l'aise. Du coin de l'œil, Alyssa les voyait, elle sentait l'embarras qui les faisait tirer sur leur cravate ou sur le revers de leur veston, croiser les jambes, remonter leurs lunettes sur leur nez, bouger les pieds. Ils ne suivaient plus Marcelle. Ils ne pouvaient croire que quelqu'un puisse être aussi égoïste. Jeffrey lui avait dit que c'était leur meilleure chance, que Marcelle décrirait une fille dont personne ne pouvait imaginer l'existence. Ensuite, il se lèverait et décrirait la vraie Alyssa. Tout son espoir résidait en cela : la vraie Alyssa et sa description de ce qui s'était passé. « Je veux que tu témoignes. »

« Comment quelqu'un peut-il se comporter de la sorte ? Il ne s'agit pas d'un cas d'aliénation ou de capacités réduites. C'est un cas d'égoïsme, de la part d'une personne incapable de penser à rien d'autre qu'à elle-même. »

Marcelle s'arrêta, comme si elle venait de remarquer, elle aussi, le malaise dans la tribune du jury et les changements de position des jurés. Elle modifia sa stratégie, douce et calme comme une actrice sur la scène.

« C'est une situation très difficile pour vous tous, nous le savons. Personne ici n'a demandé de faire partie de ce jury ni d'entendre cette sinistre histoire, nous le savons aussi. Et vous préféreriez sans doute être n'importe où ailleurs qu'ici. Vous devrez voir et entendre des choses que vous préféreriez ne pas voir ni entendre. Mais...

De nouveau, elle se pencha vers eux. Une fois encore, elle allait gagner leur adhésion en leur démontrant sa confiance.

– Mais nous vous avons choisis parce que nous avons cru que vous seriez justes et que vous feriez preuve de bon sens. Nous croyons – nous savons – que vous le ferez. Le bon sens – ici nous touchons au dernier aspect de ce cas. N'importe qui, ayant un peu de bon sens, sait qu'un cordon ombilical non soigné entraîne une mort lente chez un nouveau-né. Nous allons terminer là-dessus, et je m'excuse encore, mesdames et messieurs, pour ce que vous allez entendre en faisant votre devoir dans cette salle d'audience. Nous allons vous présenter le rapport du coroner, avec l'autopsie du nouveau-né de plus de trois kilos qui, dès sa naissance et avec une intention criminelle, a été abandonné à une mort certaine.

Marcelle inspira profondément, comme un coureur qui prend tout l'oxygène possible pour terminer son sprint de cent mètres.

– Intention criminelle. Vous vous rappelez la définition ? Tout ce cas repose sur le fait que la mort du bébé Staton n'a pas été accidentelle. Je veux maintenant vous remercier d'accomplir votre devoir. Nous avons entièrement confiance que vous le ferez de façon juste et équitable.

Aussi gracieuse qu'une danseuse de ballet, Marcelle se tourna vers Jeffrey et lui fit un sourire modeste.

– La défense va maintenant s'adresser à vous, dit-elle en jetant un coup d'œil vers le juge, ou peut-être après le déjeuner. L'État commencera ensuite à établir sa preuve. Merci beaucoup. »

Après le départ du juge, sa toge claquant toujours autour de son corps maigre, le bruit des conversations s'éleva dans la salle d'audience. La main de Leah sur son épaule ramena Alyssa à la réalité. Pendant la conclusion de Marcelle Ward Fayler, son esprit s'était évadé. Dans un endroit petit, sombre et gluant. Ses mains étaient collantes comme du temps où elle faisait de la peinture avec les doigts. Un instant, un court instant teinté de tendresse dans ce lieu clos de sa mémoire, elle avait tenu quelque chose contre sa poitrine.

Puis la main de Leah saisit ses cheveux coupés et attira le visage de sa fille sur sa propre poitrine. Alyssa n'y entendit qu'une seule chose avant que l'huissier ne les sépare, le bruit des battements de cœur de sa mère, le rythme du commencement du monde.

Jeffrey Earle se leva. Il boutonna le veston de son complet marine. Apprenaient-ils tous cela à l'école de droit ? À se lever et à boutonner leur veste ou leur veston ?

« Votre Honneur... commença-t-il en jetant un regard vers le juge avant de contourner la table de la défense et de s'approcher du jury.

Leah avait la poitrine si serrée qu'elle avait de la difficulté à respirer. L'air climatisé était probablement réglé à une température très basse. D'autres gens devaient pourtant le sentir.

– Mesdames et messieurs du jury, dit calmement Jeffrey, vous allez avoir une occasion que peu de gens ont dans le cours de leur vie, celle de changer votre société pour le mieux. Vous allez avoir l'occasion d'explorer un acte que plusieurs de vos concitoyens – à en juger par les médias – considèrent comme monstrueux. La propre mère d'Alyssa Staton pourrait comprendre ce qualificatif.

Jeffrey se retourna vers Leah.

– En fait, la propre mère d'Alyssa Staton comprend ce qualificatif », ajouta-t-il doucement.

Leah eut d'abord le réflexe de baisser la tête, mais elle redressa aussitôt le menton et regarda le jury. Les yeux de deux ou trois jurés se posèrent un instant sur elle. Bien sûr, ils savaient déjà qui elle était, avant même que Jeffrey Earle se tourne vers elle et l'identifie aussi clairement que s'il l'avait montrée du doigt.

Clara glissa sa main sur celle de Leah pendant que Jeffrey se retournait vers le jury pour poursuivre.

« Évidemment, vous pourrez rester sur vos positions après l'examen de ce qui est indéniablement arrivé. Vous pourrez vous contenter des apparences et considérer cet acte comme quelque chose d'horrible et d'outrageusement contraire à la nature humaine. Vous pouvez penser *J'ai des enfants*. Supposer qu'un effort pour comprendre Alyssa Staton, et d'autres femmes qui ont commis le même geste terrible, va amoindrir d'une certaine façon votre amour en tant que parent.

Jeffrey fit une pause pour donner à cette idée le temps de tracer son chemin dans l'esprit des jurés. Son complet et sa chemise étaient toujours impeccables, un bon signe pour Leah. Quand Jeff était découragé, cela transparaissait.

– Ou alors vous pouvez être plus exigeants envers vous-mêmes. Par votre engagement, vous avez l'occasion d'établir un modèle d'humanité pour ces mêmes enfants, que vous aimez plus que votre propre vie, je le sais. Vous pouvez accepter d'écouter et de vous faire votre idée à vous. »

Leah sentit un frisson la traverser. Demain, elle porterait un vêtement plus chaud que la robe en jersey beige qu'elle avait achetée chez Casual Corner. Rien de trop gai ni de trop sombre, l'avait prévenue Jeffrey. Rien qui paraisse trop riche, ni trop pauvre. Les jurés n'aiment ni les trop riches ni les trop pauvres. Leah ne sortait presque jamais sans un blazer. Pourquoi l'avait-elle fait aujourd'hui ? Elle aurait alors pu se lever et le boutonner, ce qui semblait être le comportement idoine dans une salle d'audience.

Elle reporta son attention sur Jeffrey Earle.

« Vous entreprenez un voyage, disait-il, tout comme moi, la mère d'Alyssa, son docteur et, surtout, Alyssa elle-même. Un voyage extrêmement pénible pour nous tous. Triste, infiniment triste. Douloureux. La destination en est la compréhension. Nous ne vous demandons pas d'y être déjà arrivés, nous vous demandons seulement de vouloir y aller. Madame Fayler vous a dit, avec raison, qu'un homicide volontaire demande une intention criminelle. Cela suppose que le geste soit planifié et qu'il y ait une volonté délibérée de prendre une vie et de commettre un crime.

Il attendit un moment, avant de poursuivre au rythme d'une lente marche militaire.

– Vous écouterez. Vous déciderez s'il y a eu homicide volontaire. Vous regarderez vraiment, vous écouterez vraiment... et nous avons confiance en votre décision. Si vous pouvez supporter de regarder vraiment, d'écouter vraiment – si vous acceptez de rendre un aussi grand service à votre communauté et de lui offrir un aussi grand sacrifice – alors nous n'avons aucun doute quant à votre verdict.

Jeffrey fit un signe de tête négatif. *Non coupable, non coupable*, songea Leah.

– Ce qui s'est passé dans cette station de métro n'a rien à voir avec une intention criminelle. Rien à voir avec un meurtre. »

Non coupable.

Pourtant, Allie était coupable, et tout le monde le savait. Mais pas d'avoir eu une intention criminelle ! Pas avec préméditation ! En réfléchissant silencieusement, Leah perdit une partie des explications de Jeffrey. *Sois attentive*, s'exhorta-t-elle.

« Nous n'avons pas une longue liste de témoins et nous ne chercherons pas d'échappatoire. Ce que nous avons à offrir est un examen de la condition humaine. De la psyché d'une femme. De notre âme commune. Après avoir entendu la mère d'Alyssa, sa voisine, la femme qui s'est liée d'amitié avec elle après l'accouchement et son docteur, vous pourrez devenir des personnes plus clairvoyantes, plus sages et meilleures. Des gens qui ne se sentent pas menacés par ce geste au point d'être incapables de bonté ou de compassion. Vous pouvez arriver à comprendre et, par cette compréhension, à forcer votre communauté et votre pays à devenir meilleurs. Nous avons confiance en vous pour faire ce qu'il faut. Pour faire ce qui est juste pour Alyssa, et pour la société, au nom de la société. Vous trouverez ce qu'il faut faire. Ayez du courage. Regardez vraiment. Écoutez vraiment. Suivez attentivement. À vous de décider ensuite. »

Chapitre 19

Le lendemain matin, quand Marcelle Ward Fayler entreprit de bâtir la preuve de l'accusation, Alyssa portait une robe bleue. Une robe chemisier d'un bleu profond. Un bleu plus profond que les pans de ciel qu'elle avait aperçus, derrière le voile du brouillard, par la porte de la fourgonnette du comté qui la conduisait au palais de justice. D'un bleu plus pâle toutefois que celui de la baie, qu'elle ne pouvait voir, mais dont elle avait senti le goût de sel transporté dans l'air frais du matin comme un message de bienvenue. Dans les toilettes du palais de justice, après avoir troqué l'uniforme orange de la prison contre la robe bleue, elle s'assit un moment et observa l'effet des bas sur ses jambes, les bras autour de la taille. En se relevant, elle lissa la robe contre ses hanches avec ses mains et sentit quelque chose dans la poche, quelque chose de raide sous ses doigts. Elle s'arrêta avant d'enfiler les chaussures taupe trop grandes.

C'était une feuille de papier arravhée d'un cahier pliée en six. Une note que Leah avait glissée dans la poche de la robe qui, conformément à la loi, était passée des mains de Leah à celles de Jeffrey Earle après avoir été soumise au détecteur de métal dans le hall du palais de justice. *Je t'aime.* L'écriture était penchée, un peu déformée. Peut-être la note avait-elle été écrite à un stop, la feuille appuyée sur le volant, d'une main agitée d'un tremblement à la fois extérieur et intérieur. Puis, une autre ligne, au milieu de la page, sur un autre ton, insistant : *Je t'aime, Alyssa. Je suis avec toi. Maman.*

Dans la salle d'audience, Jeff, la main sur son épaule, la guida jusqu'à leur table, en face du juge Franklin et de la barre des témoins. Elle avait toujours la note pliée dans sa main. Elle se rappela le collier acheté pour sa mère et qu'elle lui avait apporté à Philadelphie comme cadeau. Elle se rappela le reflet de sa chaîne en argent quand elle l'avait pris sur un crochet dans son appartement et fourré dans son sac à dos. Elle se rappela l'inventaire de ses biens pendant son inscription : Lazzie, ses culottes tachées et la pochette minuscule, pas très pratique en réalité, où elle avait enfermé le collier, de sorte que l'officier – Hop, Hopkins – ne l'avait pas trouvé.

Était-ce un vol de reprendre quelque chose qu'on a donné ? Peut-on réparer sa faute en redonnant une chose volée à son propriétaire ? Donner, prendre, donner... Finirait-elle par atteindre l'équilibre, comme Joey disait que les évangélistes le promettaient ? D'un coup de coude, Jeff la ramena à la réalité. Elle remit la note de Leah dans sa poche et posa les deux mains sur la table, jointes dans la position que Jeff lui avait suggérée. *Rien sous la table.*

« S'il plaît à la cour, Votre Honneur, l'État va appeler Barbara Halsumae à la barre des témoins », annonça Marcelle.

Elle recula d'un pas pendant que la détective, dans son tailleur noir ajusté, semblable à celui de l'avocate, jurait de dire la vérité, toute la vérité, rien que la vérité. En regardant son visage, vaguement familier, Alyssa ressentit à la fois de la crainte et du réconfort. Dès que la détective ouvrit la bouche, elle se rappela où elle l'avait vue : pendant son séjour à la station de police après ses examens à l'hôpital. Elle se rappela l'impatience polie que ses réponses avaient suscitée chez la détective, les veines apparentes sur ses mains fortes et le soda renversé. L'histoire de madame Halsumae était vraie, aussi vraie que dans le souvenir d'Alyssa, mais elle semblait aller dans le sens souhaité par Marcelle Fayler, les bras levés et les doigts pointés comme des pistolets.

« Donc, quand vous avez interrogé l'accusée, mademoiselle Staton, pour la première fois, le soir du 8 février, après un examen médical préliminaire, vous dites qu'elle n'a pas reconnu avoir accouché d'un bébé ?

– Pas dans ces mots.

– Dans quels mots alors ?

– Elle a parlé à plusieurs reprises d'un bébé...

– Ses mots, madame Halsumae ?

D'un ton sec et pressé, Marcy manœuvrait la détective, corrigeait son témoignage et aplanissait le chemin sur lequel elle voulait la mener.

– Elle a dit, je l'ai écrit deux fois dans mes notes, que la naine prenait soin du bébé.

– “La naine prend soin du bébé.” C'est bien cela ?

– Oui.

– Avez-vous compris ce qu'elle voulait dire ? “La naine” ?

– J'ai compris qu'elle faisait référence à...

– Objection ! s'écria Jeff en bondissant de sa chaise. C'est une question purement spéculative qui suggère une interprétation de la santé mentale de l'accusée. Ce témoin, Votre Honneur, n'est pas une experte en santé mentale.

Le juge Franklin pencha la tête pour regarder Jeff droit dans les yeux par-dessus ses lunettes de lecture.

– Objection retenue.

Marcelle sourit à Jeffrey quand il passa à côté d'elle en allant se rasseoir.

– Nous en arrivons justement à la santé mentale de l'accusée, dit-elle doucement, dans le même murmure qu'elle avait utilisé pour séduire le jury pendant son exposé préliminaire.

– Madame Fayler ! », la réprimanda aussitôt le juge Franklin.

À l'ordre. Voilà ce qu'Alyssa pensait qu'il dirait ensuite. Mais il ne le fit pas.

Le pathologiste médico-légal du bureau du coroner suivit. Un homme gigantesque aux cheveux roux. Dans une chemise en flanelle à carreaux, plutôt que dans un habit mal ajusté qui menaçait de se déchirer aux coutures chaque fois qu'il levait les bras, on l'aurait facilement pris pour un bûcheron. Jeff garda sa main sur celle d'Alyssa tout le temps que le docteur prêtait serment, qu'il énumérait ses diplômes et faisait le compte des autopsies qu'il avait réalisées. Pendant que le docteur parlait, pressé de questions par Marcelle, Alyssa ne pensait à rien d'autre qu'à la taille démesurée des doigts du pathologiste. Son pouce et son index épais semblaient beaucoup trop maladroits pour manipuler quelque chose d'aussi petit que la main d'un bébé. Pourtant, il avait réalisé vingt-six autopsies de bébés de moins de deux jours. Ce qui permit à Marcelle de l'amener à reconnaître qu'il avait assez d'expérience pour se prononcer sur le cas. Il affirma que le bébé Staton, qu'il avait examiné en février, n'était pas mort du traumatisme de la naissance, d'abandon ou d'une blessure infligée. Il était simplement mort vidé de son sang, qui s'était écoulé par son cordon ombilical de dix centimètres non suturé et coupé plutôt grossièrement.

Marcelle se dirigea vers la tribune du jury, comme un frappeur qui se présente devant un lanceur.

« Je veux que ce soit bien clair pour le jury, docteur McConnell. Ce bébé est né à terme ?

– Oui, il pesait plus de trois kilos.

– Diriez-vous qu'il s'agissait d'un bébé qui, dans un environnement hospitalier, aurait eu des problèmes postnatals ?

– Il y a toujours une possibilité...

– Laissez-moi reformuler la question. D'après les résultats de votre autopsie, pouvez-vous conclure que ce bébé était en bonne santé à sa naissance ?

– C'était un bébé en bonne santé à la naissance.

– Ce bébé avait-il des insuffisances cardiaques, pulmonaires ou autres ?

– Non, il n'en avait pas.

– Ce bébé a donc dû vivre un certain temps avant de... avant de mourir vidé de son sang, n'est-ce pas ?

– Un certain temps, oui.

– Combien de temps, docteur ?

– Objection !

Jeff se leva de nouveau, si violemment que sa chaise faillit se renverser.

– Votre Honneur, nous ne mettons pas en question la cause de la mort. Voilà une emphase émotionnelle tout à fait inutile.

– Objection rejetée. Je vais permettre la question.

– Combien de temps, commença Marcelle avant de faire une pause, le visage défiguré par la souffrance, combien de temps le bébé Staton a-t-il vécu avant de mourir vidé de son sang, docteur McConnell ?

– Ce n'est qu'une estimation... on ne peut qu'établir une échelle de grandeur dans ce genre de cas... entre trois et quatre heures.

Marcelle soupira, un long soupir pour mettre en évidence le silence dans la salle et la stupéfaction des jurés.

– Merci, docteur McConnell. Merci pour votre expertise. Je n'ai pas d'autres questions. »

Marcelle se dirigea vers son siège, la tête basse. Alyssa comprenait le sens de ses gestes : on se sentait comme dans un établissement de pompes funèbres, à un enterrement ou à une cérémonie commémorative.

« Voulez-vous procéder au contre-interrogatoire du témoin, maître Earle ? Il attend, dit le juge Franklin, nullement ému.

– Oui, j'ai une question pour vous, docteur McConnell.

Comme s'il traînait un poids lourd, Jeff semblait haleter en s'approchant de la barre des témoins.

– Vous êtes le médecin qui s'est occupé le premier du bébé, au moment de son arrivée au laboratoire du coroner, est-ce juste ?

– Oui. J'ai suivi tout le processus de l'autopsie.

– Pourriez-vous décrire le corps du bébé lorsque vous l'avez vu pour la première fois ?

– Oui, je pourrais...

– Excusez-moi, je ne veux pas dire en termes médicaux ou biologiques, docteur. Nous n'avons pas besoin de réentendre ces détails. Je veux dire la condition du corps, sa position, ce qu'un profane aurait pu remarquer.

– Oui, je peux. Le bébé était enveloppé dans une serviette.

– Décrivez la serviette, s'il vous plaît, docteur.

– Une serviette relativement propre... dans les circonstances... une toilette de bain verte, avec un monogramme, je crois.

– Quand vous dites relativement propre, que voulez-vous dire ?

– Pas aussi ensanglantée qu'on aurait pu s'y attendre. On s'attend à voir beaucoup de sang sur un tissu qui enveloppe un nouveau-né, un bébé né ailleurs que dans un environnement hospitalier.

– Vous parlez du sang de la mère, pas de celui du bébé ?

– Oui. Pendant l'accouchement. Sans aide, c'est... c'est quelque chose de sanglant.

– Vous nous dites donc que le bébé était enveloppé dans une serviette qui n'était pas trempée par le sang de l'accouchement.

– La serviette était ensanglantée, oui, mais les taches de sang se trouvaient à l'endroit où le cordon... le cordon ombilical non suturé... avait coulé.

– La serviette était tachée, mais pas trempée, c'est ça ?

– C'est bien ça.

Sur la table des pièces à conviction, Jeff prit un paquet enveloppé dans du plastique. Il le présenta au docteur McConnell comme une affiche.

– Et voilà la serviette que vous avez déjà reconnue comme celle qui recouvrait le bébé Staton le matin du 5 février. »

Alyssa aperçut seulement la couleur – verte avec une tache foncée – avant de se détourner. Tous ses organes – poumons, cœur, utérus – se contractèrent comme pour l'empêcher d'entendre ce qui se passait autour d'elle. Elle eut l'impression de sentir la tension qui émanait de sa mère, près d'elle, comme quand sa petite fille avait conduit une bicyclette, plongé dans la partie la plus profonde de la piscine ou pris l'autobus scolaire pour la première fois. Comme si ses muscles d'enfant lui permettaient, pour la première fois, d'échapper aux bras tendus de sa mère. « Je t'envoie les serviettes de ta grand-mère, avait écrit Leah. Celles que nous n'avons pas usées à la corde. »

« C'est bien la serviette que j'ai identifiée pour maître Fayler, oui, dit le docteur McConnell, les yeux fixés sur le paquet.

Jeffrey garda le paquet serré contre sa poitrine.

– Docteur, combien de sang un nouveau-né a-t-il?

– Deux cent cinquante, deux cent soixante millilitres.

– Un quart de litre?

– Plus ou moins. Environ un quart de litre.

– Et le sang sur la serviette qui l'enveloppait était-il celui du bébé?

– Surtout le sang du bébé, oui.

– Comment pouvez-vous expliquer l'absence du sang de l'accouchement, du sang de la mère?

– Je suppose que le bébé a été nettoyé du sang de l'accouchement...

– Objection!

Marcelle prononça le mot d'un ton dramatique et assourdissant.

– Pure spéculation.

Le juge Franklin lui donna raison.

– Et la façon dont la serviette était pliée, l'enveloppe qu'elle formait ? Pouvez-vous nous décrire cela ?

– Bien, le mot serait... emmailloté, j'imagine. Le bébé a été posé sur la serviette qui a ensuite été pliée autour de lui de façon à couvrir son corps tout en laissant son visage à l'air libre. La serviette était pliée sur elle-même, un peu comme quand une femme attache les bouts d'une serviette autour de sa tête, comme un turban, vous savez.

– Diriez-vous que cela était semblable à... à la façon dont un bébé est emmailloté dans une maternité ?

Marcelle bondit sur ses pieds.

– Objection ! Non pertinent. Des comparaisons professionnelles ne sont pas appropriées ici...

– Asseyez-vous, maître Fayler. Je permets la question, dit le juge Franklin en se penchant vers l'avant, ses lunettes de lecture se balançant au bout de ses doigts. Continuez, maître Earle. Poursuivez votre contre-interrogatoire.

– Ma question, docteur McConnell, était la suivante. La façon d'emmailloter le bébé, cette serviette avec relativement peu de sang qui enveloppait le nouveau-né, tout cela avait-il été fait avec attention, avec soin, avec compassion, avec...

– Objection !

– ... tendresse ? termina Jeff.

Il attendit.

Le juge Franklin remit ses lunettes, puis les baissa le long de l'arête de son nez jusqu'à ce qu'il puisse bien voir les deux avocats.

– Objection retenue. »

Retenue. Retenue. Ce fut tout ce qu'Alyssa entendit avant que l'huissier annonce l'ajournement pour le déjeuner, de midi à quatorze heures. Un mot changeant de texture comme les plumes d'un roitelet sous le soleil, passant du lustré au mat d'un simple petit coup d'aile. Ce qui résonnait dans sa tête, comme l'écho sur une montagne, c'était l'interrogatoire serré du pathologiste par Marcelle Ward Fayler, sa façon de tout répéter et de tout reformuler, sur un ton de justicier. *Quel mince effort aurait suffi à permettre la survie de ce bébé ?*

Pendant le long après-midi qui suivit, Alyssa écouta la description que fit d'elle la psychiatre de l'État, construite au cours de leurs rencontres difficiles. Le docteur Bulton, une femme presque rachitique, présentait des réponses verbeuses, longues comme des dissertations. Le visage étroit, volontairement sévère, la psychiatre compliquait l'exposé de ses conclusions simples avec sa syntaxe tordue et son vocabulaire complexe. Oui, elle avait acquis la conviction que l'accusée était une jeune femme extrêmement intelligente. Oui, son diagnostic, son opinion personnelle, était que l'accusée avait probablement traversé des épisodes de dépression sévère pendant l'adolescence. Dépression non diagnostiquée parce que la sévérité de la dépression est souvent ignorée chez les adolescents. Oui, elle avait déclaré Alyssa apte à subir son procès. Oui, elle pouvait donner raison au docteur Stojanovic qui avait reconnu la présence actuelle d'une dépression sévère chez l'accusée. Oui, l'accusée était consciente de la différence entre le mal et le bien. Oui, oui, oui, toujours oui, jusqu'à l'ajournement de la séance et à la sortie silencieuse, à la queue leu leu, des jurés épuisés.

Le lendemain matin, Marcelle poursuivit une heure de plus l'interrogatoire du docteur Bulton, sans tenir compte du juge Franklin qui avait regardé ostensiblement sa montre à deux reprises.

« Docteur, en ce qui concerne la maladie mentale qu'est une dépression, vous avez nuancé votre évaluation quand vous avez conclu que l'accusée, indépendamment de toute maladie mentale, diagnostiquée ou pas, était apte à obéir aux lois et à distinguer le bien du mal, est-ce bien cela ?

– Oui.

– Et selon votre évaluation, même si l'accusée vit une dépression plus sévère que lors d'épisodes antérieurs, elle est aussi plus en contact avec la réalité qu'elle ne l'était alors, est-ce que je comprends bien ?

– Oui. La dépression – n'importe quelle période de dépression sévère – n'empêche pas nécessairement la personne d'avoir une compréhension rationnelle et objective d'une situation.

– Et dans votre évaluation quant à la responsabilité, évaluation présentée à la cour, poursuivit Marcelle avec un signe de tête à Jeffrey, vous avez trouvé que l'accusée était parfaitement consciente d'avoir abandonné son bébé ?

– Oui.

– Merci, docteur. Votre Honneur, je n'ai pas d'autres questions pour ce témoin. »

Alyssa suivit Jeff des yeux, le rythme apaisant de ses mouvements souples lorsqu'il s'approcha du témoin. Il fit d'abord face au docteur Bulton, pivota sur ses talons vers le jury, puis revint au docteur.

« Docteur, dans votre évaluation, vous...

Jeff feuilleta une pile de papiers annotés qu'il tenait dans la main gauche.

– Dans votre évaluation, reprit-il, vous notez que l'accusée ne voulait pas laisser voir qu'elle était malade... que son état dépressif était difficile à déceler avant le 4 février à cause de son désir de tenir le coup sans aide, de faire comme si tout allait bien dans sa vie, c'est exact?

– Oui.

– N'importe qui – un membre de sa famille, un professionnel même – aurait pu commettre l'erreur de croire que son état général était meilleur qu'il ne l'était en réalité?

– C'est vrai. Malheureux, mais vrai.

– Et, dans votre évaluation, du 7 mars celle-là, vous avez aussi trouvé que l'accusée semblait souffrir de trous de mémoire. Vous écrivez qu'il peut s'agir de conséquences à long terme d'un épisode de dissociation, c'est bien cela?

– C'est bien cela.

– Pouvez-vous nous expliquer ce terme s'il vous plaît, docteur?

– Dissociation?

– Oui.

– La dissociation est un état dans lequel l'individu fait l'expérience d'une séparation d'activités psychologiques reliées en unités au fonctionnement autonome...

– Merci, docteur. Je suis certain que tout le monde ici aimerait... commença Jeff en se tournant vers le jury, nous aimerions tous avoir une traduction, s'il vous plaît. »

Chez les jurés, il y eut un murmure d'approbation ponctué d'un rire étouffé déguisé en toux.

À la barre des témoins, le docteur Bulton se dressa de toute sa hauteur, son long cou étiré, comme une grue.

« La dissociation se produit quand un individu se sent comme s'il... euh... peut-être comme s'il flottait au-dessus de l'action, comme s'il n'était pas un acteur dans l'action, qu'il observait sans amorcer l'action et sans y participer... mais c'est très rare dans une psychose post-partum... »

Jeff l'interrompit.

« Et après ces épisodes de dissociation, comme vous l'avez décrite, le sens d'être un acteur peut revenir par fragments, si on peut dire.

– Oui, c'est exact.

– Et vous concluez dans votre évaluation que ces fragments sont revenus à l'accusée, oui?

– Oui.

– Mais que les limites de temps nous empêchent, empêchent l'accusée, d'atteindre le point où elle pourrait faire un récit complet des événements.

– Oui.

– Mais que l'accusée a fait tous les efforts pour récupérer ces fragments, sans essayer de fuir ni de rien cacher.

– Sans essayer de fuir ni de rien cacher, c'est exact.

– Merci. Je n'ai pas d'autres questions. »

Marcelle brûlait d'envie de se battre. Mais Alyssa, elle, souhaitait qu'on en finisse. Elle rêvait de retrouver son mince matelas dans sa cellule, avec comme veilleuse le reflet de l'écran de l'ordinateur au poste des gardiens et le bourdonnement nocturne de la prison. Elle méritait tout ce qu'elle avait. Le costume orange accroché aux os de ses épaules comme un suaire. Les pantoufles à la semelle en caoutchouc. La viande pâteuse figée dans des assiettes en plastique. Et le ronronnement continuel de la télévision qui la rendait folle, d'une folie que même le docteur Bulton ne pouvait pas diagnostiquer. Elle méritait les menaces de la fée Carabosse, de plus en plus souvent mises à exécution. Même à présent, en tirant sur ses manches à chacun de ses mouvements, elle ne réussissait pas à cacher complètement la trace d'une blessure qui allait de son coude à son poignet. C'était l'endroit où son bras s'était accroché sur le côté de la porte des toilettes pour ralentir sa chute. Mais ensuite, sans qu'elle le veuille, il avait lâché. Elle méritait tout cela.

Le juge Franklin demanda à Marcelle Ward Fayler si elle allait utiliser son droit de réplique.

« Oui, dit-elle, déjà debout devant le docteur Bulton. Vous affirmez que l'accusée comprend parfaitement le déroulement du procès et la nature des accusations portées contre elle ?

– Oui, c'est exact.

– Et qu'elle a maintenant une idée de la nature de sa dépression, de ces épisodes de dépression sévère dont vous avez parlé ?

– Oui.

– Et qu'elle est capable de concourir à sa propre défense ?

– Oui.

– Mais qu'elle n'a pas encore... dit Marcelle en fixant ostensiblement le jury... qu'elle n'a pas encore retrouvé complètement – « récupéré », pour reprendre l'expression de maître Earle – la séquence précise des événements qui se sont produits le soir du 4 février ?

– Oui. »

Marcelle s'arrêta alors, habilement, avant que le juge Franklin ne l'empêche de poursuivre.

« Nous avons déjà vu cela », lui avait-il déjà dit à deux reprises.

Mais quand Alyssa regarda Jeff et vit les cernes noirs sous ses yeux, elle comprit qu'il saisissait le sous-entendu de Marcelle aussi bien qu'elle et que tous les gens présents dans la salle d'audience. *Tout cela est bien commode pour la défense!*

Ce soir-là, quand son vœu fut exaucé, quand la prison fut aussi calme que possible, les lumières basses et la télévision fermée, elle ne réussit pas à dormir. Elle aurait dû prévoir qu'elle resterait éveillée pendant des heures, à revoir les témoins de l'accusation. Depuis le temps, elle aurait dû savoir qu'il est aussi dangereux de faire un vœu qu'un geste. Les vœux vous trompent et trahissent vos espoirs en vous laissant moins que rien.

Elle avait rêvé de pouvoir dormir pendant que Marcelle Ward Fayler cuisinait sa mère, l'accusant d'avoir menti à propos de la serviette en refusant de reconnaître les initiales d'Esther, ERP, dans le monogramme qui crevait les yeux.

« Parce que vous feriez n'importe quoi pour protéger votre enfant quand vous ne pouvez croire qu'elle est coupable de ce dont on l'accuse », avait répondu Leah à l'avocate de l'accusation, les traits tirés, mais la voix ferme, forte même.

Mais le procureur revenait continuellement sur le fait qu'en mentant Leah avait entravé l'action de la justice.

« Vous n'avez pas d'enfant, n'est-ce pas, maître Fayler ? » lui avait dit Leah d'une voix encore plus forte.

« S'il vous plaît, répondez seulement aux questions qui vous sont posées », l'avait réprimandée le juge Franklin.

Le liquide sombre, la tache qui avait fait passer le tissu du vert au brun, elle ne l'avait pas remarquée, elle était incapable de s'en souvenir. Pourquoi aurait-elle... avec une serviette tachée de brun ? Marcelle avait montré des photos agrandies d'un bébé, emmailloté dans une serviette, exactement comme dans la description du coroner. Les bouts du triangle étaient repliés l'un sur l'autre pour former une enveloppe, comme Sharon et elle le faisaient avec leurs poupées, comme sa grand-mère leur avait montré à le faire. « Les bébés aiment être enveloppés serrés. Cela leur rappelle le temps d'avant leur naissance. »

Marcelle avait aussi montré des photos d'un bébé nu, couché sur une table blanche, les yeux fermés. Alyssa avait fermé les yeux elle aussi après la première photo. Les yeux clos, elle avait attendu la fin du cliquetis du projecteur et de la description de chaque photo que l'avocate faisait d'une voix neutre, avant d'en arriver à son horrible conclusion.

Alyssa se tourna sur le côté et remonta la mince couverture bleue sur ses épaules. Le coroner était un homme tellement imposant, gros comme un joueur de football. Elle imaginait ses énormes mains autour du bébé, l'une tenant son corps, l'autre sa tête, ces grandes mains dont les doigts pouvaient se tendre comme le filet d'un hamac pour tenir son léger fardeau. En s'asseyant brusquement, elle fit tomber la couverture de ses épaules. Elle jeta les jambes hors du lit et se pencha vers l'avant. Des mèches de ses cheveux maintenant courts lui effleurèrent les joues. La partie de sa crinière qu'elle avait perdue lui apparut comme un mauvais souvenir qui menaçait de revenir la hanter.

Chapitre 20

« La défense est-elle prête ? »

Le juge Franklin restait insondable. Pourtant Leah l'avait souvent trouvé plus chaleureux que nécessaire envers le procureur. Elle essaya de comparer le nombre de fois où le juge avait retenu les objections de la défense et celles de l'accusation. Mais elle s'aperçut que ce calcul n'avait aucun sens si elle ne se rappelait pas le nombre total d'objections soulevées par l'un et l'autre des avocats. Elle tenta ensuite de cataloguer les interventions de ce type venant de l'une ou l'autre des parties. Mais elle se découragea en constatant qu'il lui était beaucoup plus facile de se souvenir des objections de l'accusation. Jeffrey Earle laissait passer beaucoup de choses, prenait trop de risques. Comme Clara gardait ses petits-enfants chez sa fille, Leah était seule ce jour-là. Pas de bouclier, personne avec qui parler pendant les suspensions d'audience. Puisque c'était le début de la défense, Dennis aurait enfin pu se présenter. Leah aurait souhaité avoir quelqu'un pour l'accompagner, même lui. Il n'avait pas précisé à quel moment du procès il prévoyait d'arriver. Leah savait que c'était une blessure de plus pour Allie.

« Nous sommes prêts, Votre Honneur. La défense appelle Darlene Ridley. »

Une femme aux cheveux décolorés, ébouriffés comme une rose trop ouverte, et aux yeux de raton laveur dus à des abus de drogues ou à trop de khôl, se leva. Au bruit du cliquetis de ses talons aiguilles, elle se dirigea vers la barre des témoins. Voilà donc Dara, la prostituée ou la droguée, peut-être les deux, qui avait aidé Alyssa quand celle-ci n'avait pas voulu se tourner vers sa propre mère. Dara ne représentait certainement pas le type idéal d'une personne apte à aider les autres. Un chemisier pourpre satiné et un pantalon noir serré moulaient son corps osseux. Il fallait que la situation de la défense soit désespérée pour qu'Allie ait besoin du témoignage de cette femme.

Dara s'arrêta en passant entre la table de l'accusation et celle de la défense, juste le temps de sourire à Allie, qui lui sourit spontanément en retour. Malgré la reconnaissance qu'elle avait envers Dara pour avoir soutenu Allie, Leah sentit percer une pointe de jalousie. *Ne sois pas mesquine.* Jeff boutonna son veston, à fines rayures grises en ce jour, d'une teinte un peu plus foncée que celle de ses cheveux. Sa cravate était d'un rouge sombre, pas tout à fait bordeaux. Leah songea qu'un soupçon de bleu ajouté au rouge suffirait pour obtenir cette nuance. Au moins, il réussissait à avoir l'air d'un avocat cher, même si les médias avaient abondamment parlé du fait qu'il était un défenseur public. Comme si Dennis et elle n'avaient pas fait tout ce qu'ils pouvaient !

« Madame Ridley, vous avez donné comme adresse le Bay Breeze Hotel dans Seventh Avenue. Cet immeuble se trouve-t-il dans ce qu'on appelle le Tenderloin de San Francisco ?

– C'est bien cela.

Même si elle avait réussi à se rendre à la barre d'une démarche plutôt nonchalante, Dara avait l'air nerveuse.

– Avez-vous déjà rencontré l'accusée, Alyssa Staton, ici présente ?

– Oui.

– Pouvez-vous expliquer au jury dans quelles circonstances vous avez connu l'accusée ? »

Jeffrey avait l'air calme. Leah jeta un coup d'œil vers les jurés qui, pour la plupart, semblaient examiner Dara comme si elle était un spécimen de laboratoire. Sa coiffure était invraisemblable. Ses boucles platine, crêpées, formaient une espèce de masse d'algues trop pâles. Et ses vêtements... Jeffrey avait sûrement dû lui dire comment s'habiller. Il l'avait dit à Leah et il trouvait Dara assez importante pour avoir ratissé le Tenderloin afin de la retrouver.

« Elle était très malade. Je l'ai d'abord vue dans le couloir de notre immeuble, devant la porte des toilettes.

– Aviez-vous une idée de ce qui n'allait pas chez elle ?

La bonne vieille Marcy sauta sur ses pieds en moins de temps qu'il n'en faut pour le dire. Elle ne boutonna même pas sa veste.

– Objection, Votre Honneur. La question demande une opinion. Le témoin n'est visiblement... pas une experte.

– Retenue.

– Je vais reformuler ma question, Votre Honneur, dit doucement Jeff.

Leah dut reconnaître que les objections retenues ne semblaient pas l'affecter.

– Madame Ridley, reprit-il, y avait-il quelque chose d'inhabituel dans l'apparence de l'accusée ?

Dara se trémoussait sur le siège du témoin. Elle passa la langue sur ses lèvres, hésitante.

– Voulez-vous qu'on vous répète la question, madame Ridley ? demanda le juge Franklin en la regardant au-dessus de ses lunettes de lecture, comme un faucon sur un perchoir.

– Non, monsieur. Euh... son pantalon était plein de sang et il y en avait aussi sur son chemisier.

Dara indiqua l'espace entre son épaule gauche et sa poitrine, puis étendit son geste jusqu'à sa taille.

– J'ai pensé que ça devait être une affaire de femme, vraiment sérieuse.

– Mademoiselle Staton vous a-t-elle demandé quelque chose ?

– Non, je lui ai posé la question. Je veux dire, n'importe quel imbécile aurait vu qu'elle avait besoin d'aide.

– Et vous l'avez aidée ?

– Ouais, je dirais. J'espère en tout cas... elle n'était pas à sa place là, elle était...

– Contentez-vous de répondre aux questions, dit le juge Franklin à Dara, d'un ton posé.

Leah l'avait souvent entendu parler beaucoup plus sèchement aux avocats.

– Pouvez-vous s'il vous plaît dire au jury de quelle façon vous l'avez aidée ?

– Je... l'ai aidée à se nettoyer. Et je lui ai prêté mon manteau. Il est en léopard, pas du vrai, mais... elle frissonnait.

– Et qu'avez-vous fait d'autre pour l'accusée ?

– Je lui ai apporté des sandwiches et de l'eau de temps en temps, des draps propres pour faire son lit... ce n'est pas un endroit... très propre à moins de savoir comment obtenir des choses de Lenny. »

Embrouillée dans son explication, Dara s'arrêta.

Jeff se pencha un peu vers Dara et adopta un débit lent, montrant clairement qu'il choisissait ses mots avec précision, comme les fragments d'une mosaïque.

« Madame Ridley, je ne vous demande pas une opinion en tant qu'experte, juste votre opinion en tant que personne ordinaire, en tant qu'observatrice... Mademoiselle Staton semblait-elle avoir tous ses esprits ?

– Elle les avait perdus, répondit spontanément Dara, sans même prendre le temps de réfléchir.

– Elle les avait perdus ? Pouvez-vous vous expliquer davantage ?

– Elle était si faible qu'elle pouvait à peine tenir debout. Et elle parlait de travers.

– Vous voulez dire comme si elle avait perdu la tête ?

– Objection, Votre Honneur. La question demande une conclusion et le témoin n'est pas une experte en santé mentale.

Marcelle était calme et sereine. Comme tous les jours, sa coiffure simple était soigneusement fixée à la laque.

– Je demande simplement au témoin ce qu'elle a observé, Votre Honneur, dit Jeff en se tournant vers le banc.

Les épaules carrées, de largeur moyenne, il se tenait très droit. Pourtant, Leah était certaine qu'il n'avait pas été dans l'armée. Où aurait-il gardé ses lézards en caoutchouc ?

– D'accord, mais allez-y prudemment, maître Earle.

Leah observait Dara dont le regard passait de Jeffrey au juge. Tout à coup, elle se rendit compte qu'on attendait sa réponse et elle se passa de nouveau la langue sur les lèvres.

– Pas comme si elle était folle, mais comme si elle avait mal et qu'elle pouvait pas choisir les bons mots pour former une phrase qu'on aurait pu comprendre.

– Vous a-t-elle demandé de la cacher?

– Non.

– Semblait-elle... vous a-t-elle semblé vouloir se cacher?

Marcelle Ward Fayler se leva rapidement, mais le juge Franklin fut plus prompt qu'elle.

– Je vais permettre cette question, maître Fayler.

– Si elle essayait de se cacher, elle le faisait pas très bien, dit Dara. Elle est sortie en pleine rue... pour aller chercher des choses, je pense.

– Des choses?

Dara eut une petite toux embarrassée.

– Comme des... fournitures personnelles... euh... des serviettes hygiéniques. Je lui en aurais bien donné, mais j'en avais pas. J'ai pas... toutes mes parties.

– Lui avez-vous donné autre chose?

– Euh... elle m'a demandé de l'aspirine, mais j'en avais pas. Je... il me restait du Percocet que j'avais eu une fois où je m'étais fait mal et je lui en ai donné.

– Du Percocet. Est-ce un médicament?

– C'est contre la douleur.

Marcelle bondit.

– Objection, Votre Honneur. Le témoin n'a pas les qualifications...

– Je vais reformuler ma question, Votre Honneur, dit Jeffrey au juge. Madame Ridley, pouvez-vous s'il vous plaît dire à la cour pourquoi vous aviez utilisé ces comprimés?

– Comme j'ai dit, c'est contre la douleur.

– Et comment mademoiselle Staton a-t-elle réagi après avoir pris l'analgésique que vous lui avez donné ?

– Elle a dormi.

– Pouvez-vous nous dire combien de temps ?

– Deux ou trois jours à peu près. Elle était assommée. Elle faisait de la fièvre, ça je le sais.

– Madame Ridley, nous ferons venir un médecin pour témoigner des effets que le Percocet peut avoir sur une personne, mais serait-il juste de dire que mademoiselle Staton était dans un état de torpeur, à partir de ce que vous avez observé ?

– Comme j'ai dit, elle avait l'air complètement partie. Elle était... euh... indisposée... Elle était drôlement indisposée, répéta-t-elle, fière d'avoir trouvé le mot qu'elle cherchait.

– Pendant plusieurs jours.

– Ouais.

– Prenait-elle du Percocet tout ce temps ?

– ... Oui, finit-elle par dire, la tête basse.

– Combien lui en avez-vous donné ?

– Tout ce que j'avais. Elle allait vraiment mal, elle souffrait et elle était en sueur.

– Selon vous, madame Ridley, mademoiselle Staton semblait-elle sous l'influence de l'alcool ou de narcotiques quand vous l'avez rencontrée pour la première fois ?

– Objection.

– Je demande seulement au témoin de nous faire part de ses observations personnelles à ce moment-là, pas de nous bâtir une histoire de cas.

– Je vais permettre la question. Madame Ridley, vous pouvez témoigner seulement à propos de ce que vous avez personnellement observé au moment où vous avez fait la connaissance de l'accusée.

– Non. Autrement, elle aurait été en bien meilleur état qu'elle l'était, elle aurait pas souffert autant.

– Quand avez-vous vu mademoiselle Staton pour la dernière fois ?

– Je suis pas absolument sûre de la date.

– Le jour du 9 février, peut-être ?

– Ça se pourrait bien. Personnellement, je tiens pas un agenda.

– Allait-elle mieux ?

– Elle était capable de se lever. Je suppose qu'on pourrait dire qu'elle allait un peu mieux.

– Vous a-t-elle dit où elle allait ?

– Non. Mais elle a dit qu'elle devait retourner chercher quelque chose. C'est tout.

– Merci, madame Ridley. Votre Honneur, la défense n'a pas d'autres questions. »

Jeffrey fit un signe de tête à Marcelle en retournant derrière la table de la défense. Ses yeux rencontrèrent ceux de Leah et, sans qu'elle comprenne comment, son regard la rassura.

« Voulez-vous procéder au contre-interrogatoire du témoin ? » demanda le juge Franklin à Marcelle.

Elle boutonna sa veste en se dépliant. Leah s'imagina voir tomber le bouton et tenta d'obtenir la réalisation de son vœu par la seule force de sa volonté. Marcelle en perdrait-elle son sang-froid ?

« Bonjour, madame Ridley. Voudriez-vous s'il vous plaît expliquer à la cour quand et pourquoi ce Percocet – une substance prescrite sur ordonnance, un narcotique – vous a été prescrit ?

– Je... me rappelle pas. Ça fait bien longtemps. J'étais soignée par un médecin, évidemment. Après, j'ai gardé le reste longtemps.

– Et le nom du médecin?

– Je... m'en souviens pas.

– Selon votre expérience, est-il vrai que le Percocet est une drogue qu'on peut se procurer illégalement dans les rues du quartier Tenderloin?

– ... Je peux pas vous dire.

– Je suis certaine que vous ne pouvez pas, madame Ridley. J'en suis certaine. Pas d'autres questions, Votre Honneur. »

Un médecin vint témoigner sur les effets du narcotique. Il put également formuler des hypothèses sur l'intensité de la douleur qu'avait pu éprouver Alyssa en raison de son accouchement sans aide, des déchirures de son périnée constatées à l'hôpital et de son importante perte de sang. Leah imagina sa fille, étendue toute seule sur un carrelage dur et glacé, sous la cuvette de toilettes publiques. Elle s'efforça aussitôt d'effacer cette image.

Puis, le lendemain matin, Jeff appela Clara à la barre des témoins pour connaître le comportement d'Alyssa juste avant l'accouchement et prouver qu'elle avait l'air égarée.

« Je vais faire de mon mieux pour Alyssa, avait-elle dit à Leah.

– Je le sais, lui avait répondu Leah. Je sais aussi que la salle d'audience vous rappelle des souvenirs douloureux. Je vous remercie d'avoir accepté de témoigner. »

« Madame Edwards, voulez-vous s'il vous plaît décrire à la cour ce que vous avez observé chez Alyssa Staton pendant les mois et les semaines qui ont précédé le 4 février ? »

À la fin de ses phrases, Jeff haussait les sourcils, qui formaient alors une ligne presque horizontale. Leah s'était délibérément assise derrière la table de l'accusation pour pouvoir observer mieux le visage d'Allie et celui de Jeff pendant qu'il interrogeait les témoins.

Clara avait l'air imposant. Ses cheveux étaient relevés en un chignon discret, coiffure qui lui était inhabituelle et qui lui donnait l'air guindé. Ses pommettes hautes et délicates étaient soulignées par une touche de rose. Elle portait aussi du rouge sur ses lèvres minces.

« Oui, m'sieur. Je croyais qu'elle était malade.

– Pouvez-vous être plus précise ?

– Je voyais qu'elle prenait du poids. Elle avait l'air misérable. Très fatiguée et trop pâle.

– Vous en a-t-elle déjà parlé elle-même ? demanda Jeff.

Une de ses mains – plutôt petites pour un homme de sa stature – fit deux fois un geste, la paume vers le haut, comme pour suggérer que cela aurait pu être un sujet de conversation normal entre Alyssa et Clara.

– Non, m'sieur.

– Vous a-t-elle déjà mentionné qu'elle était enceinte ?

– Non.

– Aviez-vous entre vous le genre de relation qui permet ce type de confidence ?

– Oui, nous avions – nous avons – ce genre de relation, mais je suis pas certaine qu'elle le savait, dit Clara.

Jeff fit une pause pour laisser au jury le temps d'assimiler cette remarque.

– Le matin du 4 février dernier, reprit-il, avez-vous eu l'occasion de voir l'accusée ?

– Oui.

– Pouvez-vous décrire cette rencontre à la cour ?

– Son chien aboyait et grattait à la porte. C'est pas le genre d'Alyssa... elle prend toujours bien soin de son chien. J'ai frappé pas mal longtemps avant qu'elle vienne à la porte. Puis elle a pas voulu me laisser entrer parce qu'elle était malade. J'ai remarqué que le chien avait... fait ses besoins sur le plancher. Je lui ai demandé si ça allait.

– Que vous a répondu l'accusée ?

– Elle a dit qu'elle était malade, répéta Clara.

– Qu'avez-vous fait alors ?

– Je lui ai dit que je sortirais le chien pour le faire marcher un peu et que je prendrais soin de lui à sa place.

– Madame Edwards, pouvez-vous dire à la cour si l'accusée avait seulement l'air d'une personne qui ne se sent pas bien ?

– ... Non m'sieur. Elle parlait trop lentement, et j'ai pensé qu'elle était très malade. Qu'elle devait souffrir beaucoup.

– Étiez-vous inquiète ?

– Oui. Mais elle voulait pas que je l'aide.

– Dites-nous maintenant, madame Edwards, à ce moment-là, Alyssa Staton vous a-t-elle semblé quelqu'un en pleine possession de ses esprits ?

– Objection, Votre Honneur. Le témoin n'est pas une experte en ce qui concerne... »

Marcelle faisait chacune de ses objections d'un ton aussi dramatique que s'il s'agissait de sa dernière occasion, durant toute sa vie, de s'opposer à quoi que ce soit. C'était vraiment agaçant.

« Je demande seulement l'opinion personnelle du témoin, Votre Honneur. Ce qu'elle a observé, dit calmement Jeff.

– Je vais permettre la question, maître Fayler. Le témoin peut répondre. »

Le juge Franklin regarda de nouveau au-dessus de ses lunettes de lecture. Quand il baissait ainsi le menton vers sa poitrine, ses sourcils formaient une saillie au-dessus de ses yeux. Cette habitude avait aussi formé des replis dans son cou.

« Non, elle avait pas toute sa tête. J'ai vu juste son visage parce qu'elle avait pas ouvert la porte toute grande, mais elle avait l'air hébétée.

– L'air hébétée ? Pouvez-vous être plus précise ?

– Elle avait l'air... euh... perdue... elle trouvait pas ses mots. »

Leah s'aperçut que le témoignage de Clara n'avait pas été répété. Bien. Laissons le jury entendre une femme honnête, s'apercevoir que tout n'était pas aussi simple que Marcelle Ward Fayler voulait le leur faire croire.

« Merci, madame Edwards. »

Jeff était poli sans être flagorneur. Cela plaisait à Leah. La nuit précédente, elle avait rêvé de lui, rêvé qu'il lui examinait les dents. Elle était dans un fauteuil de dentiste et il touchait ses dents l'une après l'autre, comme si elle avait été une petite fille et qu'il avait voulu vérifier si elle en avait qui étaient branlantes. Doucement. Si doucement. Il avait trouvé un vieux reste de nourriture coincé entre deux d'entre elles, un débris que le brossage aurait dû enlever. Il l'avait retiré sans lui faire honte devant les gens qui se pressaient derrière lui. Merci, avait-elle murmuré dans son rêve. Ce n'est rien, avait-il répondu avec son geste habituel de dénégation. Il ne se surestimait jamais et ne laissait pas les autres le faire.

C'était comme Bob, pensait Leah. Il l'avait appelé quatre ou cinq fois, pas trop souvent, pour savoir comment elle allait. C'était évidemment Cory qui lui avait donné son numéro de téléphone, mais Leah s'était aperçue qu'elle ne lui en voulait pas.

« Je n'ai pas d'autres questions pour le témoin, Votre Honneur », dit Jeff.

C'était le tour de Marcelle. Elle se leva, mais resta derrière la table de l'accusation. Elle était toujours pareille, un tailleur bien coupé avec une jupe droite aux genoux, la veste par-dessus un corsage assorti, un collier discret. Des boucles d'oreilles, souvent avec des perles. Tout ce qu'elle portait était bien assorti, toujours bien agencé, ce qui fascinait Leah et la faisait enrager en même temps. Quelqu'un avec une si parfaite maîtrise d'elle-même, une telle discipline ! Jusqu'à la façon dont les boucles de ses cheveux tombaient. Leah passa les doigts dans les siennes, beaucoup moins disciplinées, puis les appuya sur son front, un peu comme quand elle avait la migraine. Elle prit une grande inspiration. La défense avait peu de témoins, surtout par comparaison avec l'accusation qui avait fait parader policiers, détectives et médecins. Jusqu'à maintenant, il n'y avait eu que Dara. Jeff l'avait fait témoigner avant Clara parce qu'il craignait qu'elle change d'idée et disparaisse dans les bas-fonds de sa ville.

« Madame Edwards, commença Marcelle, vous avez affirmé que vous pensiez que l'accusée était malade depuis un certain temps avant le 4 février. C'est bien cela ?

– Oui.

Clara n'ajouta pas le “m'dame” comme elle avait servi du “m'sieur” à Jeffrey.

– Et vous affirmez qu'elle ne vous en a jamais parlé.

– Oui.

– Mais vous, madame Edwards ? Tout le temps que vous la pensiez "malade", comme vous dites, lui en avez-vous parlé ?

– Oui.

– Que lui avez-vous dit précisément ?

– Je lui ai dit que je croyais qu'elle devrait aller au centre médical ou voir un docteur ailleurs, dit Clara.

– Pensiez-vous qu'elle était enceinte, madame Edwards ?

– Je savais pas. J'y ai pensé, mais je savais pas.

– Je vois. Et quand elle était si "malade", comme vous dites, le matin du 4 février, et qu'elle avait l'air "hébétée", toujours comme vous dites, avez-vous pensé à lui procurer les soins d'un médecin ?

Elle répétait l'expression "comme vous dites" sur un ton ironique.

Clara hésita avant de répondre.

– Je pensais qu'elle en avait besoin, mais... non.

– Peut-être parce que vous saviez ce qui se passait – qu'elle était sur le point d'accoucher – et qu'elle cacherait probablement la naissance de son bébé. Qu'elle s'en débarrasserait même, peut-être.

– Objection !

Cette fois, Jeff bondit rapidement sur ses pieds.

– Ce n'est pas une question, poursuivit-il.

– Objection retenue.

– Aviez-vous une idée de ce que mademoiselle Staton voulait faire ? Est-ce la raison pour laquelle vous vous êtes chargée de son chien, afin qu'elle puisse s'éclipser pour avoir son bébé et le tuer ?

– Non !

Le visage et la voix fermes, mais calmes, pas outragés.

– Avez-vous appelé pour avoir l'aide d'un médecin, madame Edwards ?

– Non.

– Alors, peut-être mademoiselle Staton n'avait-elle pas l'air aussi malade et aussi abrutie que vous l'avez dit ?

Pas de réponse.

– Vrai ou faux, madame Edwards ?

– J'avais pas à en faire plus que ce qu'elle me demandait, dit Clara.

Son ton, toujours ferme, parut crédible à Leah.

Mais Marcelle ne la lâchait pas.

– Madame Edwards, voulez-vous faire croire à cette cour que, si vous étiez témoin d'un accident, vous n'appelleriez pas pour avoir de l'aide à moins qu'une victime hébétée et blessée ne vous le demande clairement ? Que vous ne vous serviriez pas de votre propre jugement ?

Jeffrey repoussa sa chaise avec fracas.

– Objection. Question hypothétique.

– Je retire ma question. Madame Edwards, c'est vous qui avez appelé la mère de l'accusée, plusieurs jours plus tard, et lui avez suggéré de prendre l'avion pour traverser le pays jusqu'ici, n'est-ce pas ?

– Oui.

– L'accusée vous avait-elle demandé de le faire ?

– Non.

– Donc, il vous arrive de faire une chose qu'on ne vous a pas demandé de faire.

– Oui.

– Et avez-vous appelé la mère de l'accusée parce que vous la pensiez toujours malade ?

– J'étais inquiète.

– Inquiète qu'elle puisse avoir des ennuis ?
– Oui.
– Vous est-il passé par l'esprit qu'elle pouvait être la mère du bébé du métro, comme la presse appelait le nouveau-né trouvé mort dans une boîte à ordures de la station de Shattuck Avenue ?
– Oui.
– Et vous pensiez qu'elle avait besoin de l'aide de quelqu'un de connu pour s'en tirer ?
– Objection ! La question est...
– Je retire la question, Votre Honneur. J'en ai terminé avec ce témoin. »

Les médias ne pouvaient ni ne voulaient la laisser tranquille. Sans que Leah sache pourquoi – elle avait l'impression qu'il ne restait plus le moindre secret pour personne à son sujet ou à celui de sa fille – l'information avait circulé que l'avocat d'Allie la rappellerait à la barre des témoins. Toutes ses allées et venues étaient suivies par des caméras, des microphones et des minicassettes.

« Pas de commentaires, ne cessait-elle de répéter.

– Ne vous laissez pas démolir par ces salauds », lui dit Jeffrey Earle dans une salle de réunion du palais de justice, la veille du jour où elle devait témoigner pour la défense.

Il avait posé son veston sur le dos de sa chaise et roulé les manches de sa chemise bleue à des hauteurs différentes, ce qui agaçait Leah. Elle l'aurait souhaité aussi discipliné et maître de lui-même que le procureur. Elle savait même qu'il avait un serpent noir en plastique dans la poche de son pantalon. Il l'en avait fait sortir accidentellement en même temps que son porte-monnaie quand il avait pris de l'argent pour acheter des sodas au distributeur de boissons. Chaque fois qu'elle commençait à croire qu'il conduisait ce procès aussi bien que l'aurait fait n'importe quel avocat célèbre, quelque chose venait la choquer.

« C'est pourtant ce qu'ils font, répliqua sèchement Leah. Je suis désolée. Je ne veux pas vous ennuyer avec cela. Je veux seulement...

– Je sais, dit-il. Moi aussi. Alors finissons-en. Je vais essayer de défaire le travail de Marcy. Elle me déteste quand je fais cela », ajouta-t-il avec un sourire moqueur.

La lumière au plafond se reflétait sur sa calvitie qui semblait briller d'elle-même. *Si seulement*, songea Leah.

« Elle a réussi à me faire très mal paraître, mais le pire, c'est l'image négative qu'elle a réussi à donner d'Allie. C'est vrai que j'ai menti. Malheureusement, même si je l'avais souhaité, cela n'a pas donné grand-chose. »

Les yeux de Leah se remplirent d'eau, mais elle reconnut dans son nez le picotement précurseur des larmes et elle se retint.

« Écoutez. Ne vous découragez pas. Nous avons un bon juge. Il est juste. Et je sens que le jury veut des explications, des moyens pour l'aider à comprendre. Tout va dépendre d'Alyssa. C'est ce qui nous fera réussir ou échouer. Les jurés doivent entendre de sa propre bouche ce qui s'est passé. Ni vous ni moi ne pouvons le faire à sa place. C'est au plus profond d'elle-même. Si seulement elle peut leur faire assez confiance pour le leur révéler.

– Bon. Je vais mieux, dit Leah en haussant les épaules pour inspirer et en se redressant.

– Revoyons maintenant votre témoignage. Demain va venir plus vite qu'on ne le croit », dit-il en sortant un bloc-notes de son porte-documents et en prenant un stylo-bille, prêt à écrire.

« La défense appelle de nouveau Leah Rhee Pacey à la barre, Votre Honneur. »

Jeff lui fit décrire dans le moindre détail la visite d'Allie à Thanksgiving. Non, elle n'avait pas cru sa fille enceinte. Non, elle n'avait observé ni signe ni symptôme. Allie avait toujours eu tendance, jusqu'à maintenant du moins, avait-elle précisé en regardant sa fille assise à la table de la défense, à être grasse. En particulier quand elle subissait un stress, ce qui, avait pensé Leah, devait être le cas à l'université de Californie, surtout sur le campus de Berkeley. Non, elle n'avait pas paru vouloir rien cacher à sa mère. D'ailleurs, elles étaient allées acheter des vêtements ensemble.

Pour l'audience, Leah portait une simple robe noire sous un blazer beige en coton et lin. C'était une tenue neuve, qu'elle avait achetée exprès pour l'occasion, mais elle essayait de n'en rien laisser paraître. Pour attacher ses cheveux, une grosse barrette noire et beige. Pas de bijoux, sauf des boucles d'oreilles carrées noir et or.

« Habillez-vous simplement, n'ayez pas l'air d'une artiste, lui avait dit Jeff. Les gens pensent que les artistes sont tous des bluffeurs.

– Eh bien, ce n'est pas le cas, avait-elle protesté. Un vrai artiste est honnête, sinon ses œuvres n'ont pas de succès.

– Je vous crois, avait répondu Jeff d'une voix douce. Je vous crois. »

Leah aimait bien cet homme. Sans artifice, sans flagornerie.

Il lui fit reparler de la serviette. La maudite serviette avec un monogramme. Oui, elle avait menti à la police. Non. Elle ne croyait pas que sa fille avait fait un tel geste. Ce geste ne correspondait pas à ce qu'on pouvait attendre de sa fille, telle qu'elle la connaissait. Au contraire, toute cette histoire était inconcevable. Elle avait peur. Elle était convaincue qu'il s'agissait d'une terrible méprise.

« Pourtant, vous avez déjà témoigné avoir cru que votre fille était allée à son appartement, en votre absence, ce même jour, n'est-ce pas ? lui demanda perfidement Marcelle.

– Oui.

– Avez-vous donné cette information à la police ?

– Non.

Leah essayait de ne pas trahir son malaise. Marcelle était trop près d'elle. Elle lui volait son air. Leah sentait le besoin de se reculer pour prendre une grande inspiration, mais elle ne voulait pas donner l'impression de céder devant l'avocate.

– Pourquoi ?

– Par... par instinct.

– Par instinct ? Je ne suis pas certaine de vous comprendre, madame Pacey.

Leah hésita. Elle réfléchit.

– Pour la protéger.

– Je ne comprends pas. Pourquoi sentiez-vous le besoin de la protéger si vous trouviez inconcevable qu'elle ait accouché en secret et tué son bébé ?

– Les choses ne sont pas si simples. Je ne savais pas ce qui se passait. J'essayais seulement de lui donner un peu de temps... et de m'en donner aussi. Comme pour me placer entre elle et... le danger... jusqu'à ce que je sois certaine qu'elle ne courait pas de risque. Comme toutes les mères, conclut-elle faiblement.

– Comme toutes les mères ? répéta Marcelle d'un ton incrédule. C'est bien malheureux que votre fille n'ait pas eu ce même instinct. Pas d'autres questions, Votre Honneur. »

Le docteur Stojanovic était le dernier témoin de la défense, avant Allie elle-même. Jeff demanda un ajournement pour le déjeuner plus tôt que d'habitude – sans objections de Marcelle, à sa grande surprise – pour que le psychiatre puisse commencer son témoignage devant des jurés reposés.

« Mais ça peut tout aussi bien se retourner contre nous », dit-il à Leah dans le couloir.

Ce jour-là, Jeff portait des lunettes, des verres plutôt épais dans une monture en métal doré qui paraissait trop légère. Il devait habituellement porter des lentilles cornéennes.

« Les jurés aiment parfois faire la sieste après le déjeuner.

Avec les lunettes, Leah avait de la difficulté à lire son regard où elle trouvait habituellement du réconfort.

– Au sens propre ? »

Leah, qui observait fréquemment le jury, avait l'impression qu'elle l'aurait remarqué si cela avait été le cas. Quelquefois, elle surprenait un juré qui examinait ses ongles ou qui cherchait un mouchoir dans sa poche, mais leurs visages étaient généralement impassibles. Sauf évidemment quand l'accusation avait montré des photos du bébé, entouré d'une serviette et couché dans un berceau improvisé sur le dessus d'une boîte à ordures. Sur les photos suivantes, on le voyait nu, puis on voyait un gros plan du cordon ombilical non suturé et asséché. Quelques jurés, des femmes surtout, prenaient un air compatissant en regardant Allie. Leah essayait de les influencer en répétant dans sa tête : *non coupable, non coupable, non coupable*, tout en essuyant les larmes sur son visage avec un mouchoir en papier.

Le bébé avait les cheveux noirs, une réplique d'Allie si pâle à sa naissance, avec le même visage presque lisse dans un sommeil placide.

« Eh bien, pas au sens propre. Leur esprit vagabonde ou ils dorment les yeux ouverts. Mais si le déjeuner est retardé et qu'ils ont faim, ils deviennent enragés. Et devinez qui ils blâment? demanda-t-il avec un sourire. Ne vous inquiétez pas. Si le juge les sent trop distraits, il va ordonner un ajournement. Franklin est un bon juge. »

Le docteur Stojanovic avait meilleure allure que les deux fois où Leah l'avait rencontré. Il portait un complet marine et une belle cravate imprimée rouge. Mieux encore, sa cravate n'était pas rentrée dans son pantalon et ses cheveux gris vaporeux, trop longs, et sa barbe étaient bien peignés. Leah s'imagina que c'était la femme du docteur qui l'habillait les jours où son apparence pouvait avoir de l'importance.

Comme aujourd'hui, supposa-t-elle. Sur le témoignage du docteur et sur celui d'Alyssa elle-même reposaient tous les espoirs de la défense. *Soyez fort, soyez fort, soyez fort.*

« Docteur Stojanovic, dit Jeff après lui avoir fait énumérer ses diplômes et ses expériences de travail, voudriez-vous nous décrire la nature et la durée de votre relation avec l'accusée? »

Après s'être raclé la gorge, le docteur précisa qu'il avait passé vingt et une heures avec l'accusée, ce qui était exceptionnel. Il avait aussi consulté les résultats de ses tests psychologiques. Oui, son opinion était qu'elle comprenait la nature des accusations portées contre elle, qu'elle connaissait la différence entre le bien et le mal et qu'elle était capable de participer à sa propre défense. Comme la psychiatre de l'État, il la jugeait apte à subir son procès.

« Ce qui n'exclut pas des conditions psychiatriques significatives dont il faut tenir compte, ajouta le docteur Stojanovic.

– Nous y reviendrons », dit Jeff.

Des tests d'aptitude scolaire, antécédents aux événements, démontraient son quotient intellectuel exceptionnel, rapporta le docteur sans consulter le dossier qu'il avait posé sur la barre devant lui. Oui, il avait eu accès à l'histoire sociale établie par une travailleuse sociale et en avait discuté les principaux éléments avec elle : la relation de ses parents entre eux et avec Alyssa, ses expériences scolaires, les problèmes de santé de sa grand-mère et son installation dans la maison où vivaient Alyssa et sa mère. La mort d'Esther Rhee Pacey. Les amis d'Alyssa – non elle n'avait pas l'esprit grégaire et elle était peut-être trop sensible. La réaction d'Alyssa aux succès professionnels récents de sa mère. Succès qui avaient aussi contribué à amoindrir son estime de soi.

Malgré elle, en dressant la liste de tout ce qu'elle avait remis à plus tard pour élever sa fille, les yeux de Leah se remplirent de larmes.

« De façon générale, diriez-vous qu'Alyssa Staton était une enfant et une jeune femme heureuse?

– Non. »

Leah n'avait jamais vécu un tel désespoir. Ni à la mort de son père, alors qu'elle avait dû renoncer à son départ pour l'université. Ni quand elle changeait des draps et des chemises de nuit souillés de diarrhée. Ni quand elle se battait avec le tube à perfusion pendant que sa mère se mourait dans le lit d'hôpital qui semblait avoir pris toute la place dans sa maison. Après avoir subi tout cela, avoir quand même échoué ! Lamentablement échoué.

« Docteur, avez-vous trouvé des preuves de maladies mentales ?

– Pas de maladie mentale dans le sens d'un désordre psychotique qui la rendrait inapte à subir son procès.

– Avez-vous noté d'autres types de désordres mentaux ou émotionnels ?

Jeff avait l'air plus grand que d'habitude, droit et mince comme un échalas, à côté du docteur, trapu et rondelet à la barre des témoins.

– L'accusée souffrait d'une dépression sévère tout le temps que je l'ai vue. À mon avis, cette condition existait avant son accouchement et a empiré par la suite. J'imagine que tout a commencé par des problèmes d'adaptation avec une humeur dépressive. Peut-être pendant la maladie terminale de sa grand-mère ou peut-être à son départ pour l'université. Elle a probablement vécu aussi des épisodes de dépression sévère pendant cette période.

– Pouvez-vous nous décrire les signes et les symptômes qui vous ont mené à ce diagnostic ?

– Des temps de sommeil trop longs, une prise de poids importante l'année dernière suivie d'une perte de poids postnatal excessive, un repli sur soi, une humeur triste persistante, un manque d'intérêt pour ses activités normales... Je détecte aussi au moins un désir passif de suicide quand la patiente dit que les choses iraient sans doute mieux si elle était morte. Et de la culpabilité.

Le docteur Stojanovic ne semblait pas s'apercevoir qu'une mèche de ses cheveux gris était tombée sur son œil. Pendant qu'il gesticulait en énumérant la liste des symptômes, ses lunettes avaient aussi glissé sur son nez.

– Tous ces symptômes vous amènent-ils à parler de maladie mentale ?

– Le *Manuel de diagnostic et de statistiques* de l'Association américaine de psychiatrie ne parle pas de maladie mentale dans un cas comme celui-ci, mais de désordres. Oui, la dépression clinique est un désordre mental sérieux.

– Mais l'accusée n'est pas folle ? »

Marcelle se leva.

« Votre Honneur, le cas de la folie est réglé depuis longtemps. »

Jeff adressa sa réponse au juge.

« Votre Honneur, il est question ici d'état mental, pas de santé mentale. Je vais montrer la pertinence de ma question.

– D'accord. Objection rejetée. »

Oui, souffla Leah. Clara était à côté d'elle, au cas où Allie serait appelée à témoigner ce jour-là. Elle tendit la main et serra brièvement celle de Leah. Celle-ci ne s'était pas aperçue qu'elle avait prononcé le mot en expirant.

« Laissez-moi vous poser la question ainsi, docteur. Vous êtes d'accord avec la décision de la cour de considérer que l'accusée est saine d'esprit ?

– Je le suis.

– Mais vous avez aussi trouvé la preuve d'un désordre mental important.

– C'est exact. Comme d'ailleurs, me semble-t-il, la psychiatre de l'État.

– Voilà où je veux en venir. Le désordre mental impliqué dans la dépression peut-il compromettre le jugement d'une personne ?

– Certainement, dit le docteur d'un ton catégorique.

– Il est donc juste de dire que, même si l'accusée est saine d'esprit dans le sens qu'elle est capable de distinguer le bien du mal, son jugement a pu être affecté par sa dépression ? En d'autres mots, elle a pu prendre des décisions qu'elle n'aurait pas prises en l'absence d'une dépression. Est-ce juste ?

– À mon avis, oui.

– Pouvez-vous expliquer de quelle façon son jugement peut avoir été compromis ?

– Les gens qui souffrent d'un désordre dépressif, ou de dépression clinique, voient souvent les situations comme désespérées. La plupart des gens connaissent les gestes qu'ils auraient intérêt à poser, pas le patient. Non qu'il ne le veuille pas. Il ne le peut pas. Dans le cas de mademoiselle Staton, elle aurait pu, par exemple, chercher de l'aide auprès de sa mère. Peut-être auprès de son père, mais certainement auprès de sa mère, qui a toujours été pour elle une source sûre de soutien et d'aide. »

Pendant l'exposé du docteur Stojanovic, Clara tendit la main pour tapoter celle de Leah.

« Elle était incapable, poursuivit le docteur, de trouver, comme une personne raisonnable l'aurait fait, une ligne de conduite avisée.

– Croyez-vous, docteur, que le geste de mademoiselle Staton était prémédité ?

– Non. Je crois que mademoiselle Staton n'était consciente d'être enceinte que de façon intermittente et accessoire. Inhibée par une absence presque totale de conscience de la situation, poursuivit-il en hochant la tête, elle la trouvait si désespérée et paralysante qu'elle n'a tout simplement pas réussi à élaborer le moindre plan. Pas le moindre. La meilleure façon de décrire son comportement serait probablement le refus.

– À présent, un autre aspect de la question, docteur. Si Alyssa Staton avait été traitée pour sa dépression, l'issue aurait-elle été différente ?

– Fort probablement. La médication lui aurait presque certainement été bénéfique, comme la psychothérapie d'ailleurs.

– À l'heure actuelle, mademoiselle Staton prend-elle des médicaments ?

– Oui. Elle prend cent milligrammes de Zoloft, un médicament antidépresseur, un inhibiteur sélectif du recaptage de la sérotonine.

Jeff ajusta ses lunettes. Leah était certaine qu'il ne les portait pas souvent parce qu'elles étaient instables.

– Et comment décririez-vous, docteur, la personnalité de mademoiselle Staton, abstraction faite de la dépression ? Pouvez-vous en déterminer certains aspects ?

– Je crois qu'elle est sensible aux fautes. Le cœur tendre. Blessée. Un peu en colère à cause de ses blessures. Complexée. Timide. Elle veut plaire aux autres, mais ne croit pas en être capable.

– Pouvez-vous nous aider à comprendre l'état émotionnel actuel de mademoiselle Staton ?

– Elle est encore déprimée.

– Diriez-vous qu'elle éprouve du remords ?

Le docteur hésita.

– Je dirais qu'elle est tourmentée par un sentiment de culpabilité et qu'elle éprouve du remords, nonobstant le fait qu'elle n'a aucun souvenir affectif de son accouchement.

– Pas de souvenir affectif ?

Jeff feignait délibérément de ne pas comprendre, pour le jury.

– Pas de mémoire affective. Ce qui veut dire pas de souvenir émotionnel, pas de souvenir de sensations. En d'autres mots, elle croit que c'est arrivé, elle a même un vague souvenir intellectuel de la scène, mais c'est comme une zone morte à l'intérieur d'elle. J'imagine que c'est le dernier vestige du refus.

– Alors, quand vous l'avez rencontrée, l'accusée ne se rappelait pas son accouchement et n'avait aucun souvenir du bébé, mais elle ne niait quand même pas les faits ?

Jeff avait donné une légère intonation d'incrédulité à sa voix. Leah s'en sentit mal à l'aise, mais il lui avait dit qu'il devait parfois poser les questions que les jurés se posaient probablement et prévenir la réaction sceptique de certains d'entre eux.

– C'est exact. Selon moi, elle est profondément accablée d'avoir effacé un souvenir qu'elle croit, sur un certain plan, ne pas pouvoir supporter.

– Mais docteur, dit Jeff en feignant de nouveau l'incompréhension, si elle ne veut pas s'avouer qu'elle a été enceinte et si elle ne se rappelle pas son accouchement, pourquoi ne nie-t-elle pas que c'est arrivé ?

– Parce qu'elle nous croit... dit le docteur. Les mécanismes sont un peu différents. Elle n'a pas ignoré complètement sa grossesse. Elle était déprimée et désespérée, elle se sentait horriblement seule et elle a simplement évité de considérer la chose. Elle a refusé l'obligation qu'elle avait de s'en occuper, si vous voulez. Mais, en ce qui concerne l'accouchement, nous pouvons actuellement supposer que la douleur, la peur, le fort traumatisme d'un accouchement sans aide, tout cela était... est... tellement terrible qu'elle l'a simplement occulté de sa mémoire consciente.

Leah regarda Allie qui, la tête baissée, examinait ses mains, croisées l'une sur l'autre. *Lève les yeux, Allie,* essaya de la convaincre silencieusement Leah. *Montre-leur que tu as des émotions.*

– Un peu comme un robot?

– Un peu comme un robot. Je crois que pendant cet événement elle a fait de la dissociation, ce qui n'est pas une réaction si rare.

– De la dissociation? demanda Jeff.

– Se détacher de ce qui se passe autour de soi. Ne pas s'en rendre compte ni le traiter sur le plan émotif. C'est en fait un mécanisme de survie, même si ce n'en est pas un des plus efficaces.

Il déplaça son poids et le mouvement de son corps donna l'impression qu'il avait croisé les jambes.

– Alors... voulez-vous me dire si j'ai raison, docteur? Votre principale impression est qu'Alyssa Staton a souffert et souffre encore d'une dépression, un état qui a sérieusement altéré sa capacité d'analyser les circonstances dans lesquelles elle se trouvait et de prendre des décisions éclairées. Elle ne souffre pas de maladie mentale, reprit Jeff après avoir consulté ses notes, pourtant elle a d'abord refusé de reconnaître qu'elle était enceinte et elle a été trop traumatisée pour se rappeler l'accouchement.

– Pas encore, précisa le docteur. Elle ne peut pas encore se le rappeler. Je crois que cela viendra, à mesure qu'elle en sera capable. Peut-être un peu à la fois.

– ... trop traumatisée pour se rappeler son accouchement, pour le moment du moins. Est-ce que je résume bien votre témoignage?

– Oui.

– Aimeriez-vous ajouter autre chose ?

– Eh bien... seulement qu'elle est une... une jeune femme très aimable.

Il regarda Alyssa, assise à la table de la défense, derrière Jeff.

– Elle a beaucoup de qualités, reprit-il. Elle se croit une mauvaise personne, mais elle ne l'est pas.

– Objection, Votre Honneur. L'impression personnelle du docteur par rapport à l'accusée n'est pas pertinente.

– Retenue.

– Je n'ai pas d'autre question, Votre Honneur, dit Jeff au juge. Votre témoin », dit-il ensuite à Marcy d'un ton courtois.

Marcelle, grandie par ses talons hauts et intimidante dans son tailleur strict, avec ses bandeaux brillants, cuisina méthodiquement le docteur. Sans grand succès, sembla-t-il à Leah. Il était imperturbable.

« Docteur, comment savez-vous que l'accusée vous dit la vérité quand elle prétend ne pas se rappeler son accouchement ?

– Parce que c'est cohérent avec ses tests psychologiques – elle a tendance à s'abstraire des situations difficiles, conflictuelles ou désagréables – et parce que sa crédibilité est grande.

– Mais elle pourrait vous mentir.

– Tout est possible, mais je ne crois pas que ce soit le cas. Si mademoiselle Staton avait menti, elle se serait efforcée de me donner une réponse qui m'aurait plu. C'est, avec le retrait, sa façon préférée de se comporter dans une situation douloureuse ou conflictuelle.

– Dites-vous que cela vous aurait plu qu'elle retrouve la mémoire ?

– Bien sûr. C'est dans le meilleur intérêt de mademoiselle Staton de se rappeler les événements et de les traiter, pas de les occulter.

Le docteur regarda de nouveau Alyssa.

– Elle n'est pas certaine, au fond d'elle-même, d'être capable d'y arriver, reprit-il, mais elle est forte et je suis certain qu'elle va y parvenir.

Marcy se plaça entre le docteur Stojanovic et Alyssa, pour les empêcher de se voir.

– Dans le même ordre d'idées, docteur, vous l'avez également crue quand elle vous a dit qu'elle n'avait pas planifié, ni activement ni passivement, de donner la mort à son bébé ?

– C'est exact.

– Et qu'elle n'était pas... avez-vous dit consciente ?

Marcelle recula de plusieurs pas jusqu'à la table de l'accusation pour consulter un bloc-notes jaune sur lequel elle avait continuellement gribouillé pendant que Jeff interrogeait le docteur.

– Qu'elle n'était pas consciente de sa grossesse ? Vous croyez cela ? lui demanda-t-elle ensuite.

– Oui. Mais je crois que j'ai parlé de refus, ce qui est passablement différent.

– Oui. Mais comment expliquez-vous les mocassins de bébé qui ont été présentés par l'accusation comme la pièce à conviction numéro six ?

– Je ne peux pas les expliquer spécifiquement. Mais...

– C'est tout, l'interrompit Marcelle. Merci de votre témoignage, docteur Stojanovic. »

Chapitre 21

« À toi de décider, Alyssa », lui dit Jeff quand elle eut troqué son tailleur brun contre son costume orange de détenue.

Dans le calme du palais de justice vide, il attendait avec elle les policiers chargés de son transfert, une habitude qu'il avait prise depuis quelques jours. « Chambre de décompression », lui avait-il répondu en riant quand elle lui avait demandé pourquoi il ne partait pas dès la fin de l'audience, comme Marcelle, aussi vite que si un coup de l'horloge menaçait de la transformer en citrouille.

Alyssa empêchait ses chaînes aux poignets et à la taille de tinter en immobilisant les épaules et en bloquant les coudes. Il est assez facile de se mettre soi-même en prison, avait-elle appris. Même sans chaînes et sans barbelés, on peut s'enfermer en soi, emprisonner son cerveau sous une chape de plomb et disparaître à jamais. Selon le témoignage du docteur Stojanovic devant le jury, elle oblitérait les choses qu'elle refusait de savoir et elle fuyait les gens qu'elle ne voulait pas voir. Elle ne reconnaissait pas ces mécanismes de refus et ne les maîtrisait pas, leur avait-il affirmé en les voyant se tortiller sur leurs sièges, apparemment peu convaincus par le charabia psychologique utilisé par le docteur pour expliquer le comportement d'Alyssa Staton. « Traumatisée », avait-il dit. « Pas de mémoire affective. »

Elle était en prison avant d'y être, avait-elle dit à Joey la veille. En passant devant sa cellule, juste avant l'extinction des lumières, il l'avait trouvée qui pleurait à chaudes larmes. Elle avait purgé une peine que les ordinateurs de la prison ne comptabiliseraient jamais. Pourtant, elle avait toujours méprisé les gens qui trouvaient toutes sortes d'excuses pour ne pas être tenus responsables de leur comportement. Si elle avait été un juré, elle se serait tortillée, elle aussi, et aurait exprimé son incrédulité en regardant ailleurs ou en feignant un urgent besoin de trouver quelque chose au fond de sa poche.

« Je vais témoigner, dit-elle à Jeff en haussant les épaules, ce qui fit cliqueter les chaînes qui liaient ses poignets à sa taille. Mais si je ne peux pas...

– Le jury mérite d'entendre tout ce que tu pourras te rappeler. »

Il prit ses mains dans les siennes et pressa des doigts les menottes contre ses os, les os carpiens, à la face extérieure de ses poignets. Elle était maintenant aussi maigre que la fée Carabosse, toute en os et en ecchymoses. Des os, des ecchymoses et l'horreur des images qui lui revenaient et la fuyaient pendant son sommeil artificiel, comme si elles surgissaient d'un projecteur de diapositives déréglé. Le docteur Stojanovic avait dit que le Restoril la ferait dormir, mais les deux pilules qu'elle avalait chaque soir, après le dîner, sous le regard attentif d'Ostrom, la plongeaient dans un état plus proche de la paralysie que du sommeil. Le matin, quand le bourdonnement du système d'éclairage de la prison la réveillait, elle se rappelait ces visions – ces hallucinations ? – qui la poursuivaient à son réveil, aussi accablantes que les kilos de graisse qu'elle continuait à perdre. Puis, après un petit déjeuner qu'elle avalait en s'étouffant et qui n'était qu'un prologue au comprimé de Zoloft prescrit par le docteur Stojanovic, les visions disparaissaient et la laissaient légère, vide.

« Alyssa ? lui lança Jeff quand elle se retourna pour suivre l'officier dans l'ascenseur. Je serai avec toi à chaque instant. »

Elle lui fit un signe de tête affirmatif. Elle savait qu'il le serait. Jeffrey, avec ses dinosaures en caoutchouc et ses serpents en plastique, sa gentillesse non feinte qui charmait presque tout le monde dans les corridors du palais de justice. L'huissier, le greffier et même Marcelle Ward Fayler quand, redevenant Marcy, elle faisait une course contre la montre et dévalait l'escalier à toute allure parce que les ascenseurs étaient trop lents.

« Ta maman aussi », dit-il pendant que les portes se refermaient et qu'elle ne le voyait presque plus.

Oui. Leah aussi. À chaque instant.

Le même soir, à près de vingt et une heures, dans le tube, Alyssa demanda à sa mère pourquoi elle était venue à la prison alors qu'elle n'y était pas obligée puisqu'elles allaient se revoir le lendemain.

« Juste comme ça, répondit Leah. Et pour te dire que j'ai donné un autre tailleur à Jeff... pour demain, ma chérie.

– Maman. Je ne fais pas mes débuts.

– Non, bien sûr... mais je ne pouvais pas rester assise là et te voir... tu es si mince, tu flottes dans l'autre, mon trésor, j'ai seulement...

– Ce n'est pas un défilé de mode non plus. Je ne recevrai pas de points pour la coupe de mes vêtements.

– Oh, Allie... je l'ai fait pour moi. »

Les cheveux épais et indisciplinés de Leah, maintenant plus longs que ceux d'Alyssa, étaient détachés, puisqu'elle n'était plus en représentation dans la salle d'audience. Une mèche s'était enroulée dans les anneaux d'un pendant d'oreille en argent, identique à la paire qu'elle avait vue sur l'étalage en velours d'un vendeur dans Telegraph Avenue, à côté des bracelets et des colliers en argent. Sa mère allait se faire mal si, sans le savoir, elle retirait sa boucle d'oreille ou passait un peigne dans ses cheveux. Sans la vitre entre elles, Alyssa aurait tendu la main et dégagé la mèche noire des anneaux sans abîmer un seul cheveu. La boucle d'oreille se serait alors balancée librement et sa mère n'aurait plus couru de risque.

« Maman ?

– Oui, ma chérie ?

Leah redressa la tête, qu'elle avait posée sur sa main. Malgré sa fatigue, elle était prête à manifester empressement et soutien à sa fille.

De sa main libre, Alyssa toucha son propre lobe.

– C'est un cadeau de Clara, dit Leah en coinçant le récepteur entre sa joue et son épaule et en passant les deux mains dans ses cheveux, libérant ainsi la mèche prisonnière des anneaux d'argent. Jolies, hein ? Très Berkeley, je trouve.

– Va reprendre mon sac à dos, maman, d'accord ?

– Quoi ?

– Quand j'ai été emprisonnée... ils ont pris mon sac à dos. Ils ont dit que, si je signais une demande, tu pourrais le récupérer. Je veux que tu ailles le chercher.

– Bien sûr que je vais y aller. Y a-t-il quelque chose...

– Lazzie est dedans.

– Oh !

– C'est pour ça.

– D'accord.

L'officier derrière Leah lui indiqua sa montre. *L'heure des visites est terminée.*

– Ils vont tirer le pont-levis, dit Leah en ramassant ses affaires. Jeff va te donner le tailleur... il est bleu foncé, la couleur préférée de l'accusation...

– Maman », dit Alyssa, essayant de retenir sa mère par sa voix qui circulait dans le mince fil comme de l'oxygène, comme du sang.

Après avoir raccroché le récepteur, la communication coupée, elle murmura de nouveau *maman*, quand sa mère se retourna pour partir.

Pour retenir ses cheveux derrière ses oreilles, elle se servit des deux barrettes en argent, encore sur leur carré de carton recouvert de feutre, qu'elle trouva dans la poche de la jupe du tailleur marine. En se regardant de face dans le miroir du vestiaire du palais de justice, elle songea un moment à les retirer, à les remettre dans sa poche et à prétendre ne pas les avoir trouvées. Mais Jeff frappa alors sur la lourde porte pour lui annoncer qu'il était temps de se rendre dans la salle d'audience. Elle se regarda une fois de plus, la délicatesse de la structure osseuse de son visage, la profondeur de ses yeux brun foncé. Elle tressaillit quand, en se retournant vers la porte, elle vit son reflet de biais, un peu flou dans la demi-ombre, et reconnut les os de sa mère, les yeux de sa mère.

« S'il plaît à la cour, Votre Honneur, la défense va faire comparaître son dernier témoin, l'accusée, Alyssa Pacey Staton. »

« Une question à la fois, Alyssa. Tu ne réponds à rien d'autre. Une question à la fois. » Ce furent les derniers mots de Jeff avant leur entrée dans la salle d'audience, l'un derrière l'autre, en silence. Elle réussit à se rendre à la barre des témoins en suivant ses indications, un pied à la fois, un devant l'autre. Elle réussit aussi à monter dans le box, à prêter serment et à s'asseoir. Elle ne l'avait pas prévu, mais elle s'aperçut alors qu'elle faisait face à toute la salle d'audience : le jury à sa droite, les reporters dans la rangée du fond avec leurs cartes de presse qui reflétaient les lumières de la salle et, en plein centre, derrière la table de la défense, sa mère et Clara. Elle leur parlerait. Elle parlerait à tous ces gens autant qu'à Jeff. Elle tira sur ses cheveux, puis se rappela qu'elle devait garder les mains sur ses genoux.

« Mademoiselle Staton, dit Jeff, de la voix de l'avocat qui veut assurer le jury qu'il ne dorlotera pas son témoin, surtout pas avec une accusation de meurtre. Avez-vous déjà nié, soit pendant votre interrogatoire par la police de Berkeley, soit en répondant à des questions de votre avocat ou des psychiatres nommés par la cour, avoir accouché d'une petite fille, dans la station de métro de Shattuck Avenue, le soir du 4 février 1998 ?

– Non. »

Elle devait lever une dalle, une pierre tombale qui ne cédait pas.

Le juge Franklin se pencha vers elle, ses lunettes de lecture sur le bout de son long nez.

« Mademoiselle Staton, vous allez devoir parler plus clairement. Le jury doit vous entendre.

– Non, dit-elle plus fort.

Mais le juge Franklin leva la main en un geste rapide qui voulait dire *plus fort*.

– Non. Je ne l'ai jamais nié.

Assez fort. Assez vrai.

– Et vous n'avez jamais nié avoir laissé le bébé dans la station de Shattuck Avenue le soir du 4 février, est-ce juste ?

– Oui.

Le juge Franklin n'aurait plus besoin de lui donner de directives. Elle avait trouvé le bon ton. Elle parlerait à Leah et à Clara comme si elles étaient à l'autre bout d'une pièce ou de l'autre côté d'une rue, et alors le jury l'entendrait.

– Selon les évaluations psychiatriques soumises à cette cour par les docteurs Bulton et Stojanovic, vous souffriez d'un désordre mental sérieux au moment de votre accouchement. Mademoiselle Staton, reprit-il après une courte pause, comprenez-vous l'expression « dépression clinique » ?

– Oui... je crois. Cela veut dire...

– Bien, mademoiselle Staton, nous avons entendu la définition, nous la connaissons. C'est autre chose qui m'intéresse. En pensant à votre première année à l'université, vous décririez-vous comme une personne gravement déprimée ?

– Objection ! s'écria Marcelle en se levant, droite comme un petit soldat. Je ne vois pas la pertinence... nous sommes intéressés à entendre l'accusée décrire les événements du 4 février et de la période qui a suivi, pas son histoire d'étudiante universitaire.

Jeff para le coup.

– C'est pertinent par rapport à la préméditation, Votre Honneur, les deux témoins psychiatres experts ont indiqué que des antécédents...

– Objection rejetée, dit le juge Franklin d'un ton sec qui s'adressait autant à Jeff qu'à Marcelle. Comme la question va permettre de connaître l'état d'esprit de l'accusée au moment de l'acte, je l'accepte.

– Mademoiselle Staton, laissez-moi vous répéter la question. Vous êtes-vous déjà, pendant votre première année à l'université – qui s'est terminée en juin 1997 – et pendant l'été et l'automne suivants, considérée comme gravement déprimée ?

– Non... jamais dans ces mots. Je n'ai jamais pensé que je pouvais être déprimée.

– Pouvez-vous nous dire quels mots... quels mots vous utilisiez ou utiliseriez ?

– J'étais... je me sentais très triste... je... j'avais le mal du pays, je me sentais triste et seule. »

C'était vrai. Elle s'était sentie seule toute l'année à Griffiths, même avec Cindy et Linnie, avec le professeur Miller et les soirs de pizza dans la salle de séjour. Elle avait le mal du pays et, confondant son envie de se retrouver à la maison avec l'envie de manger, elle avait comblé son ennui avec des biscuits et du chocolat.

« Vous vous sentiez triste, seule et vous aviez le mal du pays, ce sont vos mots ?

– Oui.

– En avez-vous parlé à quelqu'un ? Une compagne de chambre, un conseiller, votre famille ?

– Non, je n'en ai pas parlé.

– Pouvez-vous nous dire pourquoi vous n'avez pas essayé de confier ces sentiments de tristesse à quelqu'un d'autre ?

Leah essuya quelque chose sur sa joue, baissa la tête, puis la releva. Alyssa rendit son regard à Jeffrey.

– Je ne voulais pas... faire perdre son temps à quelqu'un... avec mes problèmes personnels.

– Y avait-il autre chose?

– Je ne savais pas si... je n'étais pas certaine que la personne à laquelle je me serais confiée aurait... été assez intéressée pour... m'écouter... ou faire quelque chose... pour moi.

Pas de détour, la pure vérité, au risque de blesser des gens, peu importe.

– Vous n'étiez pas certaine que la personne à laquelle vous vous seriez confiée aurait eu assez d'intérêt pour vous écouter, pour vous aider?

– Oui.

– Vous avez donc caché ces sentiments et, malgré votre tristesse réelle, vous avez fait semblant d'aller bien et de vous débrouiller?

– Objection! L'avocat de la défense alimente l'accusée! C'est de l'écriture de scénario! »

Marcelle avait parlé si fort et si vite qu'elle avait postillonné. Cela était arrivé une fois à Alyssa, pendant un exposé. Même si elle savait que cela pouvait arriver à tout le monde, elle en avait été tellement embarrassée qu'elle avait dû quitter la classe avant la fin, rentrer à la maison et se réfugier dans son lit. Mais Marcelle ne semblait pas perturbée. Avec sa coiffure parfaite, avec ses tailleurs stricts et ses talons dangereusement hauts, elle s'en fichait éperdument. Et, Alyssa le sentait aussi bien qu'elle sentait le calcium dans les nouveaux os qui perçaient sa peau au moindre mouvement, elle aussi s'en ficherait maintenant.

« Asseyez-vous, maître Fayler. Objection retenue, maître Earle. Cessez l'écriture de scénario.

– Mademoiselle Staton, dites-nous, dites à la cour, si vous avez révélé à quelqu'un ces graves sentiments de tristesse.

– Non, je n'ai pas révélé... je n'en ai parlé à personne. Je faisais semblant... quand j'allais à la maison, dit-elle en regardant Leah droit dans les yeux, même quand j'allais à la maison, je faisais croire à maman et à papa que tout allait bien à l'université, que je ne m'ennuyais pas de la maison... je ne restais pas très longtemps. Je l'ai caché... à tous ceux qui me connaissaient...

– Et vous avez aussi caché votre grossesse?

– Je n'y pensais... je n'y pensais pas comme si j'étais enceinte. J'étais obèse, tout le monde le disait, alors il a été facile... de croire simplement que je devenais... plus grosse... puisque je l'étais déjà de toute façon.

– Vous avez volontairement caché votre grossesse?

– Non. Je portais mes vêtements habituels. Quand vous êtes... grosse, vous portez des vêtements lâches, vous mangez toute seule, vous... d'une certaine façon, vous essayez de vous rendre invisible. Et je me sentais malade, je me sentais très malade et j'ai pensé que... je l'ai dit au père...

– Continuez, dit Jeff doucement, seulement pour elle, mais le juge Franklin ne lui demanda pas de répéter pour le jury. Vous avez parlé de votre grossesse au père du bébé?

– Oui... je... lui en ai parlé. Mais je croyais qu'il était trop tard.

– Trop tard pour?

– Trop tard pour... ce qu'il voulait que je fasse... un avortement. Il m'a dit qu'il viendrait avec moi... mais il n'a pas vraiment... je ne pouvais pas vraiment... je ne croyais pas que c'était sa responsabilité.

– Vous l'avez dit au père et vous pensiez qu'il était trop tard pour le type d'aide qu'il vous offrait ?

– Je savais que c'était trop tard, mais je ne le lui ai pas dit... et ce n'était pas sa faute parce que... parce que je lui ai dit que je m'en étais occupée.

– Vous avez dit au père que vous vous étiez occupée de votre grossesse, comme si vous aviez subi un avortement ?

– Oui.

– Vous avez laissé croire au père que vous aviez résolu le problème dont il était de fait responsable ?

– Je ne croyais pas que c'était sa responsabilité... parce que je lui ai menti... et je ne lui ai pas reparlé parce que... parce que je ne voulais pas y penser. J'allais à mes cours, je restais toute seule et je n'y pensais pas.

– Mademoiselle Staton, voulez-vous donner le nom du père à la cour ?

– Non, je vous ai déjà dit que je ne le ferais pas.

– Vous ne voulez pas nous donner le nom du père de cet enfant ?

– Non. Il ne l'a pas fait. C'est moi qui l'ai fait. Il n'est pas responsable. Je le suis. »

Jeff laissa retomber le silence. Ce fut le juge Franklin qui le brisa en annonçant l'ajournement.

« Un répit pour le jury », dit-il en regardant Alyssa.

« Mademoiselle Staton, voudriez-vous me décrire la première semaine de février, ce que vous ressentiez, ce que vous faisiez ?

– Je suis allée à mes cours jusqu'à ce que je tombe malade.

– Vous êtes tombée malade ?

– J'ai commencé à me sentir malade à la fin de janvier. Je pensais que j'avais la grippe... j'en avais déjà eu deux, et je n'avais envie de voir personne ni de rien faire.

Elle se rappelait avoir refusé d'ouvrir sa porte à Clara. Dans son corps misérable, faible et trempé, elle lui avait parlé sans ôter la chaîne.

– Étiez-vous malade, comme vous dites, le 4 février?

– Oui.

– Mademoiselle Staton, j'aimerais que vous nous racontiez, le mieux que vous pouvez vous en souvenir, ce qui s'est passé ce soir-là. Pouvez-vous le faire? Commencez simplement par le début?

Alyssa inspira profondément. Elle sentait sur elle le regard du juge Franklin. De Marcelle, de Clara et de Leah. Des regards de femmes, des regards de mères.

– Oui.

– Commencez simplement au début, lui répéta Jeff.

– Je dormais sur le canapé dans mon appartement. J'avais dormi, malade avec de la fièvre, pendant deux jours.

Derrière Jeff, Alyssa vit Clara tendre le bras pour prendre la main de Leah et la garder sur ses genoux.

– Votre appartement dans Dwight Way?

– Oui. Je n'avais pas pu sortir pour promener mon chien. Je savais que j'aurais dû, mon appartement était dégueulasse, mais j'avais continuellement besoin d'aller aux toilettes et je ne voulais pas être trop loin pour, vous savez...

– Pour aller à la salle de bains?

– Oui.

– Quand le travail a-t-il commencé?

– Je ne sais pas à quelle heure. Tard, après la tombée de la nuit. Clara était venue et elle avait emmené mon chien et j'ai... j'ai perdu mes eaux... je le sais maintenant.

– Vous le savez maintenant ?
– Je ne le savais pas alors... quand c'est arrivé. J'ai pensé que j'avais... j'avais eu un accident.
– Qu'avez-vous fait ensuite ?
– J'ai pris mon sac à dos... avec des serviettes parce que je... me mouillais... et j'ai marché.
– Vous avez marché. Où alliez-vous ?
– Je ne le savais pas. J'ai descendu la colline, vers la baie. J'étais incapable de rester tranquille... les douleurs... je devais bouger... alors j'ai continué à marcher.
– Où vous êtes-vous arrêtée ?
– Je me suis arrêtée à Shattuck Avenue, dans la station de métro. J'avais besoin de m'asseoir, à l'abri du vent.
– Et qu'avez-vous fait ?
– J'ai descendu l'escalier... jusqu'aux toilettes.
– Que ressentiez-vous ?
– C'était insupportable. J'avais l'estomac tout retourné. Mon pantalon était trempé. Je suis allée dans une cabine et j'ai fermé la porte. Je croyais que j'allais m'évanouir si je ne m'asseyais pas. J'avais... mal.

Elle reprit son souffle, entendit les cris aigus de la naine, le grattement de ses mains sur la porte fermée de la cabine. « Salissez pas ma cuisine. »

– Et alors ?
– Alors, j'ai... je ne savais pas ce que j'avais, mais j'étais en train d'accoucher. J'ai étendu une serviette sur le carrelage, le carrelage était si sale... je me suis assise dessus... et j'ai poussé. Pas très longtemps... peut-être que je me suis endormie, je ne sais pas.
– Et ?

La voix de Jeff suivait toutes ses douleurs, comme une sage-femme aux mains douces, qui soignent, qui caressent.

La gorge serrée, la voix hésitante, elle fut submergée par la souffrance.

– J'ai senti le... le bébé qui voulait sortir et je me suis déplacée. Je me suis étendue plus vers l'arrière de la serviette pour que le bébé, que le bébé ne touche à rien d'autre qu'à la serviette. J'ai poussé aussi fort que j'ai pu...

Elle s'arrêta et porta les mains à ses yeux.

– Ça va, murmura Jeff. Tiens bon.

Le juge Franklin haussa ses sourcils blancs hirsutes, mais ne fit pas de réprimande.

– Vous vous êtes placée sur la serviette de façon, dites-vous, de façon que le bébé ne naisse pas sur le carrelage sale, c'est bien cela?

– Oui, j'avais... j'avais la serviette dans mon sac à dos.

– Et après que le bébé est né... après l'accouchement?

– Je pense – on m'a dit, plutôt – que j'avais coupé le cordon ombilical... avec mon canif.

– Vous avez coupé le cordon ombilical avec votre canif.

– Je savais que si un... si un docteur avait été là, c'est ce qu'il aurait fait, alors je l'ai fait.

– Et ensuite?

– J'ai serré le cordon... sur le ventre du bébé... parce qu'il saignait et que je voulais que ça arrête. J'ai appuyé dessus avec la serviette, puis avec du papier hygiénique, pour essayer d'arrêter le sang.

C'était bien ainsi que cela s'était passé. Maintenant, elle se revoyait, ses mains blanches sur le ventre blanc du bébé, le sang qui coulait du cordon ombilical et qui se mêlait aux taches de sang de son propre utérus, ses jambes nues et ensanglantées. Les lèvres du bébé qui bougeait. Sa propre terreur.

– Vous avez essayé d'arrêter le sang qui coulait du cordon ombilical ?

– Oui. J'ai essuyé le bébé, je l'ai nettoyé avec du papier hygiénique, aussi, à cause de tout le... vous savez... j'ai essuyé le tour de sa bouche et son corps... »

Le corps parfait, les petites mains qui s'étaient repliées quand elle les avait nettoyées, les paumes minuscules qui, une fois propres, ressemblaient à des pétales. L'imaginait-elle maintenant ou avait-elle senti la main, senti les doigts se serrer autour de son pouce ? Les images lui apparaissaient les unes après les autres, des plans fixes et des séquences animées qui s'amoncelaient comme des feuilles mortes. Les petites mains, la poussée d'un pied minuscule sur son poignet, les cheveux noirs qui lui apparaissaient maintenant comme une surprise.

Les yeux de Jeff passaient de la table des pièces à conviction à Alyssa. Il lui fit un signe de tête pour l'encourager. *Continue. Tu y es presque.*

– Je l'ai enveloppé dans la serviette verte, serré parce que je croyais que ça allait... que ça allait arrêter le... le sang. J'ai cru avoir réussi, la serviette était propre et le bébé... le bébé dormait, me semblait-il. Il avait les yeux fermés.

Sa gorge se serra de nouveau, tellement qu'elle eut peur de s'évanouir. Ses joues étaient mouillées et ses mains aussi à force de les essuyer. Le juge Franklin lui tendit une boîte de mouchoirs en papier.

À l'intérieur d'elle, elle sentit monter l'horreur, le remords et le regret. Quand ses mains frôlèrent celles du juge Franklin en prenant la boîte de mouchoirs, elle acquit aussi la conviction d'avoir nettoyé elle-même le corps de la petite fille et d'avoir tenu sa petite main. *Attention, fragile,* pensa-t-elle en enfouissant son visage dans le mouchoir en papier parfumé, aussi doux que des langes de bébé.

Le juge Franklin fit signe à Jeffrey de s'approcher.

« Maître Earle, voulez-vous un ajournement pour permettre à votre témoin de se ressaisir ?

Jeff tourna les yeux vers Alyssa. *À toi de décider*, lui dit son regard.

– Non », dit-elle.

Elle ravala ses larmes, le goût d'encaustique de son repentir. Un sentiment de grande affliction se répandit dans toutes ses cellules, faisant d'elle une autre personne, déjà morte et nouvellement née. Tout le monde la regardait, Jeffrey et le jury, Marcelle et le juge, sa mère et Clara. Ils la regardaient tous comme si elle était une amputée, une lépreuse ou une simple d'esprit. Peu lui importait cependant ce qu'ils pensaient ou ce qu'ils croyaient voir. L'important, c'était ce qui s'installait en elle, le cadeau de la mémoire et la certitude que la honte lui serait en même temps une bénédiction.

Elle leur dit qu'elle avait tenu le bébé, son bébé, dans ses propres mains aux ongles rudes, avec les cicatrices de son enfance – la porte d'auto et le couteau à pain – qui faisaient d'elle ce qu'elle était. Elle avait placé le bébé sur son cœur, un instant, contre sa poitrine, et avait senti son odeur humide de nouveau-né, les lèvres posées sur la peau rouge de son visage de bébé, le frôlement de ses cheveux noirs. Elle avait nettoyé le bébé, l'avait enveloppé dans une serviette propre et lui avait trouvé un endroit sûr – doux et sûr – un endroit où quelqu'un l'entendrait pleurer et pourrait s'en occuper. Elle, elle ne pouvait pas. Elle en était incapable. Et les mocassins, les mocassins étaient pour quand elle serait capable, quand elle aurait trouvé une solution...

« Mademoiselle Staton, qu'espériez-vous en mettant le bébé dans la boîte à ordures?

– Je pensais... que quelqu'un le trouverait... il y avait une femme dans les environs... je l'avais vue et je croyais qu'elle reviendrait.

– Vous espériez que quelqu'un prendrait soin du bébé?

– Objection! s'écria Marcelle, prête à se battre bec et ongles. Votre Honneur, sauf le respect que je vous dois, cette question est absurde. Quel rapport... »

Le juge Franklin posa deux doigts sur sa tempe.

« État d'esprit, maître Fayler. État d'esprit. Objection rejetée. »

Il remit ses lunettes. *Fatigué*, pensa Alyssa, *aussi fatigué que moi.*

« Écoutez, je sais que cela a l'air bizarre. Je n'ai jamais imaginé, commença Alyssa en s'adressant à Marcelle, en la regardant droit dans les yeux pour s'assurer qu'elle l'écoutait et qu'elle savait qu'Alyssa s'adressait à elle, je n'ai jamais pensé que le bébé allait mourir... dit-elle en étouffant un sanglot.

Elle n'avait plus le droit de pleurnicher, plus jamais.

– Je n'aurais jamais, jamais je ne me serais enfuie si j'avais pensé que... reprit-elle sans pleurer, d'une voix ferme et assurée. Je ne l'aurais jamais abandonné si j'avais pensé qu'il allait mourir. Je serais morte plutôt, je pourrais mourir à présent. Je n'ai jamais voulu ce qui s'est passé, je m'en repens amèrement. Je m'en repens. Je m'en repens. »

Elle n'avait pas tué son bébé nouveau-né, pas comme Marcelle l'avait dit, avec intention criminelle et préméditation. Elle n'avait pas tué la petite fille parfaite qu'elle avait tenue dans ses bras, dont elle avait embrassé la tête, qu'elle avait enveloppée bien serré, « parce que les bébés aiment cela ainsi ». Elle ne l'avait pas tuée, mais sa petite fille était morte. La douleur s'abattit d'abord sur elle, et elle eut l'impression qu'elle allait mourir, trop vieille pour résister à l'envie de s'étendre pour la dernière fois.

« Je sais que je mérite... un châtiment. Je n'essaye pas d'y changer quoi que ce soit. Je sais que je suis coupable de sa mort, comme il y a eu... ce que je dis, tout ce que j'essaye de dire c'est... que je ne voulais pas qu'elle meure.

Alyssa regarda le juge Franklin, Jeffrey et, enfin, Leah. Elle s'adressa à sa mère, le visage luisant, à nu.

– Je voulais qu'on la trouve. »

Chapitre 22

L'attente. Maintenant, le jury avait reçu ses instructions et avait commencé à délibérer. C'était pire. L'attente ne lui avait jamais été profitable. Pendant les nombreuses hospitalisations d'Esther, Leah avait attendu dans de petites pièces sombres et sans air, aux murs de la couleur d'un vieux café amer, qui a traîné toute la journée dans une cafetière. Des pièces aussi exiguës que des cercueils, qu'elle devait partager avec d'autres gens qui attendaient. Elle qui rêvait d'intimité, d'une serviette fraîche et d'une fenêtre ouverte pour pouvoir respirer le bleu du ciel. Des pièces où elle avait dû s'imposer une maîtrise d'elle-même si rigide qu'elle avait l'impression d'essayer de retenir un troupeau de chevaux sauvages dont les sabots lui piétinaient la poitrine. Quand les chevaux finissaient par se calmer, ils s'écroulaient, submergés par le désespoir.

Le contre-interrogatoire d'Allie par Marcelle avait été aussi brutal qu'on pouvait le prévoir. Jeff avait expliqué à Leah qu'il n'avait pas pu réorienter les questions pour aider Alyssa parce que Marcy ne s'était pas aventurée trop loin et qu'il n'avait relevé aucune contradiction évidente qu'il aurait pu demander à Allie de corriger. Peut-être pas, mais des insinuations, des haussements de sourcils, des expressions qui laissaient entendre : *c'est incroyable, comment pouvez-vous imaginer que quelqu'un puisse vous croire !*

Pour la première fois, Leah se demanda ce qu'elle ferait si Allie était jugée coupable.

« Ça va mal, n'est-ce pas ? avait-elle demandé à Clara, qui l'avait accompagnée pour entendre les plaidoiries.

– Mais l'avocat d'Alyssa a été bon, dit Clara d'un ton songeur en remettant sa bouteille d'eau dans son sac. Et il a eu le dernier mot. C'est de ça qu'ils vont se souvenir. Cette possibilité qu'ils ont de changer la société pour le mieux.

– Je sais. Et quelqu'un d'autre n'aurait probablement pas fait mieux. Prête pour affronter la meute de journalistes ?

– Oui, ma chère. J'aimerais bien qu'un d'entre eux essaie de nous barrer le chemin. Je me sens assez en forme pour passer de nouveau à l'attaque. »

Leah sourit. La courroie du sac de Clara s'était emmêlée accidentellement avec celle d'un appareil photo. Comme Clara n'avait pas lâché prise, l'appareil photo était tombé au sol avec fracas. Le photographe était furieux et, en entendant son cri de colère, les autres journalistes s'étaient un peu éloignés. Leah avait remarqué ensuite qu'ils les pressaient maintenant d'un peu moins près, comme si elles étaient entourées d'un champ de force centrifuge.

« Ils ont ramené Allie à la prison, vous savez.

– Ouais. Ils font ça, dit Clara, forte de son expérience. Son avocat va vous appeler quand ce sera le moment, ajouta-t-elle en touchant légèrement l'épaule de Leah.

Probablement pas avant demain. Voulez-vous venir manger un morceau chez moi avant de rentrer?

– Vous ne croyez pas possible qu'ils terminent ce soir? dit Leah en se dirigeant vers la porte de côté, même si elle savait que cette porte serait aussi surveillée que l'entrée principale.

Ce soir, il y aurait probablement aussi des médias nationaux, puisque le cas se retrouvait maintenant dans les mains du jury.

– Vous avez le temps. Les jurés vont manger. Ce soir, ils vont peut-être se réunir, élire un président et prendre un premier vote pour voir l'idée de chacun. Mais je pense pas qu'ils vont être unanimes du premier coup. Et vous?

– Non, reconnut Leah. Je ne crois pas. Pour ce qui est du dîner, je vous remercie de votre invitation, mais Allie m'a demandé d'aller la voir à la prison et de signer un formulaire pour reprendre ses affaires. J'aurais pu le faire il y a plusieurs mois, mais elle semble trouver urgent que je le fasse maintenant. Et avant, ajouta-t-elle avec une grimace, je dois appeler Dennis. J'ai promis.

Elle serra la courroie de son sac en ouvrant la porte. Un flash l'éblouit aussitôt.

– C'est parti », dit-elle.

Leah lança son sac sur le canapé, fit couler de l'eau froide sur ses mains au-dessus de l'évier de la cuisine et mit sa laisse à Coffee pour sa promenade avec Clara. Quand elle arriva sur le palier avec le labrador tout pantelant, Clara ouvrit aussitôt la porte.

« Tenez, dit-elle. Vous devez manger, d'accord?

Elle tenait à la main un ragoût aux légumes dans un plat allant au micro-ondes.

– Vous avez juste à le réchauffer.

Leah prit Clara dans ses bras et resta ainsi le temps de sentir Clara la serrer dans les siens.

– Merci, murmura-t-elle. Vous avez vraiment été une amie pour moi. Et pour Allie.

Comme si tout était fini. Comme si elle était certaine de ne plus avoir besoin de Clara, Leah s'entendit prononcer sa phrase au passé. Comme l'espoir est tenace !

– Vous êtes de bonnes personnes, vous et Alyssa, dit Clara. C'est tout simple. Allez téléphoner au père d'Alyssa. Je m'occupe de la bête. »

Elle caressa la tête de Coffee qui tournait autour de leurs jambes en quête d'attention.

Sans comprendre pourquoi, Leah trouvait de moins en moins difficile de téléphoner à Dennis. Elle savait que Missy ne partageait pas entièrement son avis quant à l'importance du soutien qu'il devait apporter à Allie. Mais l'opposition de Missy s'amenuisait maintenant que son bébé n'était plus un nouveau-né. Dennis était devenu plus calme, comme une teinte plus douce, quand Leah lui parlait. Moins autoritaire. Plus respectueux même.

Il répondit à la quatrième sonnerie. Le bébé pleurait, si près du téléphone qu'il était évident que Dennis le tenait dans ses bras. Jadis, dans une autre vie, l'épaule couverte d'une couche, c'était Allie qu'il tapotait dans le dos de sa main tachée de peinture.

« Dennis ? C'est moi. Je crois que je t'appelle à un mauvais moment. Je peux te rappeler, ou rappelle-moi, toi.

– Non ! Tout va bien. Attends-moi une minute.

Leah l'entendit poser le téléphone et appeler Missy pour lui demander de venir chercher Justin.

– C'est terminé ? demanda-t-il en reprenant le récepteur.

– Le jury délibère. Si tu savais, Dennis, quand je l'ai vue à la barre, combien j'ai eu le cœur brisé. Elle n'était pas consciente de ce qu'elle faisait, c'était évident à l'entendre, même pour ceux qui n'en étaient pas déjà convaincus.

– Pas d'entente pour réduire les charges ?

– Pas vraiment. Je pense qu'il a été question de second degré, mais l'accusation ne veut pas accepter une accusation d'homicide involontaire, ce qui, selon Jeff, serait juste. Le procureur me donne l'impression de vouloir se faire un nom. De toute façon, Jeff voulait qu'Alyssa refuse le second degré parce que, d'après lui, elle devrait alors obligatoirement être condamnée à la prison à vie.

– Il croit que le jury va lui donner une sentence plus légère ?

Leah changea le récepteur d'oreille pour libérer sa main droite. Elle mit le ragoût de Clara dans le micro-ondes tout en continuant à parler.

– Pas le jury, rappelle-toi. Tu te souviens de l'entente négociée avant le procès ? La sentence sera donnée par le juge.

– Oui, c'est vrai. Écoute, dit Dennis, je vais prendre l'avion demain pour me rendre là-bas. Je trouve important d'être présent pour lui apporter mon soutien. Est-ce que cela t'ennuie ?

– Non, pas du tout, Dennis. C'est ton droit. Et d'ailleurs, je suis contente que tu viennes. Elle va être heureuse de ta présence. Je vais la voir dès que j'aurai raccroché.

– Bien », dit-il.

Dans l'instant de silence qui suivit, ils ne furent plus rien d'autre que les parents d'Alyssa, ensemble.

En route pour la prison, sous des nuages minces comme un vieil édredon, Leah ressassait le témoignage d'Allie. Elle avait vu l'âme de sa fille. Comme le scintillement du soleil sur la baie chaque fois qu'il se dévoilait un moment.

Leah signa le registre et monta voir Allie sans même s'informer de la procédure à suivre pour récupérer le sac contenant les effets de sa fille. Ce serait peut-être leur dernier soir avec une vitre entre elles. Dans la salle d'audience, Leah n'avait pas le droit de toucher Allie. Le premier jour, elle s'était approchée de sa fille et avait eu le temps de poser les deux mains sur ses épaules, mais un garde était rapidement intervenu pour la forcer à reculer. Elle ressentait maintenant un réel besoin de prendre Allie dans ses bras, comme une mère qui allaite son bébé. L'analogie lui était venue quand elle s'était demandé si son corps avait déjà souffert avec autant d'intensité d'un tel manque.

« Tu dois être fatiguée, maman. Je suis désolée de t'avoir fait venir ici ce soir.

– Ce n'est rien, ma chérie. Je vais bien. Clara m'a donné du ragoût de légumes. J'ai appelé ton père pour lui annoncer que le jury avait entamé ses délibérations, et me voici. Je n'ai pas encore récupéré tes affaires... j'ai pensé le faire en sortant.

– Tu regarderas dans la petite pochette avec une fermeture Éclair, d'accord ? C'est pour toi. Encore. Pour de bon cette fois.

Leah pencha la tête d'un air interrogateur.

– Tu verras », répondit seulement Allie.

Allie avait l'air fatiguée. Une fatigue que ne pouvait expliquer à lui seul le costume orange de la prison qui lui donnait l'air d'avoir la jaunisse. Elle repoussa derrière son oreille une mèche qui était tombée devant ses yeux. Leah n'en revenait toujours pas de la métamorphose de sa fille, comme si sa tignasse avait été un manteau qu'elle s'était enfin décidée à retirer.

« Je sens qu'on devrait parler de ce qui s'est passé, dit Allie, mais je ne sais pas comment le faire.

– Ça va, ma chérie, dit Leah. J'ai la même impression. Nous pourrions analyser chaque mot qui s'est dit pendant le procès sans pour autant savoir où nous en sommes. Mais tu t'es comportée si... honnêtement à la barre. Il y a certainement des jurés qui t'ont comprise.

Le récepteur semblait poisseux dans sa main, imprégné de sueur, comme si trop de gens l'avaient utilisé.

– Ce n'est pas exactement ce que je voulais dire. Je voulais parler de ce que j'ai fait. À toi. Et à ma fille. Combien je regrette. »

Leah ne put répondre. Les mots qui se pressaient dans sa poitrine ne voulaient pas sortir dans le bon ordre pour formuler le pardon et le demander en retour. Comme ses récriminations envers Allie étaient insignifiantes et banales. Toutes les fois où, avec Cory, elle s'était plainte de sa fille, ce qu'elle souhaitait vraiment c'était éprouver un sentiment de communication, de communion même, avec Allie. Alyssa. Et, ce soir-là, elle l'avait trouvé. À un prix exorbitant. Quelle part ses besoins et ses attentes avaient-ils jouée dans toute cette souffrance ?

Leah posa la main sur la vitre qui les séparait. De son côté, Allie posa la sienne au même endroit. Elles avaient toutes deux les joues et les yeux brillants de larmes.

« Je regrette de t'avoir blessée, murmura Leah.

Elle posa le récepteur et laissa couler ses larmes. Elle posa son autre main sur la vitre. Allie l'imita encore et fit un signe de dénégation de la tête. Leah réussit à lire sur ses lèvres.

– Ce n'est rien. Je t'aime.

– Moi aussi, je t'aime. »

Évidemment, cela se passa tard le soir.

Tous les jours, à son retour du palais de justice, dans son costume orange, semblable à toutes les autres femmes blanches de l'unité, Alyssa le sentait. Quand elle passait les portes en acier en compagnie des officiers responsables de son transfert et qu'ils lui enlevaient ses chaînes, elle sentait l'atmosphère changer. Parfois, elle attendait près du poste informatique le temps que les officiers de la prison enregistrent son retour. Les policiers riaient, plaisantaient même, alors qu'elle avait l'impression d'être un leurre pendu au bout d'une ligne sur le point de se rompre. Les officiers ne percevaient pas les effets subtils, comme des signaux, des attaques délibérées de la fée Carabosse et de ses acolytes. Alyssa, oui.

La tête basse, elle frottait les marques des chaînes autour de ses poignets et montait aussitôt l'escalier pour retrouver sa cellule. Après la visite de Leah, il restait encore deux heures avant l'extinction des lumières. Elle prenait sa serviette, la savonnette qui fondait à vue d'œil et le flacon de shampooing qui durait deux fois plus longtemps maintenant qu'elle avait les cheveux courts. Elle suivait la mezzanine surplombant la salle de séjour et baissait les yeux pour observer la table où Joey jouait aux cartes avec Serafina, arrivée dans l'unité la semaine précédente. Serafina avait fait quelque chose à son mari avec une lame de rasoir. Alyssa ne voulait plus en entendre parler, surtout après avoir pris connaissance des premiers détails de l'histoire. Joey, oui. Pour combler sa solitude, avec les absences répétées d'Alyssa, il s'était fait le mentor de Serafina. De toute façon, Alyssa partirait bientôt. Elle en avait presque fini de la prison. Si elle l'avait voulu, si son emprisonnement n'avait pas tiré à sa fin, elle aurait pu prendre Serafina sous son aile, lui montrer comment se débrouiller dans l'unité et comment lutter pour sa survie. Ce qu'elle ne faisait pas elle-même.

Les nombreuses journées qu'elle passait à la cour, la durée de son absence s'allongeait avec les fouilles à nu et le transfert d'un endroit à l'autre, matin et soir. Alyssa était contente que Joey se soit éloigné d'elle, qu'il ait changé d'allégeance. Il pourrait ainsi mieux supporter son absence quand elle partirait pour où elle devrait aller. Joey ne resterait pas longtemps en prison, lui non plus. Après deux mois de réhabilitation à la ferme carcérale, il se retrouverait à la rue. Peut-être poursuivrait-il ses exercices de lecture, peut-être que non. Mais il lui avait promis de le faire, et elle lui avait dressé une liste de livres faciles à trouver dans une bibliothèque.

« Tu n'auras qu'à demander », lui avait-elle dit en voyant son visage s'allonger à la description du catalogue électronique. « Tu vas voir. C'est facile d'obtenir ce que tu veux. »

Demande simplement de l'aide.

Elle aussi aurait pu demander de l'aide, songea-t-elle ce soir-là en entrant dans la salle des douches. Elle retira les barrettes de ses cheveux et examina son visage en se frottant le cuir chevelu à l'endroit où les pinces l'avaient endolori. À six ou sept ans, alors qu'elle portait des tresses, elle ressentait le même soulagement, à la fin de la journée, comme si ses cheveux défaits étaient un vêtement qu'elle enfilait comme un pyjama et qui lui permettait de dire tout ce qu'elle avait à dire. Parfois sa grand-mère, plus souvent Leah, retirait les élastiques et défaisait ses tresses, d'abord avec les doigts, puis avec la brosse douce qu'Esther avait commandée spécialement pour elle dans le catalogue Avon. « Continue », disait-elle à sa mère quand les coups de brosse ralentissaient et que le rythme envoûtant la réchauffait jusqu'aux orteils. « Continue à brosser. »

Elle aurait pu demander de l'aide. Si elle avait demandé de l'aide...

La porte de la salle de douches s'ouvrit et se referma doucement.

« Salut mam'zelle, la p'tite putain riche, siffla la fée Carabosse en se glissant à côté d'elle pendant que son acolyte, la fille aux bras couverts d'ecchymoses, se glissait de l'autre côté en faisant jouer ses muscles filiformes.

La fée Carabosse ramassa les barrettes qu'Alyssa avait posées sur le rebord du lavabo.

– Mam'zelle la snob, qui va foutre le camp d'ici. »

Elle mit les barrettes dans ses propres cheveux pour retenir la frange qui lui tombait habituellement sur le front.

La fille aux bras couverts d'ecchymoses, croisés sur sa poitrine, gloussa.

« T'as l'air d'une conne avec les cheveux comme ça.
– J'en connais une vraie conne... elle pense qu'elle va foutre le camp d'ici sans dire au revoir.

La fée Carabosse passa la main derrière la tête d'Alyssa, saisit une grosse mèche de cheveux et tira dessus pour l'enrouler autour de son poignet.

– Dis que t'es une conne, mam'zelle.

Alyssa laissa tomber sa tête vers l'arrière, les yeux ouverts, la bouche fermée.

– Dis-le ! Dis-le, tueuse de bébé.

Un coup rapide. En trébuchant, Alyssa se retrouva dans les bras couverts d'ecchymoses qui la repoussèrent vers la fée Carabosse.

– Non.

– Dis-le !

Le passage des bras de l'une à ceux de l'autre se fit plus rapidement cette fois. La fée Carabosse retira la main des cheveux d'Alyssa.

– Dis ce que je t'ai dit !

– Non.

Alyssa se retrouva à genoux, le sourire édenté de la fée Carabosse tout près de son visage. Elle sentit les miasmes de ses dents cariées et l'odeur nauséabonde de la vengeance.

– J'te donne une autre chance... tu vas le dire.

– Non. »

Ce fut Ostrom qui mit fin au carnage. Elle qui n'avait jamais même sourcillé quand, en surveillant les fouilles à nu d'Alyssa, elle avait vu des ecchymoses de la taille d'un poing sur son ventre et les croûtes suintantes sur ses bras. Elle n'avait jamais dit un mot. Ostrom saisit la fée

Carabosse et la passa à la jeune agente, la nouvelle. Elle s'agenouilla à côté d'Alyssa et lui dit de ne pas bouger, de rester étendue sur le dos jusqu'à l'arrivée de l'infirmière qui poussa la civière dans la salle des douches bondée. Ensemble, elles y installèrent Alyssa et la conduisirent jusqu'à l'ascenseur.

Ostrom ramassa les pantoufles d'Alyssa et les glissa à côté d'elle, avec son peigne et sa savonnette presque finie.

« Je vais m'assurer de te faire parvenir tes autres affaires, Staton. Je vais m'assurer aussi que le rapport de l'incident décrive exactement ce qu'elles t'ont fait, dit-elle en lui tapotant l'épaule. On va te mettre en garde protégée à présent. Tu as fait ton temps ici. »

Malgré les élancements dans ses côtes, elle réussit à enfiler la jupe du tailleur brun quand, pour la dernière fois, elle se changea avant de passer dans la salle d'audience. Elle aurait pu prendre l'analgésique que l'infirmière de la prison lui avait donné. Elle avait l'enveloppe avec les comprimés blancs dans sa poche. Mais elle choisit plutôt de souffrir chaque fois qu'elle respirait. L'angoisse qui précédait chaque inspiration lui rappelait que la chair, les os et le sang l'uniraient jusqu'à sa propre mort au bébé sans nom, enterré sous une simple pierre avec le jour de sa naissance et de sa mort, au Peniel Point Cemetery. Leah lui avait dit que, à l'enterrement, Clara avait donné un capteur de rêve au bébé et qu'elle lui avait offert une prière. Alyssa n'avait rien donné, moins que rien.

À ce moment, les collines autour du cimetière devaient être brunes, mais elles reverdiraient avec l'automne et seraient luxuriantes tout l'hiver et tout le printemps. Elle irait dès qu'elle le pourrait, après aujourd'hui, si jamais elle était libérée. Elle irait les bras remplis de fleurs – des fleurs aux noms doux comme des baisers, comme des caresses – des pois de senteur, des marguerites, des campanules, des iris, des soucis, des lys, des dahlias et des alysses. Elle couvrirait la tombe de fleurs, et leurs pétales tomberaient sur le sol comme l'étreinte d'une mère à la fin de la journée. Et elle donnerait un nom à son bébé, un seul mot pour évoquer une prière de miséricorde pour sa fille et pour sa mère, pour elle-même. À côté de Leah, elle resterait debout devant la tombe où sa mère lui avait dit que le ciel éthéré, la terre grasse et la baie au loin formaient un endroit sacré. Ensemble, elles donneraient un nom à son bébé. Au-dessus de la date, gravé dans le marbre blanc, pour la mémoire. Grace.

Après avoir enfilé le chemisier crème, elle se demanda si elle mettrait la veste et décida que non. Elle attacha ses cheveux avec la barrette de Leah, une barrette noire et beige que sa mère avait portée une fois pour témoigner et qu'elle ne voudrait plus jamais porter. Elle redressa les épaules et plia la veste sur son bras. Avec sa ceinture de douleur en guise de corset, elle ouvrit la porte.

Derrière Jeffrey, elle traversait la salle d'audience vers leur table quand elle entendit Dennis l'appeler.

« Alyssa !

L'huissier s'avança, fit signe à Dennis de s'éloigner et de se taire. Indigné, Dennis continua d'avancer vers la barrière qui séparait le banc des sièges du public.

– Lyssa, ma chérie !

Alyssa se tourna vers lui. Il la saisit au bout de ses longs bras et l'attira vers lui.

– Que… ? s'écria-t-il quand l'huissier la tira en arrière. Lyssa, je…

La veste d'Alyssa tomba par terre. Jeff se pencha pour la ramasser puis fit tourner Alyssa face au juge. Elle entendit l'avertissement sonore de l'huissier et la réplique de Dennis.

– C'est ma fille, nom de Dieu ! Lâchez-moi !

Puis la voix de Leah, basse et profonde.

– Non, Dennis, je t'en prie. Pas maintenant. »

En lui frottant le dos, Jeff hésita quand ses doigts passèrent sur ses pansements épais, sa pénitence bien méritée.

« Assieds-toi, Alyssa », lui dit-il en observant son visage.

Il s'assit ensuite lui aussi, porta les doigts à ses tempes et attendit.

Le juge Franklin, sa toge battant derrière lui, se dirigea lentement vers son banc. Enfin entrèrent les jurés, l'air solennel et épuisé, leur devoir presque accompli. Elle les avait outragés, eux aussi, en les obligeant à écouter une histoire que, en songeant à leurs propres enfants et petits-enfants, ils n'auraient jamais voulu entendre. Elle ne pourrait jamais trouver les mots pour s'excuser auprès d'eux, pour leur dire d'oublier cette histoire qu'ils avaient été obligés d'écouter, de retourner à leurs affaires et de continuer à vivre comme si leur devoir civique ne les avait pas transformés, chaque visage altéré par sa faute.

« Elles sont plus intelligentes que tu ne penses, ces douze personnes », lui avait dit Jeff.

Alyssa craignait que la sagesse, décontenancée, ne se soit récusée et ne soit absente de la salle d'audience.

Jeffrey ouvrit son porte-documents. C'était inutile, Alyssa le savait. Il n'y avait rien dans tous les porte-documents de l'univers qui puisse changer ce qui allait se passer. Mais l'alligator en caoutchouc était là, lové dans un coin. Jeff s'assura qu'elle l'avait vu, puis ferma le couvercle, verrouilla son porte-documents et le déposa sous la table, sa surface brillante bien lisse et, pour une fois, pas déformée par l'abondance de blocs-notes et de dossiers.

« Peu importe ce qu'ils diront, remarqua Jeff, peu importe ce que tu ressens actuellement, il y a encore des choses qu'il vaut la peine de faire en ce monde. »

Il hésita. Son visage rougit. *C'est bien lui*, pensa Alyssa. *Il m'aime depuis le début.* En orange ou en brun, malgré les psychiatres et mon témoignage, dans le tube ou dans la salle d'audience, *il m'aime.*

« Je compte sur toi pour trouver ces choses, Alyssa. Si tu les trouves, l'alligator sera à toi. »

Quand la cour fut rappelée à l'ordre, il lui prit la main. Le juge Franklin demanda à l'accusée de se lever. Jeff garda sa main dans la sienne pendant qu'ils se levaient ensemble et se tournaient vers le banc. Ils attendirent.

« Mesdames et messieurs du jury, vous êtes-vous entendus sur un verdict ?

Une jeune femme se leva. Des cheveux bruns coupés court comme ceux d'un garçon, une robe longue tombant jusqu'au sol. Une prêtresse.

– Oui, Votre Honneur.

– Voulez-vous lire ce verdict à la cour, s'il vous plaît ?

– Oui, monsieur.

Elle tenait une petite feuille de papier. Elle regarda les jurés à sa gauche et à sa droite, soupira et commença à lire d'une voix de petite fille, pure et musicale.

– En ce qui concerne l'accusation d'homicide volontaire, nous avons trouvé l'accusée... non coupable.

Leah eut le souffle coupé, Clara murmura doucement. Alyssa sentit l'épaule de Jeff se serrer contre la sienne.

– En ce qui concerne l'accusation de meurtre au second degré, nous avons trouvé l'accusée... non coupable.

Les reporters se mirent à grogner, mécontents. Ils avaient perdu leurs gros titres. Il n'y avait plus d'histoire pour la une.

– En ce qui concerne l'homicide involontaire, nous avons trouvé l'accusée, Alyssa Pacey Staton... coupable. »

Jeff la serra brièvement dans ses bras. Pas une célébration, une reconnaissance. Elle sentit une main, celle de Leah, sur son épaule, un serrement rapide. Entendit le « Dieu merci » de Dennis.

Les jurés la regardaient bien en face maintenant. Ils lui manifestaient qu'ils l'avaient crue quand elle leur avait dit avoir perdu son âme un soir dans une station de métro. Ils n'avaient pas trouvé la femme égoïste, coupable de préméditation et d'intention criminelle que Marcelle leur avait proposée. Et ils voulaient qu'Alyssa le sache. Le juge Franklin expliqua qu'il ordonnait un ajournement de la cour. Il devait se retirer pour déterminer la peine, comme le prévoyait l'entente d'avant le procès. Alyssa n'écoutait pas. Elle regardait les jurés. Elle les fixa dans les yeux un par un.

La sagesse. Jeff y avait cru.

Elle se tourna vers Leah. Sa mère attendait, silencieuse au milieu du brouhaha qui s'élevait dans la salle, la tête baissée, une main sur la poitrine.

« Maman ? murmura Alyssa, sans se préoccuper de l'huissier qui assurait la garde, prêt à les séparer si elles commettaient le crime de se toucher, comme si l'amour était hors la loi. Maman ?

Leah leva la tête. Des larmes coulaient sur ses joues. Elle lâcha la chaîne du collier qu'elle avait tenue comme un rosaire – la chaîne en argent, le pendentif en jade – et qui retomba sur sa poitrine.

– Alyssa.

– Maman.

– Nous allons y arriver, Allie. Nous allons y arriver. »

Remerciements

Pendant toute la rédaction de ce livre, Alan de Courcy nous a apporté une aide inestimable. De l'aide technologique lors de pépins avec nos ordinateurs et nos télécopieurs et des commentaires fort pertinents lors d'une première lecture du manuscrit. Tout écrivain connaît l'importance, impossible à quantifier mais indispensable, d'avoir le soutien réel de son conjoint. Celui d'Alan pour Lynne Hugo a été constant. Nous le remercions toutes les deux du fond du cœur.

Nous tenons à remercier pour leur gentillesse des étrangers, des amis et des parents.

Scott Jackson, un peintre de Philadelphie, nous a généreusement offert son temps et son expertise. Il nous a fourni une information détaillée sur d'innombrables aspects de la peinture, ainsi que des photographies de son atelier et de son environnement.

Jeff Tuttle et Gerald Osmer, avocats et procureurs, nous ont donné des transcriptions, des opinions et des avis sur les aspects juridiques, tout comme Evan Fogelman, un avocat de Dallas, au Texas.

Brooke Hugo de Courcy a été notre conseiller par rapport à la vie actuelle dans les universités. Il a aussi constitué des revues de presse sur des cas d'homicide de nouveau-nés. Adria Tuttle Villegas nous a fourni des détails spécifiques sur la musique écoutée par les adolescents, leurs vêtements et leur façon de s'exprimer.

Les bibliothécaires, Paul Jankins du collège de Mount St. Joseph à Cincinnati, dans l'Ohio, et Jan Mullen et Jun Wang, de la bibliothèque Goleman au collège San Joaquin Delta à Stockton, en Californie, nous ont proposé des pistes de recherche qui nous ont été précieuses.

Doris Scanlon, directrice des programmes et des services aux détenus, nous a donné tout un après-midi les fruits de son expérience à la prison du comté de San Joaquin à Stockton, en Californie. Le docteur Sally A. Fittere, pathologiste, a répondu à nos questions précises sur les accouchements sans aide. James P. Simco, médecin à Fairfield, dans l'Ohio, nous a fourni des informations médicales sur les nouveau-nés.

Le professeur Andrea Tuttle Kornbluh, du collège Raymond Walters à Cincinnati, dans l'Ohio, nous a procuré des transcriptions de recherches et de procès.

Les extraits de la chanson *Creep*, de Radiohead, ont été utilisés avec la permission de Warner Bros. Publications, Inc. Tous droits réservés.

The Water is Wide est une chanson folklorique américaine.

Rhonda Rupel de Oxford, dans l'Ohio, a assuré une révision soigneuse du manuscrit final.

J. C. Rupel et l'équipe du Oxford Copy Shop à Oxford, dans l'Ohio, nous ont fourni le soutien en secrétariat.

Enfin, Bud Johns, directeur d'édition à Synergistic Press de San Francisco, en Californie, a saisi une histoire sérieuse, qu'aucune autre maison d'édition n'avait osé publier, et a ensuite joué le rôle d'un véritable éditeur : il nous a aidées à rendre notre histoire encore plus intéressante.

Achevé d'imprimer en octobre 2002
pour le compte de France Loisirs
123, bd de Grenelle, 75015 Paris
N° d'édition 37611 / N° d'impression L 64283
Dépôt légal, novembre 2002
Imprimé en France